YSGOL DINAS BRAN
LLANGOLLEN

GLESNI

Jacqueline Wilson

Addasiad
Elin ap Hywel

Cyhoeddwyd gyntaf yn 1986 gan Oxford University Press,
Walton Street, Rhydychen, OX2 6DP
Teitl gwreiddiol: **Amber**

Argraffiad Cymraeg cyntaf—1997

Hawlfraint yr addasiad Cymraeg: Elin ap Hywel, 1997

ISBN 1 85902 489 0

Dymuna'r cyhoeddwyr gydnabod cymorth
Adrannau Cyngor Llyfrau Cymru.

Cyhoeddwyd dan gynllun comisiynu
Cyngor Llyfrau Cymru.

*Argraffwyd a chyhoeddwyd gan
Wasg Gomer, Llandysul, Ceredigion*

1

Mae'r cloc larwm yn canu. Dwi'n dal i gysgu—wel, tydi'n llygaid i ddim ar agor eto, ond serch hynny dyma fi'n cofio. O Mam bach! Be wna i? Na. Dwi'm isio meddwl am y peth. Mae'r cloc larwm yn dal i ganu. Dyma fi'n mynd i 'nghwman o dan y blancedi i ddianc rhag ei sŵn o. Pam mai y fi sy'n ei ddiffodd o bob tro? Cloc Jay ydi o, wedi'r cyfan. Hen horwth o beth enamel oren efo patrwm chwyrlïog, piws a gwyrdd golau, y math o beth fasa pobl yn arfer ei alw'n seicadelic. Mae amser yn sefyll yn ei unfan yn ein stafell ni.

Ydi o'n mynd i ganu am byth? Dyma fo'n gollwng sgrech rybuddiol—arwydd o berygl. Stopia! Ac mae o'n stopio. O'r diwedd. Mae Jay yn mwmial rhywbeth, ond fel arall tydi hi ddim yn cyffroi 'run gewyn. A tydw inna' ddim am wneud, chwaith. Dwi'n cau fy llygaid mor dynn nes y medra i glywed sŵn y gwaed yn curo yn f'amrannau. Dwi'n gwylio fy mhatrwm chwyrlïog piws personol fy hun. Mae fy meddyliau'n chwyrlïo hefyd, felly dyma fi'n trio gwrando ar y cloc, gan gyfri pob tic a phob toc nes i'r holl eiriau sydd yn fy meddwl i stopio chwyrlïo, gan droi a dechrau martsio i guriad rheolaidd. Dwi ddim am godi, dwi ddim am godi, dwi ddim am godi. Mae'r munudau'n twtian. Mae pob munud yn mynd yn hwy ac yn hwy ac eto does dim cyffroi ar Jay. Mi fydd hi'n drybeilig o hwyr. A minna, hefyd. Ond tydw i ddim am godi.

'O Mam bach!' Dyma Jay yn codi ar ei heistedd ac yn gafael yn y cloc. 'Glesni. Cwyd! 'Dan ni 'di cysgu'n hwyr!'

Dwi ddim am godi.

'Cwyd, wnei di, 'rhen hulpen!'

Dwi'n gwingo. Dwi'n ei chasáu hi. Mi fedra i deimlo fy nghorff yn chwysu, yn codi fel toes. A hitha mor fain. Mae hi'n crafu ei gwallt tenau. Mae o'n tyfu'n deneuach ac yn deneuach. Yr holl *backcombing* yna ddaru hi pan oedd hi'r un oedran â mi, 'nôl yn y *swinging sixties* gwirion. Mi fydd hi'n foel cyn gweld ei deugain.

Fe ddwedodd Iestyn stori wrtha i am ryw gath oedd ganddyn nhw ar un adeg. Pan gyrhaeddodd hi ei chanol oed, mi ddechreuodd golli ei blew ac fe ddwedodd y fet wrtho fo am roi hormôns iddi. Dwi'n credu i flew y gath ddechrau tyfu eto ond mi ddechreuodd hi besgi nes ei bod hi mor dew fel na fedra hi gerdded 'run cam, dim ond honcian. Dyma mam Iestyn yn ei rhoi hi ar ddeiet ond doedd dda gan yr hen gath, druan, hyn o gwbl, a dyma hi'n oernadu ac yn cwyno nes i Iestyn deimlo mor flin drosti, ddaru o ddwyn cyw iâr o'r oergell a'i fwydo i'r gath, pob tamaid ohono fo, y coesau, y frest, y cyfan. Roedd hi'n goblyn o ddiolchgar ac mi fwytodd hi'r cyfan yn awchus reit, ond awr yn ddiweddarach mi gafodd hi strôc a marw.

Druan o Iestyn. Sut fedrwn i?... Na. Dwi ddim yn mynd i godi. Dwi ddim yn mynd i feddwl am ddoe. Dwi ddim yn mynd i gychwyn ar heddiw. Nac yfory nac yfory nac yfory. Ffitio fory i'r tic a'r toc. Y-for-y-y-for-y-y-fory...

'Glesni! Be goblyn sy'n bod arnat ti'r bora 'ma? Mi fedri di o leia roi'r tegell i ferwi.'

Llais Jay sy'n cwyno, wrth iddi eistedd ar ei matras yn gwneud ei hymarferion yoga. Mae golwg rhywun mewn ffilm ddi-sŵn, ddieiriau arni. Tydi ei hwyneb, sy'n grycha i gyd gan ei hymdrech, na'i breichiau, sy'n chwyrlïo o amgylch ei phen, ddim yn cyfleu'r un iot o Heddwch a Chytgord Ysbrydol. Mi fedra i glywed sŵn ei hesgyrn yn cracio ac yn cwyno. Mae hi'n rhy hen o lawer i gysgu ar fatras ar lawr. Doedd gen inna ddim dewis ar un adeg, ond ddaru mi hel fy mhres i gael gwely go iawn eleni. Nid gwely newydd, wrth gwrs, ond mi fydd y papur lleol yn aml yn hysbysebu gwelyau ail-law. Deg punt ar hugain gostiodd hwn. Mi allwn i fod wedi prynu un yn rhatach fyth, ond do'n i ddim isio rhyw hen beth chweinllyd da i ddim. Fe ddaeth fy ngwely i o un o'r tai modern ger y parc, tŷ mor lân fel y medrech chi fwyta'ch brecwast oddi ar lechen y drws. Roedd y ddynes yn ffeind ofnadwy ac mi wahoddodd fi i'w chegin a rhoi coffi i mi mewn mŵg o Habitat a chlamp o dafell o gacen gaws cyrans duon Marks & Spencer. Mae Jay yn galw Miss Mêc arna i. Dangoswch chi unrhyw beth i mi ac mi fedra i ddweud pa fêc ydi o.

Mi wnes i gryn dipyn o bres yn y ffair grefftau, felly mi brynis i gynfasau newydd hefyd—dau bâr o gynfasau sengl newydd sbon efo cesys gobennydd, 'run lliw â'r awyr las. Ddaru mi wnïo blodau n'ad-fi'n-angof bychain pinc a glas ar hyd ymylon y cesys er mwyn eu gwneud nhw'n ddeliach fyth. Wfftio ddaru Jay, wrth reswm. Os ydi gwelyau yn *bourgeois* yna mae cynfasau wedi'u brodio'n waeth fyth.

'Glesni, mae hi'n bum munud ar hugain wedi wyth,' ysgyrnyga, gan godi'n simsan o'i matras a rhedeg o amgylch y stafell. Mae hi'n cynnau'r tegell, yn dawnsio i mewn i'w nicars ac yn gwthio'i phen i'w siwmper holl-liwiau'r-enfys. Fydd hi byth yn gwisgo bra. Dwi 'di bod yn disgwyl erstalwm i'w bronnau hi ddechrau disgyn hyd ei phenliniau fel rhai rhyw hen Affricanes, ond does yna ddim digon ohonyn nhw.

'Glesni.' Dyma hi'n gafael yn fy ngobennydd ac yn tynnu cudyn o 'ngwallt i hefyd.

'Aw! Rwyt ti'n fy mrifo i.' Dwi'n twrio'n ddyfnach i'r gwely.

'Wel, cwyd 'ta.'

Dwi'n twrio'n ddyfnach byth. Mae'r cynfasau dros fy mhen fel na fedra i ei gweld hi.

'Be sy'n bod arnat ti?'

Dwi'n dechrau meddwl am y geiriau ac yn dechrau crynu. Dwi'n trio peidio chwerthin. Nac ydw, dwi'n trio peidio crio.

'Glesni?' Mae hi'n swnio'n betrus. Mae hi'n gafael yn y cynfasau ac yn tynnu, nes daw fy wyneb i'r golwg. Dyma hi'n cyffwrdd â'm talcen. 'Wyt ti'n teimlo'n sâl?'

Dwi'n dowcio 'mhen.

'Ocê, aros di yn y gwely os wyt ti am bwdu. Tydi o'm bwys gen i.'

A dyma hi'n dechrau rhuthro o le i le unwaith eto. Mae hi'n dal i wisgo dim ond nicars a siwmper. Mae hi'n mwydo paned o ddiod dail ac yn ei hyfed hi wrth iddi gamu i mewn i'w jîns. Mae hi 'di bod yn gwisgo'r rhain trwy'r wythnos ac mae 'na dolciau bychain lle ddylai ei phenliniau hi fod. Mae'r sip 'di torri hefyd ond mae hi 'di gwthio pìn cewyn yno rywsut-rywsut. Petai 'mraich i neu 'nghoes i 'di disgyn oddi arna i pan o'n i'n eneth fechan, mi fyddai Jay wedi fy nhrwsio i efo pìn neu ddau a dweud 'mod i fel newydd. Mae hi'n chwilio trwy'r cwpwrdd crasu am ei sanau rŵan, ac mae'r silffoedd yn disgyn wrth iddi ymbalfalu drwy'r dillad, gan dasgu dillad isa i bob man. Mae hi'n eu rhegi nhw ac yn gadael i bob dim orwedd lle maen nhw ar y llawr llychlyd.

'Fedra i ddim ffeindio fy sanau streipiog,' llefa mewn llais oen swci.

Bob bore, dwi'n siŵr, mae miliynau o famau ar hyd a lled y deyrnas yn rhoi help llaw i'w plant i ddod o hyd i'w sanau. Fel arall mae hi yn ein stafell ni. Y fi sy'n rhoi help llaw i Jay. Fi sy'n ei deffro hi ac yn ei rholio hi oddi ar ei matras ac yn hwylio miwsli iddi ac yn gwisgo ei dillad blêr amdani.

Ond dwi ddim am wneud hynny rŵan. Dydw i ddim yn mynd i godi oherwydd os gwnaf i yna bydd heddiw'n cychwyn ac mi fydd yn rhaid i mi feddwl am ddoe. Dwi'n mwmian hyn o dan fy anadl. Mae o'n swnio fel un o *mantras* gwirion Jay. Daw heddiw a ddoe yn ddiystyr, ond i mi ailadrodd y geiriau'n ddigon aml. Dwi am fodoli yn y tir neb yma rhwng y ddau.

Mae Jay yn cnoi ei brecwast, gan gwyno arna i yr un pryd, a gwthio'i thraed noeth i'w bŵts cowboi. 'Nôl yn y saithdegau mi roedd y lledr yn goch ac yn sgleiniog ond rŵan maen nhw'r un lliw â dwy hen fricsen.

'Dwi am ei throi hi,' cyhocdda gan gerdded tuag at y gwely. 'Rwyt ti'n edrych yn ocê i mi, wsti. Wyt ti mewn poen? Glesni! Paid â chodi 'ngwrychyn i. Deuda be sy.'

'Mi fyddi di'n hwyr.' Dywedaf hyn yn y llais fflat, digynnwrf hwnnw sy'n ei gwylltio hi gymaint.

'Mi wn i hynny'n iawn, diolch yn fawr. Mi fyddi ditha'n hwyr, hefyd. Yn hwyr ofnadwy. Os wyt ti am fynd i'r ysgol o gwbl, 'tê.'

Dwi'n cau fy llygaid.

'Gwranda, ro'n i'n meddwl bod yr ysgol wirion 'cw'n bwysig i ti. Dyna pam 'dan ni'n stŷc yn y dymp yma, 'tê? A finna'n stŷc yn y rwtîn diflas diflas diflas naw tan bump 'ma.'

'Chwarter wedi naw tan bump fydd hi heddiw.'

'O, dos i grafu. Dwi'n mynd.'

Dyma hi'n tynnu ei siaced racslyd oddi ar y bachyn ar y drws, gan ddal i sefyll yno'n anniddig.

'Gwranda, os byddi di'n teimlo'n wirioneddol sâl, mi fedri di roi caniad i mi yn y siop. Neu dos drws nesa at Owenna.'

Saib arall.

'Wel, mi fedret ti o leia ddeud ta-ta.'

Na fedrwn. Dwi'n ei gwylio hi'n cerdded o'r stafell. Mae hi'n cerdded mor dalog yn yr hen fŵts blêr yna. Mae hi 'di pinio'i gwallt dros ei thalcen ond dydi hi ddim 'di llwyddo efo'r cefn. Mae o'n gorwedd yn gudynnau llipa, llaes ac mae'r lliw brown yn dangos drwy'r henna. Galwaf ta-ta arni wedi'r cyfan ond mae hi 'di cau'r drws yn barod felly fydd hi ddim yn clywed.

Dwi'n twrio drachefn o dan fy nghynfasau glân. Mi fydda i'n eu newid nhw unwaith yr wythnos, ddwywaith weithiau. Fedra i ddim fforddio mynd i'r olchfa felly mi fydda i'n eu golchi nhw fy hun. Mae Owenna 'di dweud y medra i eu taro nhw yn eu peiriant nhw ond dwi ddim am i 'nghynfasau i gymysgu efo tronsys budron Gordon, clytiau Naomi ac yn y blaen. Mi fydda i'n golchi fy nghynfasau ar wahân, yn y sinc, ac yn defnyddio plu sebon Owenna heb yn wybod iddi. Anadlaf oglau sebon glân fy nghynfasau rŵan, ond medraf ogleuo fy nghorff cynnes fy hun hefyd. Mae'n codi cyfog arna i. Mae'n gwneud i mi gofio. Dwi am sgwrio'r oglau i ffwrdd ond mae hynny'n golygu y bydd yn rhaid i mi godi. Dwi ddim yn mynd i godi, ddim eto, ddim heddiw, ddim byth. Felly claddaf fy wyneb yn y gobennydd a gorwedd yn llonydd.

Dwi'n gwrando ar y mwstwr a'r prysurdeb yn y tŷ oddi tanaf. Dydyn nhw ddim llawer gwell na Jay am godi a gadael. Mae Gordon 'di loncian i lawr y lôn hydoedd yn ôl, wrth gwrs, ond mi fedra i glywed Lois a Meg yn gweiddi ar ei gilydd a Naomi yn sgrechian. Mae Owenna'n dal yn siriol, a'i thymer mor felys â'r mêl sydd ar ei thost brown.

Dyma'r drws yn cau'n glep. Dacw sŵn sgidiau Lois yn clecian i lawr y llwybr. Mae Meg yn mynd wedyn. Ac o'r diwedd dwi'n clywed Naomi yn codi stŵr wrth i Owenna wisgo'i chot amdani a'i rhoi hi i eistedd yn ei choets. Mae Naomi ar ei ffordd i'r cylch meithrin, ac Owenna i Ogof Arthur. Dwi ar fy mhen fy hun.

Meddyliaf am y peth. Dwi'm yn meddwl i mi erioed fod ar fy mhen fy hun yn y tŷ hwn o'r blaen. Mae'r peth yn anhygoel. Meddyliaf am yr holl gartrefi a fu gen i erioed, y comiwns a'r carafanau, y *chalets* glan môr a'r sgwats. Dwi'n bwrw fy meddwl yn ôl trostyn nhw fel llith. Dwi'n gorliwio'r budreddi a'r blerwch. Mae dagrau o hunandosturi yn dechrau cronni y tu cefn i'm llygaid. Ond dydw i ddim yn mynd i grio. Ddaru mi grio hen ddigon neithiwr tra oedd Jay yn cysgu. Dwi'n taro fy mhen yn erbyn y gobennydd er mwyn distewi fy meddyliau. Dwi'n estyn fy mreichiau ac yn dal yn dynn yn erchwyn fy ngwely hardd. Dwi'n dychmygu'r ferch oedd yn arfer cysgu ynddo fo. Mi welais i ei stafell wely hi. Mae ganddi bapur wal a llenni Laura Ashley, posteri chwaethus, set deledu fach wen, poteli persawr ar ei bwrdd gwisgo

(*Charlie* at bob dydd, *Paris* ar gyfer partïon), a Snoopy enfawr gwyn yn cysgu'n braf ar ei Slumberland newydd.

Os caea i fy llygaid mi fedra i gogio fy mod i yn ei gwely newydd hi, nid yn ei hen wely. Nid Glesni ydw i hwyrach, ond. . . Angharad Fflur. Ie, Angharad Fflur ydw i, yn rhannu fy ngwely efo Snoopy ac mae Mam yn galw arna i'n llon i godi oherwydd bod fy macwn ac wy yn oeri. Faswn i'n cael brecwast wedi'i ffrio? Na faswn, dim ond ar ddydd Sul. Diwrnod ysgol 'di hwn, felly creision ŷd fydda i'n eu byta ac mi fedra i sgeintio gymaint o siwgwr ag y leicia i arnyn nhw, siwgwr *gwyn*. Mae popeth yn fendigedig o wyn yn y tŷ hwn, y siwgwr, y bara, y sebon-ogla-da, y blowsys ysgol, y dillad isa, y stof, y bàth, bowlen y tŷ bach, ein dannedd disglair wrth inni wenu. Ydi, mae Mam yn gwenu arna i a dwi'n gwenu arni hitha, ac mae hi'n gofyn i mi a ydw i wedi gwneud fy ngwaith cartra ac yna mae hi'n rhoi fy nillad chwaraeon newydd-eu-golchi i mi, a 'mrechdana. Dewch i ni gael gweld, brechdana wy a *mayonnaise*, sosej rôl, tomaten, creision, KitKat, iogwrt eirin gwlanog, can o Coke ac afal gwyrdd. Mae hi'n fy nghusanu i ac yn dweud ta-ta wrth y drws. Nac 'di wir, mae ganddi hi ei char ei hun, dim ond Mini ail-law ydi o ond mae o'n handi ac yn chwim ac mi fydda i'n cyrraedd yr ysgol yn brydlon bob bore. Ond nid yr ysgol fydda i'n mynd iddi go iawn, dim ffiars o beryg. Gan mai Angharad Fflur ydw i dwi'n mynd i Goleg Glan Menai, yr hen ysgol ramadeg gynt, ond rŵan mae'n rhaid i chi fod yn gyfoethog yn ogystal ag yn glyfar i fynd yno. Wel, dwi'n gyfoethog rŵan ac yn glyfar hefyd, tydw i ddim yn hen swot diflas ac eto dwi yn y ffrwd ucha ac mi fydda i'n sefyll rhesi ar resi o arholiadau ac mi fetia i y bydda i'n pasio pob un wan jac ohonyn nhw. . .

Dau arholiad dwi'n eu sefyll mewn gwirionedd. Yn y ffrwd waelod ydw i. Dwi'n dwp. Ddaru mi ddim dysgu darllen, hyd yn oed, am oesoedd. Wel, nid arna i oedd y bai mewn gwirionedd; sut fedrwn i ddysgu a finna ddim yn mynd i'r

11

ysgol? A beth bynnag, nid y fi ydw i, Angharad Fflur ydw i. Dwi'n siŵr y byddai ei mam yn arfer darllen iddi pan oedd hi'n fechan, *Llyfr Mawr y Plant* a *Smot y Ci* a *Mrs Tigi-dwt* a'r holl lyfrau babanod hyfryd yna fydda i'n eu bodio yn y siop lyfrau; ac felly os mai y hi ydw i mi fedra i ddarllen rhyw gymaint yn barod pan a' i i'r ysgol yn bum mlwydd oed. Dwi'n palu trwy'r holl lyfrau Siôn a Siân heb drafferth yn y byd a dwi'n cael darllen o flaen y dosbarth, dwi hyd yn oed yn cael sefyll ar y llwyfan adeg gwasanaeth a darllen o flaen yr ysgol gyfan . . .

Mae'n rhaid fy mod i—ac Angharad Fflur—wedi pendwmpian. Sbiaf ar y cloc larwm. Mae hi'n ugain munud wedi un ar ddeg. Mae'n amlwg nad ydw i'n mynd i'r ysgol heddiw. Dwi ddim yn mynd i godi o gwbl. Mi dynna i'r cynfasau dros fy mhen unwaith eto a chysgu.

Dos yn dy flaen. Meddylia am Angharad Fflur. Ydi hitha'n bymtheg hefyd? Ie, Angharad Fflur ydw i a dwi'n bymtheg oed ac mae gen i wardrob enfawr a gwahanol ddillad ar gyfer pob diwrnod o'r wythnos. Mae 'nhad yn rhoi pres poced i mi bob mis. Mae o'n hael iawn, ac mi rydw i'n mynd i River Island a Miss Selfridge a Top Shop efo'm ffrindia ar ddydd Sadwrn ac yn dewis. . . fedra i ddim penderfynu. Does dim byd yn edrych yn iawn arna i beth bynnag. Na, nid Glesni ydw i, clamp o eneth fawr bryd golau, ond Angharad Fflur, sy'n dwt ac yn dywyll ac yn ddel. Nid fel Lois, sy'n rhyfedd ac yn *way-out*. Dwi mor normal â chreision ŷd. Mi roddwn i'r byd rŵan am fowlenaid fawr o greision ŷd efo siwgwr a'r hufen ar ben y llaeth. Mi fydda i bob amser yn bwyta creision ŷd yn nhŷ Iestyn. Stopia. Mae meddwl amdano fo fel crafu hen grach. Mae o'n brifo gymaint ond rywsut fedra i ddim peidio.

Nid Angharad Fflur ydw i, ond Glesni, a fedra i ddim cysgu dim hwy a dwi'n fy nghasáu fy hun ac mi rydw i'n llwgu ac rydw i bron â marw o angen mynd i'r lle chwech.

Fedra i ddim gorwedd yma drwy'r dydd efo stumog wag a phledren sy'n llawn hyd yr ymylon. Bydd rhaid i mi godi neu mi wlycha i'r gwely, felly dyma gripian i lawr i'r stafell ymolchi.

Mae golwg drybeilig ar y stafell honno, fel arfer. Mae Jay a finna'n ei rhannu hi efo Lois a Meg. Nid bod Jay yn rhannu rhyw lawer. Tydi hi ddim yn lân; nac yn dduwiol, chwaith. Mae Meg yn lân *ac* yn dduwiol ond mae hi'n sleifio i mewn ac allan fel cysgod a byth yn cyffwrdd â dim. Ond am Lois . . .

Mae hi 'di bod yn llifo'i gwallt eto, i ddechrau cychwyn. Mae 'na lyfiadau piws ar hyd y basn i gyd ac mae hi 'di sbrencian y papur wal hefyd. Mae ei theits gwlân du hi'n gorwedd dros y llieiniau fel dwy siani flewog fawr. Cipiaf fy lliain i. Mae staeniau llwyd ar y lliain pinc. Mi brynais i'r lliain fy hun. Dwi'n ei daflu ar lawr yn fy nhymer, gan gasáu Lois. Mi hoffwn i ei thaflu hithau ar lawr. Ond wna i ddim. Wna i ddim cwyno am y lliain, hyd yn oed. Dwi ddim yn un i weiddi a chreu stŵr. Fydda i ddim yn ei adael o i gyd allan, chwedl Jay. Dwi'n cadw popeth yn dynn y tu mewn imi, fel pe bai o wedi'i wnïo yno.

Flynyddoedd yn ôl, ar y Mynydd Du, ddaru mi ddringo'r gefnen uwch y Gelli Gandryll efo Defi ac yna mi afaelodd o yn fy llaw i ac mi redson ni'r holl ffordd i lawr law yn llaw. Fy nhraed oedd yn rheoli fy nghorff i, yn fy ngwthio i yn fy mlaen, ac mi sgrechiais dan ddychryn a phleser wrth i Defi ddal fy llaw ac mi ddaliais i i sgrechian er mwyn y pleser o sgrechian, gan sgrechian yr holl ffordd i lawr i'r dyffryn oddi tanom.

Dwi'n tynnu'r dŵr ac yn troi'r gawod mor bell ag yr eiff hi. Mae 'na gudynnau o wallt pob-lliw'r-enfys Lois yn batrwm ar y llawr teils felly dwi'n tynnu'r rheini allan yn gyntaf, gan wingo. Yna dwi'n tynnu fy ngŵn nos, yn camu dan storm y gawod, yn agor fy ngheg ac yn sgrechian.

Ond dydi o ddim yn gweithio. Dwi'n teimlo'n wirion, yn

llyncu dŵr ac yn ofni y bydd rhywun yn clywed. Beth pe bai Owenna yn picio draw o'r siop fel y bydd hi'n gwneud weithiau? Os dalith hi fi mi fydd hi'n meddwl 'mod i wedi mynd o 'ngho. Wel, mae hi'n meddwl 'mod i o 'ngho yn barod, ac mae'r lleill yn meddwl hynny, hefyd.

Dwi'n rhwbio sebon yn gras dros fy nghorff. Dwi'n sgwrio'r mannau tyner nes eu bod nhw'n llosgi. Maen nhw'n haeddu cael eu cosbi. Mae'r dŵr yn annioddefol o boeth, yn ferwedig, bron, ond safaf oddi tano fo am bum munud llawn.

Dwi'n dal i fod yn fflamgoch ar ôl i mi sychu fy hun a gwisgo 'ngŵn nos eto. Mae 'mhen i'n curo a dwi'n teimlo pwys yn codi. Dwi'n cripian yn grynedig yn ôl i'm stafell ac yn twrio am fwyd. Dwi 'di hen laru ar fiwsli. Mi ddywedodd Lois unwaith ei fod o 'run fath â chwŷd wedi sychu a dwi 'rioed wedi medru anghofio hynny. Dof ar draws hen fanana yn lle hynny. Mae ei thu mewn yn feddal ac yn ddu a dwi'n rhoi'r gorau iddi ar hanner ei bwyta. Wrth fynd yn ôl i 'ngwely dwi'n cnoi llond ceg o eirin sychion. Bwyd *iach* 'di hwn i fod! Weithiau mi fydda i'n meddwl nad y fi sy o 'ngho o gwbl, ond y lleill. Mi fydda llawer o bobl eraill yn cytuno efo fi hefyd. Angharad Fflur a'i theulu, i ddechrau cychwyn. A'r holl bobl sy'n byw ar yr un stad â nhw, a disgyblion Coleg Glan Menai. Holl ddisgyblion fy ysgol inna, erbyn meddwl. Holl ddisgyblion yr holl gannoedd o ysgolion dwi 'di bod ynddyn nhw. Y rhai oedd yn galw hipi a sipsi a thincar a drygi a rafin arna i, a lot o bethau eraill casach hefyd. Ond tydw *i* ddim, tydw i ddim. Cyn gynted ag y bydda i'n troi'n un ar bymtheg ac yn cael byw ar fy mhen fy hun yn ôl y gyfraith yna mi'i hegla i hi o 'ma. Mi geiff Jay yfflon o sioc un diwrnod pan fydd hi'n deffro ac yn gweld 'mod i wedi mynd. Ond tybed faint o sioc fydd o mewn gwirionedd? Wedi'r cyfan, dyna be wnaeth hitha i'w mam hi.

Dwi'n sugno ar garreg eirin ac yn meddwl am fam Jay. Fy nain i. Dwi ddim wedi'i gweld hi ers cyn co. Am wn i nad oes ganddi'r un syniad ymhle rydan ni'n byw rŵan. Ond mi wn i lle mae hi'n byw.

Dyma fi'n codi o 'ngwely ac yn chwilio yn fy mag ysgol am bapur sgrap. Dwi am sgwennu llythyr at fy nain.

2

Wn i ddim be i'w ddweud. Wn i ddim sut un ydi hi. Rydan ni 'di cyfarfod, wrth gwrs. Sawl tro. Mi es i i aros efo Nain am bythefnos pan o'n i'n fechan. Roedd Jay yn y 'sbyty. Wn i ddim pam yn union. Mi ddeudon nhw wrtha i bod ganddi boen mawr a bod yn rhaid iddi fynd i'r ysbyty er mwyn i'r meddygon gael ei gwella hi. Ella mai argyfwng parchus, 'run fath ag apendics wedi byrstio, oedd o. Ella mai gor-ddos o gyffuriau neu hyd yn oed ymgais i'w lladd ei hun oedd o. Do'n i ddim yn amau dim ar y pryd, wrth gwrs. Ofnus o'n i. Roeddan nhw 'di mynd â Jay i ffwrdd yng nghanol y nos a wyddwn i ddim a welwn i hi fyth eto.

Crio ddaru mi pan adawyd fi yn nhŷ Nain ac mi wnaeth hi ei gorau i 'nghysuro. Dwi'n credu iddi roi ei breichiau amdana i a rhoi mwythau i mi, hyd yn oed. Chwarae teg iddi; mi ro'n i'n fudr iawn bryd hynny.

'Paid â chrio, cariad. Mi fydd Mam yn iawn,' cysurodd fi, ond nid oherwydd Jay ro'n i'n crio; ro'n i'n crio am fy mod i wedi gadael fy hen gerpyn o flanced ar ôl a fedrwn i ddim cysgu hebddi hi. Dyna be dwi'n ei gofio gliria: gorwedd yn effro nos ar ôl nos yn stafell wely sbâr Nain, yn ceisio claddu fy nhrwyn yn ei chynfasau oer, stiff. Ac yna, rhyw ddiwrnod, pan oedd hi'n hwylio bwyd yn ei chegin ddisglair neu'n cael cyntun ar y soffa melfed coch yn y stafell fyw, mi sleifiais i mewn i'w stafell wely a sbio yn ei wardrob hi.

15

Am agoriad llygad! Doedd gan neb o'n i'n ei nabod wardrob go iawn, i ddechrau cychwyn. Ar y gorau, roeddach chi'n hongian eich dillad y tu ôl i hen len; ond fel arfer roeddach chi'n eu cadw nhw, yn grychau i gyd, mewn cês. Byddai angen trynciau ar drynciau i gadw dillad Nain. Doeddwn i ddim 'di dallt y gallai un ddynes fod yn berchen ar gymaint ohonyn nhw. Roedden nhw mor rhyfedd hefyd, mor blaen a thywyll. Mi wyddwn i ar unwaith mai dillad go iawn oedd y rhain a bod clytwaith a bîds a *batik* Jay yn ffug.

Roedd ffrogiau a siwtiau a sgertiau Nain i gyd yn crogi yno yn lân fel pinnau, fel rhes o filwyr yn disgwyl i gadfridog ddod heibio. Roedd ei sgidiau'n sefyll yn syth, hefyd, pâr ar bâr, wedi eu sgleinio'n berffaith. Mi wisgais i'r sgidiau sodlau uchel du, sgleiniog, ar fy nhraed, gan hercio ar draws carped y stafell wely. Yna mi faglais i a dechrau ofni y byddai Nain yn fy nghlywed i, felly mi wisgais i'r sgidiau eraill ar fy nwylo, a gwneud iddyn nhw ddawnsio tap yn yr awyr. Roedd silffoedd ar ochr dde'r wardrôb ac roedd y rhain yn llawn trysorau hefyd: siwmperi meddal a hoglau talc arnyn nhw, menig swêd a'u bysedd yn wag; sgarffiau sidan wedi'u plygu yn sgwariau bychain. Ddaru mi fwytho un fel pe bai o'n anifail bychan ond ddaru fy hen ewinedd blêr ddal yn y defnydd main ac mi guddiais o'n gyflym ar waelod y pentwr, a'm calon yn curo. Chwiliais yn obeithiol am ddillad isa Nain ond roedd hi'n amlwg ei bod hi'n eu cadw nhw yn rhywle arall.

Dringais i mewn i'r wardrob a dechrau ymbalfalu chwilio yn y cefn, y tu ôl i'r sgidiau. Mi ddes i o hyd i flwch bychan talpiog. Doedd o ddim yn teimlo'n addawol iawn ond pan edrychais i arno fo yng ngolau dydd mi ddechreuais i grynu. Blwch bychan a gemau'n drwch drosto oedd o, yn union yr un maint a chynllun â'r blwch cyfrin ddaeth Miranda o'r India.

Roedd Miranda'n aros yn y comiwn yr haf hwnnw. Trio dod dros farwolaeth ei chariad oedd hi. Roedd o'n rhywun pwysig yn y byd roc. Ei ffordd hi o alaru ar ei ôl o oedd mynd am dro bob nos wrth olau'r lloer a llafarganu ei enw o'n uchel, ond ar wahân i hynny doedd hi ddim fel pe bai hi'n arbennig o drist. Ddaru mi 'rioed ei gweld hi'n crio. Doedd hi ddim yn chwerthin chwaith. Roedd ei hwyneb yn fwgwd, fel wyneb doli tsieni, efo llygaid mawr glas fel gwydr a cheg fechan, dwt. Am wn i rŵan ei bod hi allan o'i phen ar gyffuriau trwy'r adeg ond ddaru'r posibilrwydd hwnnw mo 'nharo i ar y pryd. Ro'n i'n addoli Miranda. Ro'n i wrth fy modd efo'r blodau menyn a'r llygaid y dydd y byddai hi'n eu gwthio i'w phlethi golau. Ro'n i wrth fy modd efo'i ffrogiau o Afghanistan, a'r brodwaith yn drwch drostyn nhw. Ro'n i wrth fy modd efo'i thlysau, y deiamwnt oedd yn fflachio'n annisgwyl yn ei thrwyn, y breichledau arian oedd yn canu wrth daro yn erbyn ei fferau main. Yn fwy na dim, ro'n i wrth fy modd efo'i blwch cyfrin. Roedd y cariad wedi mynd â hi ar drip i'r India i gwrdd â'r Maharishi ac mi ddaeth yn ei hôl efo blwch bychan a gemau'n fflachio arno fo, ar glustog o felfed porffor, yn union fel pe bai o'n flwch mewn chwedl dylwyth teg. Doedd hi ddim yn fodlon dweud wrth neb beth oedd ynddo fo. Ysgwyd ei phen yn ddirgelaidd fydda hi pan fyddai pobl yn holi amdano fo. Ro'n i'n meddwl am y blwch yna trwy'r adeg ac yn torri 'mol isio gwybod y gyfrinach, ond synnu at Lois ddaru mi pan awgrymodd hi ein bod ni'n sbio ynddo fo. Feiddiai Meg a finna ddim, felly mi aeth Lois ar ei phen ei hun a sbio yn y blwch tra oedd Miranda wrthi'n mynd am dro wrth olau'r lloer.

'Mi 'drychais i ar bob dim oedd ynddo fo,' broliodd.

'Be welist ti, be welist ti?' crefodd Meg a minnau.

Roedd Lois yn rhy glyfar i ddeud wrthan ni'n syth bìn. Mi gadwodd hi ni ar bigau'r drain am ddyddiau a ninnau'n ei llwgrwobrwyo hi efo rubanau wedi'u dwyn a siocled a phensiliau lliw (fel pob plentyn arall yn y comiwn, roedden ni'n lladron tan gamp). Ac yna, rhyw ddiwrnod, mi glymodd hi ruban lliwgar roedden ni wedi'i roi iddi o amgylch ei thalcen, fel Indiad Coch, trefnu ei phensiliau lliw yn eu pecyn cardbord a sglaffio Mars, Milky Way a Fry's Turkish Delight heb gynnig yr un gegaid i ni. Yna mi ddeudodd wrthan ni beth oedd ym mlwch cyfrin Miranda.

'Dim byd,' cyhoeddodd Lois. Disgleiriai ei llygaid duon wrth iddi ddisgwyl ein hymateb ni. 'Dim byd o gwbl,' pwffiodd. Agorodd ei cheg yn llydan wrth iddi chwerthin, gan ddangos olion y siocled ar ei dannedd. 'Dyna'r gyfrinach.'

Ro'n i'n siŵr mai dweud clwydda yr oedd hi. Sut allai blwch mor anhygoel ddal dim? Ro'n i 'di dychmygu'r cynnwys mor aml fel 'mod i'n siŵr bron bod y blwch yn dal emrallt gymaint ag wy, neu bili-pala lliw aur efo adenydd oedd yn symud go iawn, neu botyn arian llawn persawr efo hoglau rhyfedd a fedrai hudo pobl.

'Dim byd!' meddai Lois dan grechwenu.

Ella ei bod hi'n rhy gwrs neu'n rhy greulon i weld y gyfrinach drosti hi ei hun. Ro'n i'n cofio'r holl chwedlau fuodd Defi'n eu hadrodd wrthan ni. Dyna oedd o. Doedd Lois jest ddim yn deilwng.

Mi benderfynais i y byddai'n rhaid i mi gael cip ar y blwch cyfrin fy hun, ond yna diflannodd Jay a daeth y glas ac mi ges i fy nghipio i ffwrdd i dŷ Nain. Roedd o fel pe bai rhywun wedi ein hudo ni go iawn ac wedi ein chwythu ni i'r pedwar gwynt o fewn eiliadau. Ac rŵan roedd hi'n ymddangos 'mod i o dan hud o hyd oherwydd dyma flwch cyfrin Miranda ym mhen draw wardrob Nain.

Mi fedrwn i ddarganfod y gyfrinach drosof i fy hun.

Mi es i i 'nghwman wrth ymyl y wardrob efo siwtiau gabardîn Nain yn cosi fy mhen a'i sgidiau pigau yn gwthio yn erbyn fy mhen-ôl. Agorais y blwch yn araf efo dwylo crynedig ac yna neidiais. Bu bron i mi sgrechian. Roedd yna set gyfan o ddannedd gosod yn y blwch, clamp o set o safnau mawr a'u gyms yn binc fel samwn tun. Syllais arnyn nhw mewn arswyd. Doedd bosib bod y rhain yn perthyn i Nain? Ond roedd ganddi ei dannedd ei hun, ro'n i 'di'u gweld nhw'n gwenu arna i. Beth am Taid? Rhyw rith o ffigwr oedd o, yn ei swyddfa trwy'r adeg bron. Doedd o ddim yn gwenu, ond mi ro'n i wedi ei wylio fo'n cnoi ei gig rhost ar ddydd Sul. Roedd ganddo fo ddannedd hefyd. Ella mai rhai sbâr oedd y rhain.

Mae'n rhaid bod gan Miranda ddannedd gosod erbyn hyn. Mi glywais i sôn ei bod hi wedi trio hedfan o un o ffenestri'r comiwn un nos. Mi fedra i ei gweld hi'n iawn, ei gwallt llawn blodau'n gwmwl aur, ei ffrog frodiog yn falŵn o'i chwmpas a'i choesau'n cicio yn eu breichledau, yn hedfan, am eiliad, dwy, tair, o dragwyddoldeb—ac yna'n plymio am i lawr cyn glanio efo sgrech a sbloet ar y palmant. Ddaru hi ddim marw. Ella bod y ffrog o Afghanistan wedi bod fel parasiwt. Mi fuodd hi'n ffodus ar y naw i beidio â thorri ei gwddf ond mi dorrodd hi bopeth arall, breichiau, coesau, asennau, trwyn a dannedd. Mi ddeudodd Lois nad oedd hi'n bosib ei nabod hi hyd yn oed pan ddaeth hi allan o'r 'sbyty fisoedd yn ddiweddarach. Mi roddodd hi gynnig ar fynd yn ôl i'r comiwn, ond mi roedd hi wedi newid y tu mewn yn ogystal â'r tu allan. Tyfodd ei gwallt yn llaes a seimllyd, aeth ei ffrogiau'n stiff efo budreddi yn ogystal â brodwaith, roedd ei breichledau, hyd yn oed, wedi pylu. Un diwrnod daeth ei rhieni heibio a mynd â hi i Gartra.

'Sbyty meddwl,' meddai Lois.

Ys gwn i aeth hi â'r blwch cyfrin efo hi? Ddaru mi ddod o hyd i bob math o dlysau ym mlwch Nain unwaith i mi feiddio symud y dannedd gosod i'r naill ochr. Perlau, broets ar siâp rhosod pinc a melyn, a chadwynau oedd yn gwneud rhyw sŵn crynedig, cyffrous wrth imi eu tywallt nhw trwy fy mysedd.

Mae'n rhaid mai perthyn i Nain oeddan nhw, er nad o'n i erioed wedi'i gweld hi'n gwisgo unrhyw dlysau o gwbl, ar wahân i'r tair modrwy ar ei llaw chwith, modrwy ddyweddïo ddeiamwnt, modrwy briodas aur, a modrwy dragwyddol ddeiamwnt. Roedd gan Jay lawer o fodrwyau ond fu ganddi erioed un i gynrychioli tragwyddoldeb neu lw priodas neu hyd yn oed ddyweddïad.

Do'n i'm yn sylweddoli be roedd hynny'n ei olygu i mi. Nain ddaru hisian y gair arna i y tro nesa yr es i i'w gweld hi. Rhyw un ar ddeg neu ddeuddeg o'n i. Roedd Jay efo fi hefyd. Roeddan ni 'di mynd i weld Nain am ein bod ni wedi taro ar hen gymdoges iddi yn siop Oxfam a hitha wedi cydymdeimlo efo Jay ar golli ei thad.

Yn ôl yr hanes, roedd Taid 'di marw dri mis cyn hynny.

'Pam na *ddeudsoch* chi wrtha i?' mynnodd Jay. 'Mi wyddech chi ymhle i gael gafael arna i. Pam na roddoch chi wybod imi am yr angladd, neno'r Tad?'

Roeddan ni'n byw yn y garafán bryd hynny ac felly roedd ganddon ni gyfeiriad parhaol.

Roedd Nain fel petai hi ddim wedi clywed. Dyna lle roedd hi'n eistedd gan syllu i 'nunlle. Doedd hi ddim yn gwisgo du, ond roedd ei ffrog nefi a'i chardigan nefi a'i sgarff sidan lliw nefi mor bruddglwyfus â dillad parch. Roedd ei gwallt wedi ei drefnu mewn *perm* tyn ond oddi tano fo roedd croen ei hwyneb hi'n disgyn. Cododd ei hamrannau chwyddedig a hoelio'i sylw ar Jay.

'Pam na ddaru mi ddeud wrthat ti?' sibrydodd, ond roedd yna rewynt yn ei llais a wnaeth i ben Jay godi'n sydyn. 'Ddaru mi ddim deud wrthat ti, Joyce, am nad o'n i isio iti ddod ar gyfyl dy dad druan. Doedd arna i ddim o dy isio di, na dy blentyn siawns di chwaith.'

Mi gymerodd hi eiliad neu ddwy i mi sylweddoli mai ata i roedd hi'n cyfeirio.

'Y ti ddaru'i ladd o,' meddai Nain, a'i llais yn codi. Pwysodd ymlaen yn ei chadair, a'i dicter yn llifo dros ei hwyneb. Edrychai fel drychiolaeth. 'Y ti laddodd o!' sgrechiodd, a'r poer yn rhedeg yn nentydd bychan o amgylch ymylon ei gwefusau.

Do'n i ddim yn deall. Ro'n i'n meddwl mai dweud bod Jay 'di llofruddio Taid oedd Nain. Syllais arni. Ro'n i'n meddwl ei bod hi wedi mynd o'i cho.

'Mi ddechreuodd yr *angina* y diwrnod y gadewaist ti gartra, Joyce. Mi ddarllenodd Dadi dy nodyn di, mi aeth o'n wyn fel y galchen a dal ei frest. Mi ro'n i'n siŵr ei fod o'n cael trawiad ar y galon. Ella y basa fo'n well pe bai o 'di marw yn y fan a'r lle. Ond na, fu rhaid iddo fo ddal i fyw gan wybod bod ei eneth fach o'n poeri yn wyneb pob moes a pharch, yn llusgo byw fel hwren yn y gwter. Roedd gwybod hynny fel gwenwyn iddo fo. Mi laddodd o fo.'

'Dach chi'n siarad yn eich cyfer,' meddai Jay'n ddistaw, ond mi roedd hi'n crynu'r un fath.

Roedd Nain yn crynu hefyd, a rhyw gryd yn cerdded ei chorff fel petai hi dan dwymyn.

'Y chdi laddodd o,' pwysleisiodd Nain. 'Mi dorraist ti ei galon o. Dyna pam nad o'n i isio i ti ddŵad i'w angladd o. Mi faswn i wedi poeri yn dy wyneb di petait ti 'di meiddio dŵad.'

Gwingodd Jay. Edrychai fel pe bai hi ar fin crio, ond gwenu wnaeth hi yn lle hynny.

'Dach chi'n dal i boeni be mae'r cymdogion yn ei feddwl. Dyna sy, yntê?' dywedodd, gan gilwenu'n herfeiddiol.

Sugnodd Nain ei gwefusau.

'Trystio ti i wamalu am rywbeth mor bwysig, yr hen slwten front â thi. Sbia ar dy ferch di. Llathen o'r un brethyn, mi wranta i.' Roedd Nain yn sbio arnon ni ac roedd hynny'n ddigon i godi cryndod arni.

Mi edrychais innau hefyd er nad oeddwn i isio. Roedd hi fel pe bawn i'n ein gweld ni trwy lygaid Nain. Roedd Jay wedi llifo'i gwallt fel ei fod o'n gorwedd hyd ei hysgwyddau fel candi-fflos yr oedd rhywun ar hanner ei fwyta. Bob bore mi fyddai hi'n peintio cylchoedd du o dan ei llygaid. Digwydd yn naturiol oedd y stwff du o dan ei hewinedd hirion. Doedd ganddon ni ddim dŵr tap ac mi roedd hi'n ymdrech i gadw'n lân. Roedd llewys llawn ei smoc yn fudr a llwyd, roedd patrwm o strempiau ar ei chrys ac roedd ei thraed noeth yn fochaidd. Ro'n i'n fochaidd, hefyd. Rhedais fy mysedd trwy gaglau seimllyd, llaes fy ngwallt fy hun a sbio i lawr ar fy nghrys-T rhacslyd a'r trywser melfed glas ro'n i'n ei wisgo. Roedd o'n agor ar hyd pob sêm.

Doedd dim rhyfedd nad oedd ar Nain ein heisiau ni. Mi ddechreuais i grio. Sbiodd Nain a Jay yn flin arna i. Dal ati i grio 'run fath â babi ddaru mi er 'mod i'n llawer rhy hen i feichio wylo fel yna.

Cymer bwyll. Dechreua eto, bedair blynedd yn ddiweddarach.

Hoelia dy sylw ar y llythyr.

Annwyl Nain

Beth arall? Be fedra i i ddeud wrthi? Tydw i ddim wedi ei gweld hi ers y diwrnod ddaru hi fy ngalw'n blentyn siawns. Os all fy nain fy hun alw enw fel yna arna i, i be dwi'n ymboeni sgwennu ati beth bynnag? Y peth diwetha sydd arni hi isio ydi llythyr gen i. Does gen i ddim papur sgwennu go iawn, hyd yn oed. Fedra i ddim gweld Nain yn derbyn rhyw hen damaid papur wedi'i rwygo allan o werslyfr, yn llinellau ac yn ymylon bratiog i gyd. Mae fy llawysgrifen i'n anobeithiol, hefyd. Mae hi fel traed brain. Bydd Nain yn troi'i thrwyn pan weliff hi'r sgriffiadau anllythrennog. Ches i mo 'nysgu erioed sut oedd gwneud ysgrifen go iawn. A deud y gwir, ddaru mi ddim dysgu printio am oesoedd, oherwydd fedrwn i ddim darllen. Mi fyddwn i'n cogio fy mod i, ond byddai'r ysgol yn cael gwybod y gwir yn y pen draw, bob tro. Roeddan nhw'n meddwl 'mod i'n ddiddeall. Mi ges i fy anfon i uned arbennig ar gyfer Plant Adferol unwaith, hyd yn oed. Ddaru nhw ddangos lluniau del i mi a gofyn i mi eu henwi nhw. Ddaru mi fethu ag adnabod eu hanner nhw, petha fel pyjamas, brws dannedd, teisen ben blwydd efo canhwyllau, haearn smwddio, ceffyl siglo, mwncïod a jiráff a llewod mewn sw. Docddwn i 'rioed 'di gweld y fath bethau felly fedrwn i ddim o'u henwi nhw. Es i ddim yn ôl i'r uned arbennig. Ella'u bod nhw'n meddwl 'mod i'n rhy dwp ar gyfer y fan honno hyd yn oed.

Roedd Defi'n aros efo ni bryd hynny ac mi ddaeth o ar fy nhraws i un diwrnod, yn crio tros lyfr Siôn a Siân ro'n i 'di 'i ddwyn o un o'r ysgolion. Ro'n i 'di syllu ar y print mawr du nes iddo fo ddechra nofio o flaen fy llygaid i, ond fedrwn i ddim gwneud synnwyr ohono fo. Doedd y lluniau ddim llawer o help, chwaith, er 'mod i wrth fy modd yn sbio arnyn nhw. Roedd Siôn a Siân yn byw bywyd mor lân, mor ddiddig ac mor siriol nes ei fod o'n ymddangos yn rhyfeddach i mi na stori dylwyth teg. Byseddais y tudalennau, gan roi mwythau i'r ci papur, chwarae efo dol bapur Siân, codi teisen bapur oddi ar y plât, a dyfeisio stori hir: ddaru Siân farw a ddaru ei mam a'i thad fy mabwysiadu i yn ei lle hi felly mi ges i holl ffrogiau a doliau del Siân ac mi chwaraeais i efo Siôn a Mot y ci a ddaru fy mam newydd wneud prydau bwyd blasus i mi a ddaru fy nhad newydd ddarllen stori i mi yn fy ngwely glân, cysurus fy hun bob nos. Mi fedrwn i adrodd fy stori am oriau bwy'i gilydd, ond fedrwn i mo'i sgwennu hi a'r unig eiriau fedrwn i 'u darllen oedd 'Siôn' a 'Siân' a 'Mot' y ci a 'Mam' a 'Dad'.

'Fedra i ddim darllen y geiriau eraill, dwi'n rhy dwp,' llefais.

'Paid â'u deud nhw,' meddai Defi, gan fy nghodi i'w gôl.

Mi es i i 'nghwman a rhochio anadlu ei oglau cynnes, gwlanog o. Symudodd fi i'r naill ochr er mwyn dod o hyd i hen feiro yn ei boced. Ddaru o agor allan hen fag papur llwyd a'i lyfnu fo a thynnu llun o eneth fechan dew, ddagreuol yn deud, 'Fedra i ddim darllen y geiriau eraill, dwi'n rhy dwp,' a llun o ddyn efo gwallt cyrliog a siaced glytwaith yn deud, 'Paid â'u deud nhw'. Mi ddarllenodd be o'n i'n 'i ddeud ac yna mi wnaeth o i mi ddyfalu be'r oedd o'n ddeud, ac mi fedrwn i, hyd yn oed, ddeall hynny. Yna mi dynnodd o lun geneth fechan ddel efo gwallt fel gwrach o'i cho a ffrog hir yn sgubo'r llawr—Lois!—ac mi wnaeth o iddi hi ddeud pob math o eiriau byr, budr, ac mi ro'n i'n nabod y rhan fwyaf o'r rheini'n barod. Wedyn mi dynnodd o lun Meg a'i gwallt yn dyffiau bach trist i gyd, y ffordd fydda fo ar ôl i Lois fod yn chwarae trin gwallt efo hi. Roedd Meg druan yn deud, 'Tydw i ddim yn leicio Lois'. Ddaru o lenwi'r bag papur efo lluniau o'r holl blant yn y comiwn. Ddaru o hyd yn oed dynnu llun y babi a gneud iddo fo ddeud 'Mam mam mam' a 'Dam dam dam' ar ôl iddo fo gael ei fwydo. Mi roddais i'r gora i grio a dechrau chwerthin a darllen pob gair ar y bag papur.

Ddaru Defi sgwennu mwy o storïau i mi y diwrnod wedyn.

'Mae Glesni 'di prynu ffrog binc ddel mewn siop ddrud. Mae Glesni'n bwyta hufen iâ pinc del mewn caffi crand. Sbiwch ar Glesni! Mae Glesni'n llyfu pob tamaid o'i hufen iâ pinc del. O diar. Mae hi'n ei ollwng o dros ei ffrog binc ddel. Ond does neb yn gweld. Dydi o ddim yn dangos oherwydd mae'r hufen iâ'n binc ac mae'r ffrog yn binc ac mae tafod Glesni'n binc wrth iddo fo lyfu a llyfu. Mae gwefusau Glesni'n binc wrth iddi wenu. Felly dowch i ni roi sws iddi.'

A dyna ddaru o. Mi ddarllenais i holl storïau Defi nes 'mod i'n eu gwybod nhw ar fy ngho, a phan es i'n ôl at y llyfr *Siôn a Siân* yr o'n i wedi'i ddwyn mi welais i 'mod i'n medru darllen hwnnw hefyd. Mi ddarllenais i'r llyfr nesa yng nghyfres *Siôn a Siân* a'r llyfr nesa wedyn. Do'n i ddim mor ddi-ddallt â hynny wedi'r cyfan. Mi fedrwn i ddarllen.

Fedra i ddim dychmygu methu darllen rŵan. Dyna be fydda i'n hoffi ei wneud orau, ar wahân i wnïo. Ond bod gen i gymaint o waith dal i fyny efo pawb arall, o hyd. Mae gen i bedwar deg tri llyfr sy'n perthyn i mi ond maen nhw i gyd braidd yn hen ac yn od. Eu cael nhw ar silffoedd 10c siop lyfrau'r Sinema yn y Gelli ddaru mi. Mi dalais i 10c am bob un wan jac ohonyn nhw. Fydda i ddim yn dwyn dim byd o gwbl rŵan.

Dyma fi'n pwyso allan o'r gwely a sbio ar fy llyfrau, gan gyffwrdd â'r cloriau, rhai brown a choch a glas. Pedwardeg-pedwar. Dyma lyfr clawr papur sydd ddim yn perthyn i mi, mae'n perthyn i Iestyn. Mae o 'di bod yn rhoi benthyg ei holl hoff lyfrau pan oedd o'n blentyn i mi—*Madam Wen* a *The Hobbit* a *Gwres o'r Gorllewin* ac rŵan dwi'n darllen *Winnie the Pooh*. Mae o'n eu gwybod nhw ar ei go, bron, felly tydi o ddim yn ei chael hi'n anodd i'w darllen nhw. Mi fydd o'n darllen *Winnie the Pooh* i mi weithia, ac yn gneud gwahanol leisia ar gyfer yr holl wahanol anifeiliaid. Mi fydd o'n gneud i Kanga swnio fel Edna Everage ac mae hynny'n gneud i mi chwerthin bob tro.

Tydw i ddim yn chwerthin, crio rydw i. O Iestyn, mae'n flin gen i. Do'n i'm 'di meddwl...

Oeddwn, mi roeddwn. Tydi o ddim iws. Dwi'n union 'run fath â Jay. Dw i 'di trio a thrio peidio â bod, dw i 'di rhoi'r gorau i ddwyn ac mi fydda i'n molchi bob dydd ac mi fydda i'n cadw fy nillad yn dwt ac yn 'studio mor galed ag y medra i yn yr ysgol a dwi'n gweithio hefyd a dwi 'di prynu fy ngwely fy hun a dwi 'di gneud cymaint o wahanol gynlluniau ond *tydi o'n gneud dim gwahaniaeth.*

Llathen o'r un brethyn. Dyna be ddeudodd Nain.

Annwyl Nain

Mi wn i y byddwch yn synnu derbyn llythyr gen i. Mae'n flin gen i nad oes gen i ddim papur sgwennu go iawn. Mae'n flin gen i bod fy llawysgrifen fel traed brain. Mae'n flin gen i 'mod i mor frwnt a blêr y tro diwetha y des i i'ch gweld chi. Mi wn i nad ydych chi'n fy lecio i rhyw lawer ond mae arna i gymaint o isio newid a bod yn wahanol ac ymddwyn yn iawn. Tydw i ddim yn leicio fy mam a thydw i ddim yn leicio y ffordd 'dan ni'n byw. Tydw i ddim isio bod yn berson fel hyn, ond fedra i ddim peidio tra dwi'n byw yma. Felly plîs ga i ddod i fyw efo chi? Dwi'n ddistaw iawn ac yn lân iawn rŵan ac mi fedra i nôl neges i chi ac mi fedra i wnïo ac mi rydw i'n gweithio'n rhan-amser yn barod ac os 'dach chi isio mi fedra i gael swydd amser-llawn y funud dwi'n un ar bymtheg. Plîs deudwch y ca i.

Yr eiddoch yn gywir
Eich wyres gariadus

Glesni.

3

'Ow! Llygoden fawr yn y gegin!'

Dyma fi'n neidio, gan roi cnoc i'r tun nes fod y bisgedi'n tasgu i bob man.

'Un flêr wyt ti,' meddai Lois, gan ysgwyd ei phen.

Dwi'n penlinio ar lawr oer y gegin ac yn ceisio tywallt y briwsion bisgedi yn ôl i'r tun. Nid fy misgedi i ydyn nhw, dyna ddagrau pethau. Lois sy biau nhw. Roedd arna i gymaint o isio bwyd a does 'na ddim sy'n debyg i fwyd go iawn yn ein stafell ni (os fwyta i fwy o briwns mi fydda i'n griddfan yn y lle chwech drwy'r dydd fory). Felly mi gripiais i i lawr grisiau ar herw i bantri Owenna. Fedrwn i ddim rhoi'r gorau i feddwl am ei bisgedi siocled cartra.

Ond rŵan dyma Lois wedi fy nal i. Mae hi'n pwyso'n ddiog yn erbyn y rhewgell ac yn chwerthin am fy mhen.

'Maen nhw i gyd 'di torri,' mwmialaf. 'Ac mae 'na flewiach ar y tameidia.'

'Tafla nhw,' medd Lois yn ddi-hid, gan agor y rhewgell ac estyn potel o lefrith. Mae hi'n ei yfed o'n syth o'r botel, yn ei draflyncu o fesul cegaid mawr barus, ac yna mae hi'n suddo ei dannedd i gwlffyn o gaws, gan adael ôl ei dannedd llaethog ar y cosyn.

'Lois!'

'Wyt ti isio tamaid?' Dyma hi'n torri slabyn ac yn ei gynnig o i mi.

Dwi'n ysgwyd fy mhen ond mae fy llaw yn estyn at y caws 'run fath a dwi'n ei lowcio fo ac yna dwi'n bwyta'r holl dameidiau bisgedi blewog hefyd. Mae Lois yn cychwyn ar afal mawr coch o'r fowlen. Mae arna i isio un hefyd, ond tydw i ddim cweit yn meiddio helpu fy hun.

'Be wyt ti'n neud yn loetran fan hyn?' hola Lois. Mae hi'n ciledrych ar fy nghoban. 'Sâl wyt ti?'

Dwi'n ysgwyd fy mhen. 'Do'n i'm isio mynd i'r ysgol heddiw, dyna'r cwbl.'

Mae aeliau Lois yn codi mewn ystum o syndod. Mae hi 'di plicio'r blew yn ddim ac yna wedi lliwio rhai newydd, porffor, yn eu lle, ond mae Lois yr un mor ddel efo aeliau neu hebddyn nhw. Mae hi'n gwisgo gwisg ysgol frown sy'n hyll fel pechod ac eto mae 'na ryw steil yn perthyn i honno, hyd yn oed, pan mae hi'n ei gwisgo. Mae hi 'di altro'r sgert nes ei bod hi'n fyrrach ac yn dynnach o lawer nag y dylai hi fod, ac mae hi'n gwisgo crys gwyn, crys bachgen efo coler uchel, stiff, sy'n edrych yn od o bropor arni. Mae ei thei'n ddeniadol o flêr, a'r cwlwm yn bownsio ar ei bronnau. Mae ganddi rwyg yn un o'i sanau tywyll ond rywsut mae hwnnw, hyd yn oed, yn edrych yn rhywiol.

'Pam wyt ti gartra, beth bynnag?' medda finna'n bigog.

Dyma Lois yn codi 'i hysgwyddau. 'O, mae gen i hen wers Ladin ddiflas y pnawn 'ma a do'n i jest ddim yn medru meddwl am fynd. Be 'di'r pwynt? Dim ond hen iaith sych, farw, gwbl ddiwerth ydi hi.'

Wrth i mi wthio bisgïen arall i'm ceg dwi'n ei chasáu hi. Mae'r byd mor annheg. Mae Lois yn glyfar, yn glyfrach o lawer nag ydw i. Does dim angen iddi drio hyd yn oed. Mi gollodd hi lawer o ysgol, 'run fath â finna, ond y funud gychwynnodd hi, hi oedd seren y dosbarth. Mi fetia i ei bod hi jest 'di sbio ar lyfr *Smot y Ci* am y tro cynta ac wedi ei ddarllen o mewn chwinciad. Erbyn iddi ddechrau yn yr ysgol gynradd roedd Gordon 'di penderfynu bod y bywyd amgen yn colli ei apêl ac wedi penderfynu mynd yn ôl i fyd marchnata. Cyn bo hir mi roedd o'n ddigon cefnog i anfon Lois a Meg i ysgolion preifat crand. Mae Lois yn y ffrwd uchaf yn y bumed flwyddyn yn ei hysgol breifat rŵan. Mi fydd hi'n sefyll deg arholiad. Ac mi fetia i y gwneiff hi eu pasio nhw i gyd, Lladin hyd yn oed, er nad ydi hi'n gwneud 'run stroc o waith.

Rydw i yn y ffrwd isaf yn f'ysgol i ac yn sefyll dau arholiad, Cymraeg Iaith a Gwnïo. Dwi ddim yn cael cymryd Ffrangeg na Maths na Gwyddoniaeth na dim, dwi'n anobeithiol ym mhob un. Wn i'r un gair o Ladin ac mae Lois yn gwybod hynny i'r dim.

'Be wnawn ni 'ta? Be am wisgo'n dillad gora a mynd i Gaer?' awgryma Lois, er nad ydan ni erioed 'di bod allan efo'n gilydd o'r blaen.

'Dim diolch. Dwi am fynd 'nôl i 'ngwely.'

'O, paid â bod mor ddiflas, Glesni,' cwyna Lois, gan fy nilyn i allan o'r gegin ac i fyny'r grisiau. 'Ty'd yn dy flaen, mi ro i fenthyg rhwbath i ti wisgo.'

Mae hi'n gwybod yn iawn bod pob peth sydd ganddi hi'n rhy fach i mi. A fasan nhw ddim yn gweddu imi hyd yn oed petaen nhw'n ffitio.

'Dwi'n mynd i'r gwely,' medda fi eto, ond dyma Lois yn fy nilyn i yn syth i fyny i'm stafell.

Mi faswn i wrth fy modd pe bai hi'n stafell i mi yn unig. Ond ein stafell ni ydi hi, ac mae petha Jay ym mhob man.

'Mae hi mor od eich bod chi'n byw yma efo ni,' medd Lois yn ddifeddwl. 'Dwi'n dal i ddisgwyl gweld y tacla tennis bwrdd yn fan 'ma. Mi faswn i wrth fy modd yn chwarae ping-pong rŵan.'

A dyma hi'n gafael mewn plât budr, gan esgus mai bat tennis bwrdd ydi o, a tharo hosan streipiog i'r awyr. Mae 'na fêl ar y plât ac mae'r hosan yn glynu wrth y nenfwd. Rydan ni'n rhythu arni ein dwy mewn syndod ac yna mae Lois yn dechrau sgrechian chwerthin. Rydw inna'n chwerthin hefyd.

'Fuodd Jay'n chwilio am yr hosan 'na y bora 'ma.'

'Wel, mi ŵyr hi lle mae hi rŵan.'

'Sut ga i hi o 'na?' holaf, gan sefyll ar gadair simsan yr olwg. Mi rydw i'n reit dal, ac eto mae fy mraich yn chwifio'n seithug a'r hosan y tu hwnt i'm gafael.

'Well i ti ei gadael hi yn fan 'na. Mae hi'n edrych yn cŵl iawn,' medd Lois. 'Ty'd yn dy flaen, Gles. Ty'd i Gaer efo mi. Mae gen i bres, mi dretia i chdi. Mi bryna i anfarth o deisan hufan fawr feddal i ti yn y Bistro. Be amdani?'

'Dim diolch,' medda fi. Er na fedra i beidio â blysio'r deisan. Dwi 'rioed 'di byta dim yn y Bistro, dwi rioed 'di bod dros y trothwy, hyd yn oed, ond mae'n un o hoff fannau Lois ac mi fydd hi'n aml yn disgrifio'r teisenna mor fanwl nes tynnu dŵr o'm dannedd.

Mae Lois yn syllu arna i fel tasa hi am bwyso a mesur fy hyd a'm lled. Mi leciwn i taswn i wedi gwisgo. Mi wn i bod cotwm gwyn fy nghoban yn drwchus ond mae Lois yn edrych fel pe bai hi'n medru gweld pob rhych a phant.

'Pam fod golwg mor lechwraidd arnat ti?' hola. 'Mi wn i! Rwyt ti'n mynd i weld y cariad rhyfadd 'na sy gen ti. Mae o'n dod acw y pnawn yma, yn tydi?'

'Nac 'di, tydi o ddim. A tydi o ddim yn rhyfadd chwaith. Gwranda. Dwi'n mynd yn ôl i'r gwely.' Dringaf i'r gwely ond mae Lois yn eistedd y pen arall iddo ac yn gwenu arna i fel giât.

'Mynd i'r gwely, ia?' medd hitha, a'i llygaid yn pefrio. 'Rhag dy gywilydd di, Glesni. A minna'n meddwl dy fod ti mor bropor. Felly rwyt ti'n cysgu efo'r hogyn rhyfadd 'na, wyt ti?'

'Nac 'dw. Taw, wnei di. A phaid â'i alw fo'n rhyfadd,' arthiaf arni, â'm hwyneb yn fflamio.

'Rwyt ti'n gwrido. Sbia arnat ti, rwyt ti'n goch fel cimwch. O Glesni, ty'd yn dy flaen, mi fedri di ddeud wrtha i. Sut beth ydi'i wneud o efo'r hogyn rhyfadd? Sori, efo *Iestyn*. Ydi o'n cadw'r ddoli wirion yna sy gynno fo ar ei law tra mae o wrthi?'

'Nac 'di! O, taw amdano fo wir.'

'Felly, 'dach chi *yn* ei wneud o?'

'Nac 'dan! Ma' gen ti a phawb arall yn y tŷ 'ma obsesiwn efo rhyw! Paid â chymryd yn ganiataol bod pobl eraill wrthi'n cnychu fel cwningod drwy'r adeg.'

'Ydi cwningod yn cnychu? O'n i'n meddwl mai ceirw oedd yn cnychu. Wyt ti'n cofio ni'n mynd am bicnic ym Mharc y Ddôl? Oeddat ti'n byw efo ni bryd hynny? Wel, Hydref oedd hi ac mi ro'dd y ceirw i gyd wrthi, a'r hydd yma, wir iti, am sŵn oedd gynno fo, dwi 'rioed 'di clywed dim byd tebyg, ro'dd o'n ffiaidd,' a dyma Lois yn dynwared y carw'n awchus. Saib wedyn, a hithau'n edrych yn feddylgar. 'Ond mi gwrddais i â rhyw hogyn pan o'n i ar fy ngwyliau a phan oedd o. . .'

'Lois, does arna i ddim isio gwybod. Dwi jest isio mynd i gysgu. Ar fy mhen fy hun. Plîs.'

Ochneidia Lois yn ddiamynedd. 'Ocê, ocê. Mi a' i Gaer ar fy mhen fy hun. Mi fwyta i deisenna a chwrdd â heidia o hogia del a chael fy ngwahodd i bob math o bartïon ac mi fydda i wrth fy modd a phan ddo i'n ôl mi ddeffra i chdi ac mi ddeuda i'r hanas i gyd wrthat ti ac yna mi fyddi di'n cenfigennu wrtha i fel r'andros.'

'Fel r'andros,' meddaf i, gan geisio bod yn goeg—er efallai mai y hi sy'n iawn.

Dwi'n gorwedd yno ac yn cau fy llygaid ac yn clywed sŵn Lois yn cerdded ling-di-long o'r stafell. Ac yna dwi'n cofio.

'Lois!' galwaf. 'Fyddi di'n mynd heibio i flwch post?'

Ymbalfalaf am y llythyr o dan fy nghlustog. Dwi 'di'i roi o

mewn hen amlen frown oedd yn perthyn i Jay. Doedd hi ddim hyd yn oed wedi ei hagor hi. Fydd hi byth yn agor unrhyw amlen frown rhag ofn mai Newyddion Drwg sydd ynddi. Dduw mawr, mae hi'n blentynnaidd. Mae'n rhaid talu'r biliau i gyd yn y pen draw. Ond mae Jay jest yn disgwyl ac yn cogio peidio â phoeni a phan maen nhw ar fin mynd â hi i'r carchar fel arfer mi fydd hi'n perswadio rhyw dwmffat arall i dalu. Debyg gen i mai Gordon fydd o o hyn allan. Fedra i ddim diodda meddwl am y peth, er 'mod i'n ama 'i fod o mor gefnog fel na fydd o hyd yn oed yn sylwi bod y pres 'di mynd.

Dyma Lois yn cymryd cipolwg ar y llythyr. 'Wyt ti'n sgwennu at yr hogyn rhyfadd?'

'O, paid 'ta,' meddaf i, gan ochneidio ac esgus rhoi'r llythyr yn ei ôl.

Mae hi'n ei gymryd o gen i, fel y gwyddwn i y byddai'n gwneud.

'Oes gen ti'r fath beth â stamp?' gofynnaf, gan drio swnio'n ffwrdd-â-hi. Mae gan Lois sawl llyfryn o stampiau yn ei desg Fictorianaidd, pren tywyll. Mi rown i'r byd i gyd i gael bod yn berchen ar y fath ddodrefnyn hardd. Tydi Lois ddim yn gofalu amdani hi hyd yn oed. Mae hi 'di sgrafellu 'i henw arni.

'Oes, wrth gwrs,' medd Lois. Dyma hi'n craffu ar y cyfeiriad sydd ar yr amlen. 'Mae dy sgrifen di'n drybeilig o wael, Glesni!'

Mae'r peth mor annheg. Mae llawysgrifen Lois yn dwt iawn, yn daclus, dan reolaeth. Dydi hi 'rioed wedi ymarfer sgwennu yn ei byw. Ddaru hi jest gafael mewn ysgrifbin a dyna sut ddaeth o allan o'r cychwyn cynta.

'Mi ro i'r pres i ti.'

'Hidia befo,' medd Lois, fel yr o'n i'n gwybod y basa hi. Mi rydw i gynddrwg â Jay mewn rhai ffyrdd. Ym mhob ffordd.

'Pwy 'di'r Mrs Alis 'ma?' hola Lois.

'Be? Mrs Ellis ti'n feddwl. Fy nain i.'

'Mae o'n edrych fath ag Alis i mi. Pam wyt ti'n sgwennu at

dy nain? Do'n i'm yn meddwl dy fod ti a Jay yn gyrru 'mlaen efo'ch teulu.'

'O'n i jest isio sgwennu ati, dyna i gyd,' meddaf, gan orwedd eto. 'Wnei di ddim anghofio'i bostio fo, na wnei di?'

'Na wnaf. Reit. Mi wela i chdi.'

Mi glywais i hi'n ymystwyrian oddi tana i yn ei hystafell ei hun ac yna dacw hi'n carlamu i lawr y grisiau, dan regi wrth iddi faglu yn ei sgidiau sodlau uchel o Oxfam. Mae Gordon yn rhoi pres pocad iddi bob mis ac mae ganddi ei chyfri banc ei hun ac eto mae hi'n dewis prynu hanner ei thrugareddau yn siop Oxfam.

Mae'r tŷ yn dawel unwaith eto. Mi ddaw Meg adre o'r ysgol tua hanner awr wedi pedwar ond mae hi'n fwy swil na finna, hyd yn oed, ac yn sicr ddaw hi ddim yma. Mi fydd Owenna yn cyrraedd yn ôl efo Naomi tua chwarter wedi pump. Daw Jay adra tua chwech. Mae'n debyg na fydd Gordon yn ei ôl tan tua naw o leia. Ydi o wir yn gweithio mor hwyr â hynny neu ydi o'n cael *affair*? Dydi Owenna ddim i'w gweld fel tasa hi'n malio os ydi o. Ond wedyn mae Owenna 'di arfar â pheidio â malio. Dwi'n meddwl bod Jay a Gordon yn arfar cysgu efo'i gilydd pan oeddan ni'n byw yn y comiwn erstalwm. Dyna pam ddaru Gordon gynnig y stafell yma i ni am ddim.

Roedd arna i ofn ar y dechra bod yna fwy iddi na hynny. Mi faswn i'n edrych ar Gordon byth a hefyd. Mae o'n ddyn solet, a chyhyra 'i stumog yn dechrau llacio er gwaethaf ei holl sesiynau yn y *gym*, er gwaethaf yr holl loncian. Mae ei wallt trendi yn olau olau ac mae ei lygaid, y tu ôl i'w sbectols lliw, yn las. Dydi hi ddim yn anodd dychmygu rhyw debygrwydd rhyngddan ni. Roedd y peth yn fy mhlagio i gymaint nes yn y diwedd bu'n rhaid i mi ofyn i Jay yn blwmp ac yn blaen.

'Ai Gordon 'di 'nhad i?'

Dechreuodd chwerthin 'i hochor hi. 'Wrth gwrs nad y fo ydi dy dad. Wyt ti'n meddwl y basan ni'n straffaglu cael dau ben llinyn ynghyd fel hyn petasa fo'n dad i chdi? Ac mi ddeudais i wrthat ti pwy oedd dy dad di. Rwyt ti'n gwbod na faswn i'n deud clwydda wrthat ti.'

Na fasa, am wn i. Ella y byddai'n well gen i petasa hi. Dwi'n meddwl y byddai'n well gen i Gordon, hyd yn oed, yn dad i mi na 'nhad go iawn i. Mae hwnnw 'di marw, os oes modd credu Jay. Mi fuodd o farw fis cyn fy ngeni i.

Mae rhai rêfyrs gwirion yn dal i alaru ar Chwefror 13, y dyddiad y bu farw Owen Brown mewn damwain car. Owen Brown y canwr pop. Roedd o'n seren yn y chwedegau. Un o Landudno oedd o, yn hytrach na Lerpwl, ond mi gafodd ei grŵp o, The Sparklers, chwe record yn y siartiau ac aeth un yn syth i rif dau. 'Be Boppy' oedd enw'r record. Wir i chi. Mi ddywedodd Jay yr holl sothach yma wrtha i fel pe bai gen i reswm dros fod yn falch. Mi fydd hi'n dal i wrando ar 'Be Boppy' efo golwg addolgar ar ei hwyneb, fel tasa Owen Brown gystal â Beethoven, os nad gwell. Ond nid Owen Brown ei hunan oedd fy nhad, chwaith, o na. Doedd fy nhad ddim hyd yn oed yn aelod o'r band. Fo oedd y *roadie*. Y dyn oedd yn gyrru Owen Brown a'r Sparklers o *gig* i *gig*. Fo oedd yn gyrru Jensen Owen Brown ar Chwefror 13. Roedd Owen yn chwerthin yng nghefn y car, allan o'i ben ar ddrygs. Cyn bo hir mi roedd o allan o'i gorff hefyd oherwydd ddaru Dad fethu â sylwi ar y rowndabowt nesa a gyrru'n syth drwyddo fo.

Roedd ei enw o yn y papur. 'Cafodd rheolwr band Owen Brown, Geraint Andrews, ei ladd yn syth.' Geraint Andrews. Faswn i ddim hyd yn oed yn gwybod ei enw o fel arall. Fe gafodd Jay a 'nhad nabod ei gilydd am ryw bymtheg munud. Prin y medra i gredu'r peth, o hyd. Doedd Jay ddim hŷn na dwi rŵan. Does dim rhyfedd bod Nain wedi poeri arni.

Be wnaeth eich mam chi ar ôl gadael yr ysgol? O, mi ddechreuodd hi ar yrfa oedd yn gyffredin iawn yn ystod y chwedegau. Cyffredin? Coman, yn hytrach. Grŵpi oedd hi. Roedd hi'n arfer dilyn gwahanol sêr y byd pop a chysgu efo gymaint ag y medra hi. Doedd hi ddim yn arbennig o lwyddiannus, chwaith. Ddaeth hi ddim yn agos at John Lennon na Mick Jagger na neb efo steil. Mi gnychodd hi *roadie* Owen Brown, ond ddaru hi ddim trefnu petha'n rhyw dda iawn oherwydd mi ddaeth hi'n feichiog.

Mi wnaeth hi hynny y llynedd, hefyd, pan ddeudodd y doctor ei bod hi'n bryd iddi stopio cymryd y bilsan. Doedd Jay, hyd yn oed, ddim yn ddigon o ffŵl i weld Cai'r Crochenydd, y hi, y fi a babi newydd i gyd yn un teulu bach. Mi ddeudodd hi wrth Cai ei bod hi'n mynd i gynhadledd ffeministiaid dros y Sul ac yna mi aeth hi i'r 'sbyty a chael erthyliad. Doedd hi ddim yn fodlon trafod y peth efo mi. Roedd hi'n edrach yn iawn ar y dechra, ond yna wythnosau'n ddiweddarach mi fasa hi'n dechrau crio heb reswm ac mi roedd o'n mynd ar nerfa Cai ac mi ddaru nhw gweryla ac mi ddeudodd Jay wrtho fo be'r oedd hi 'di wneud. Dwi'n meddwl ei bod hi isio iddo fo fod yn sensitif a theimlo'n flin drosti ond hen ddiawl o ddyn oedd Cai'r Crochenydd. Mi benderfynodd o bod Jay 'di cael yr erthyliad oherwydd ei bod hi'n poeni nad y fo oedd tad y babi. Dyna ddangos i chi faint o frêns oedd ganddo fo, oherwydd ar y pryd roedd y tri ohonan ni'n byw mewn sièd damp ar ben rhyw fynydd gwlyb diarffordd a Cai oedd yr unig ddyn roedd Jay yn ei weld o fore gwyn tan nos. Ond mi ddechreuodd o gynddeiriogi a gweiddi a rhegi ac yna mi ddechreuodd o gwffio. Mi waldiodd o Jay mor galed nes ei tharo hi i'r llawr ac yna mi giciodd o hi a phan ddechreuais inna sgrechian a thrio ei thynnu hi o'r ffordd mi giciodd o finna hefyd. Ro'n i'n meddwl ei fod o'n mynd i'n lladd ni'n dwy. Ella mai dyna oedd Jay yn ei feddwl, hefyd, oherwydd pan aeth o 'na o'r diwedd mewn yfflon o dymer mi bacion ni'n bagia'n reit handi a llithro i lawr y mynydd a bodio pàs i Dduw a ŵyr lle.

A'r noson honno roeddan ni'n yfed te llugoer mewn caffi oedd yn agored drwy'r nos ac mi roeddwn i'n dal i grio ac roedd Jay jest yn eistedd yno 'run fath â sombi efo'i llygaid ynghau, heb drio meddwl beth oeddan ni am ei wneud nesa, pan drodd fflyd gyfan o Range Rovers a faniau ffansi i mewn i'r maes parcio. Yna mi gamodd criw ffilmio i mewn i'r caffi, newydd fod yn ffilmio rhyw gwpwl yn cusanu mewn cae wrth iddi fachlud ar gyfer rhyw hysbyseb past dannedd. A ddaru rhyw benci oedd yn ffansïo'i hun, mewn gwasgod ledr a jîns 'di colli'u lliw a bŵts hyll melyn, sbio arnan ni'n sydyn dros ei sbectols a gwneud naid amdanon ni.

Aeth Gordon â ni adra efo fo. A dyma ni. Ar y cychwyn ro'n i'n rhannu stafell efo Lois, a Jay yn rhannu efo Meg (mae gan y ddwy wely sbâr yr un yn eu stafelloedd gwely) ond pan ddaeth hi'n amlwg ein bod ni erbyn hyn yn aelodau parhaol (fwy neu lai) o'r teulu fe gynigiodd Gordon y stafell yn yr atig i ni.

Roedd hi'n gas gen i'r syniad. 'Fedrwn ni ddim byw ar eu cardod nhw am byth. Tydyn nhw ddim o'n isio ni yma. Ty'd, Jay, mi fydd yn rhaid i ni fynd.'

'Iawn. Deuda di i ble.'

'Wn i'm. Fedri di ddim mynd at y Cyngor eto?'

Roeddan ni 'di trio hynny sawl tro o'r blaen ond doedd o ddim 'di bod yn llwyddiant. Roeddan nhw wedi ein rhoi ni mewn fflat yn un o'r hen adeiladau tal yna sy'n prysur adfeilio ac roedd giang o lafna ifanc wedi malu drws y ffrynt yn yfflon yng nghanol nos. Ddaru nhw ddim gneud dim gwaeth na galw enwau arnan ni ond mi roddodd o gymaint o fraw i ni, nes i ni symud allan y diwrnod wedyn. Yna mi roddon nhw stafell mewn lle gwely a brecwast i ni, ond roedd chwain yn y gwely ac un dafell o fara sych a bag te oedd prin 'di clywad hogla'r dŵr oedd y brecwast. Ar ben hynny roedd yn rhaid i ni rannu'r stafell efo tair dynas arall. Roedd un ohonyn nhw'n meddwi drwy'r adeg ac yn gwlychu'r gwely, felly roedd y stafell gyfan yn drewi.

Ella na fasa hi'n syniad da i ni fynd at y Cyngor. Do'n i

ddim yn gweld bod gynnon ni ddewis arall, ac felly ddaru ni aros lle'r oeddan ni.

'Ond dwi'n mynd i dalu fy ffordd fy hun o hyn allan,' medda Jay. 'Mi ffeindia i job. Ac mi gawn ni le i ti mewn ysgol leol ac mi fedri di sefyll un neu ddau o arholiadau. Wel, am hynny rwyt ti 'di bod yn swnian, yntê? Ella ei bod hi'n bryd i ni setlo i lawr am sbelan.'

Dwi'n meddwl bod y busnes efo Cai 'di poeni llawer arni. Fuodd hi ddim yn cysgu'n rhyw dda iawn am dipyn ac mi gollodd hi lot o bwysa. Mi ddechreuais innau boeni hefyd, ond yna mi gafodd hi'r swydd yn y siop iechyd a dechra byta'r holl fwyd oedd dros ben a chyn bo hir daeth golwg well arni. Mi weithiais inna drwy'r haf yn y ffair grefftau ac am y tro cynta erioed roedd gen i bres, ac ym mis Medi mi ddechreuais i yn y bumed flwyddyn yn Ysgol Gyfun y Bryn. Yn 5E.

'Efo'r rafins a'r sgrafins,' fel y bydd Iestyn yn deud.

O, Iestyn. Ti 'di'r unig ffrind go iawn fu gen i erioed. Pam ddaru mi ddifetha popeth? Jest fel Jay. Llathen o'r un brethyn ydan ni. Brethyn budr, du. Pwy dwi'n drio'i dwyllo? Fedr molchi ddim fy ngwneud i'n lanach.

4

'Glesni. *Glesni*. GLESNI!' Mae Jay yn tynnu mor galed yn fy mraich nes bod fy nghoban yn rhwygo ar hyd y sêm.

'Sbia. Rwyt ti 'di'i rhwygo hi rŵan.'

'Wel, ateb fi. Stedda i fyny. Ty'd. Rwyt ti'n mynd i siarad efo fi.'

Mae dwylo oer Jay yn crafangu wrth f'ysgwyddau nes i mi godi ar fy eistedd. Dwi'n syllu'n ddig arni hi trwy· fy ngwallt blêr. Mae oglau drwg arno fo. Mae oglau arna i hefyd. Wnes i ddim molchi ddoe na'r diwrnod cynt.

'Glesni. Mae hyn 'di mynd yn ddigon pell. Wyt ti am godi heddiw ai peidio?'

Ysgydwaf fy mhen.

'Mae hi'n ddydd Sadwrn. Wyt ti am fynd i'r ffair grefftau?'

'Nac 'dw.'

'Pam?'

'Dwi'm yn teimlo fel gwneud.' Mae hynny'n wir. Dydw i ddim yn teimlo fel gwneud dim erbyn hyn. Dwi 'di cysgu gymaint nes 'mod i bron â boddi mewn cwsg, a dwi'n methu meddwl yn strêt hyd yn oed pan ydw i ar ddihun.

'Rwyt ti 'di bod yn y gwely 'na ers tridia. Tydi hyn jest ddim yn ddoniol. Rŵan, rwyt ti'n mynd i godi'r munud 'ma a dechra bihafio'n gall eto,' medda Jay, gan fy mhrocio i efo'i bysedd. Mae hi'n llythrennol yn trio 'mhrocio i i wneud rhywbath. Dwi'n sgubo ei bysedd i ffwrdd ond mae hi'n dal ei gafael arna i. 'Be 'di dy gêm di, hyh? Wyt ti'n trio 'nychryn i, 'ta be? Wel llongyfarchiadau, rwyt ti 'di llwyddo. Glesni. Sbia arna i. Dwi'n poeni amdanat ti.'

Mi wn i ei bod hi. Mae hi 'di cael pow-wow bach ac wedi anfon Lois, ac yna Owenna, ac yna Gordon, hyd yn oed, i gael sgwrs fach efo mi. Y nhw sy'n sgwrsio. Rydw inna'n gorwedd yma ac yn trio peidio â gwrando, ac yn disgwyl iddyn nhw adael. Wedyn dwi'n mynd yn ôl i gysgu. Dwi'n dipyn o giamstar ar hynny erbyn hyn. Mae'r nosweithiau'n dal i fod yn niwsans ond mae'r dyddiau dan reolaeth gen i. Dwi bron â chyrraedd 'run safon â babi newydd ei eni, yn cysgu tair awr allan o bob pedair. Mi faswn i wrth fy modd pe bawn i'n medru bwyta 'run fath â babi hefyd. Faswn i ddim yn hidio cael pryd o fwyd bob pedair awr. Yr unig ran o 'nghorff i sydd yn dal i fod yn effro, gant y cant, ydi'n stumog i. Dwi ar lwgu. Roedd Jay yn meddwl ei bod hi 'di cael y gora arna i ddoe. Adawodd hi ddim byd o gwbl imi'i fwyta, mi aeth hi â'r pecyn miwsli i'r gwaith efo hi hyd yn oed, a phan ddaeth hi adra ddaeth hi ddim â swper i mi. Mi roddodd hi'r gorau i'w hegwyddorion llysieuol a ffrio bacwn ar ein stof nwy fechan a gwneud roliau bacwn hyfryd, efo menyn. Iddi hi ei hun.

'Mi gei di rai hefyd, Glesni,' meddai hi, 'ond i chdi godi'n gynta, a gwisgo.'

Chodais i ddim, wisgais i ddim, ac felly fytais i ddim. Arhosodd oglau'r bacwn yn y stafell am oriau. Dwi'n dal i glywed rhyw gymaint o'i oglau o.

'Ga i frecwast?'

'Cei, pan godi di, a. . .'

'Reit. Anghofia fo.'

'Ty'd yn dy flaen, dwyt ti'm yn troi'n anorecsic, 'run fath â Meg, wyt ti? Dyna be 'di hyn, ia?'

Ysgydwaf fy mhen.

'Jest yn rhy ddiog i godi a'i nôl o dy hun, ia? Wel paid â meddwl 'mod i am fod yn forwyn fach i chdi.'

'Faswn i ddim mor wirion â meddwl hynny.'

'O, Dduw, dwyt ti ddim am ddechra ar yr holl lol hunandosturiol yna eto, wyt ti? Ocê, ocê, nid y fi 'di'r fam ora yn y byd, a na, dwyt ti ddim 'di cael prydau bwyd tri chwrs a sanau gwynion glân bob dydd. . .'

'Weithia ches i ddim math o bryd o gwbl. Na sanau, o ran hynny.'

'Rwyt ti'n meddwl dy fod ti 'di cael cymaint o gam, yn dwyt? Taswn i 'di cael y rhyddid a'r amrywiaeth a'r cyfoeth profiad rwyt ti 'di'u cael pan o'n i'n blentyn mi faswn i'n gweld fy hun yn uffarn o lwcus. Rwyt ti'n meddwl i mi gael fy magu mewn rhyw fath o baradwys foethus, yn dwyt? Wel tria di fyw y math yna o fywyd.'

Mi driwn i, ond i mi gael cyfle. Ond tydi Nain ddim wedi ateb fy llythyr. Am wn i nad ydi hi ddim am wneud dim efo mi. Mi sgwennai hi'n ôl yn syth bìn fel arall. A does bosib na fasa hi'n defnyddio stamp dosbarth cyntaf? Ddaru Lois? Ddaru Lois anghofio postio'r llythyr?

'Glesni, dwi'n trio *siarad* efo chdi. Gwranda, dwi'n hwyr i'r gwaith yn barod.'

'Dos, 'ta. Dwi'm yn dy stopio di.'

'Reit 'ta, mi a' i.' Ond mae hi'n dal i sefyll wrth y drws. 'Glesni. Dwi'n poeni gymaint amdanat ti. O'n i'n meddwl y basat ti'n codi heddiw. O'n i'n meddwl mai dim ond yr ysgol oedd yn dy ddiflasu di. Ai dyna be sy? Neu oes yna rywbeth arall? Deuda rywbath wrtha i, er mwyn dyn.'

Arhosa. A finna'n aros iddi hi ddiflasu a mynd.

'Ty'd, mae hyn 'di mynd ymlaen yn ddigon hir. Mae'n rhaid dy fod ti'n sâl. Dwi'n mynd i 'nôl doctor. Wyt ti'n clywad? Dwi'n mynd i ffonio am ddoctor y munud yma.'

'Tydi'r syrjeri ddim ar agor ar ddydd Sadwrn.'

'O cau hi! Rwyt ti wrth dy fodd, on'd wyt ti? Reit 'ta, dal di ati efo'r gêm wirion yma. Blydi Sleeping Beauty.' Ac mae hi'n cau'r drws yn glep.

Gollyngaf ochenaid enfawr o ryddhad, gan obeithio y bydd hi'n clywed, ac yna dwi'n twrio o dan y cynfasau. Disgwyliaf. Ond dydi o ddim yn gweithio y tro hwn. Dwi'n dal i deimlo braidd yn anniddig ar ôl siarad efo Jay. Eiff hi ddim o ddifri i nôl doctor, wneiff hi? Ac mae 'ngwallt yn fy ngyrru i o 'ngho. Mae 'na ogla 'run fath â rhyw anifail bach anghynnes arno fo. Dwi'n ei wthio fo y tu ôl i 'nghlustiau ond mae cudynnau strae yn mynnu cripio o amgylch f'ysgwyddau. Dwi 'di casáu fy ngwallt erioed. Mae'n siŵr ei fod o'n iawn pan o'n i'n fabi, ond y drafferth ydi nad ydi fy ngwallt wedi aeddfedu efo'r gweddill ohona i. Mae o mor denau fel bod angen 'i olchi o bob dydd. Ella y basa fo'n twchu pe bawn i'n ei dorri o ond fedra i ddim dioddef'r syniad o wallt byr. Bu'n rhaid imi gael torri fy ngwallt yn ôl hyd croen fy mhen unwaith. Roedd gen i ryw fath o lid gwrthun. Roeddan ni'n byw mewn pabell bryd hynny a rhyw nant leidiog, lygredig oedd yr unig le i ni gael dŵr. Roedd y dolur rhydd arna i trwy'r haf, hefyd. Am wn i bod y pethau bychain hyn yn rhan o'r Cyfoeth Profiad roedd

Jay yn sôn amdano fo. Lol! Dwi'n ei chasáu hi. Dwi wirioneddol yn ei chasáu hi. Mae hi wedi 'ngadael i heb fwyd eto. Wir Dduw, sut all fy mam fy hun fy llwgu i? Ydi hi 'di gadael bacwn ers neithiwr? Neu rôl?

Cripiaf o'r gwely a sbio yn y cwpwrdd. Dim. Dim byd o gwbl. Yr ast. Plymiaf yn ôl i'r gwely, tynnu'r cynfasau i fyny dros fy ngwallt ffiaidd a gorwedd yn y tywyllwch yn crynu. Mae fy stumog yn ubain. Rhoddaf fy nwylo arni. Mae hi'n wag ac eto mae hi mor dynn â phwmpen. Mi fasa rhywun yn meddwl 'mod i mewn carchar, mewn carchar, mewn carchar. Bydd rhaid i mi godi, beth bynnag; mae'n rhaid i mi biso a dwi'n meddwl 'mod i'n clywed sŵn y postman i lawr grisiau.

Hedaf i lawr y grisiau, gan ofni taro ar un o'r Jamesiaid, ond diolch byth, Naomi ydi'r unig un sydd o gwmpas. Mae hi'n eistedd wrth waelod y grisiau yn ei gŵn nos, yn gwisgo ei hanorac y tu chwith allan a'i thraed noeth wedi'u gwthio i sgidiau stiletto Lois. Mae hi'n dal torth fawr frown ac yn ei darnio hi ac yna'n sgeintio'r darnau yn wyllt ar hyd y carped.

'Fi bwydo'r chwyad,' cyhoedda.

'Mm, neis,' mwmialaf innau, gan chwilio drwy'r pentwr ar y mat. Dwi'n eu harchwilio nhw 'run fath ag ysbïwraig. Biliau i Gordon, tri llythyr i Lois (un o Prague, un o'r India, ac un o Gaerdydd wedi'i sgwennu ag inc aur ar bapur du, *typical*), llwyth o stwff mewn amlenni mawr brown i Owenna (newyddion am ffeiriau hen bethau, cylchlythyr y Mudiad Ysgolion Meithrin a llyfryn am wyliau yn Llydaw) ac amlen barod i Meg, manylion rhyw ddeiet newydd mae'n amlwg. Dim byd i mi—ella y dylwn innau fod wedi amgáu amlen barod. Na, does bosib bod gofyn i chi wneud hynny efo'ch nain eich hun?

Dydi hi ddim yn mynd i ateb. Fedr hi ddim hyd yn oed daro 'Tydw i ddim isio'ch gweld chi' ar garden bost. Ella mai Jay oedd yn iawn amdani wedi'r cyfan.

Mae un o gylffiau bara Naomi yn glanio ar fy nhroed.

Plygaf i lawr, mwmial 'Cwac,' a llyncu'r bara yn un gegaid. Mae Naomi'n pwffian chwerthin. Mae'r bara'n wych. Fel arfer mi fydda i'n casáu bara brown, ond rŵan 'mod i mor newynog mae'r blas yn gryf a chynhaliol. Cwaciaf eto'n obeithiol. Mae Naomi'n syllu arna i mewn syndod. Fydda i ddim yn arfer chwarae efo hi, ond ar ôl iddi benderfynu fy mod i o ddifri mae hi'n taflu darn arall o fara. Ac un arall ac un arall ac un arall. Ond dwi'n dechrau 'laru ar hyn. Dwi'n teimlo'n wirion bost yn fy nghwman yn y cyntedd drafftiog yma yn fy nghoban fudr. Mi fydda i farw o gywilydd os daw Lois ar fy nhraws i. A tydi Naomi ddim yn torri'r darnau'n ddigon bras. Mae 'na ddŵr, yn llythrennol, yn dod i'm dannedd.

'Mae chwadan yn tyfu rŵan,' meddaf wrthi, gan godi a theyrnasu drosti. 'Mae chwadan 'di tyfu'n hen alarch fawr. Alarch fawr ddrwg a fedra dy bigo di'n galad efo'i phig fawr. Felly, well i ti roi'r bara i gyd iddi hi er mwyn ei chadw hi'n ddistaw.'

Dwi'n tynnu'r bara yn araf o ddwylo Naomi. Mae hi'n syllu arna i'n bryderus, heb fod yn siŵr a ydi hi am grio ai peidio. Mae hi'n agor ei cheg a dyma fi'n gwthio darn o fara iddi hi'n gyflym.

'Dyna ti, ti 'di'r chwadan rŵan a dyma dy de di. Rŵan mi gei di nofio i fyny ac i lawr yr afon,' meddaf, gan bwyntio at y carped.

Mae Naomi yn trotian yn ufudd ar hyd y cyntedd, gan fwmial 'Cwac cwac cwac,' trwy gegaid o fara.

Rhedaf yn ôl i'r gwely efo'r dorth dwi 'di'i dwyn. Mi ddylwn ei chadw hi a'i defnyddio fesul tamaid yn ystod y dydd, ond dwi'n rhy farus. Dwi'n cnoi arni'n eiddgar ac yn ei golchi hi lawr efo mygaid o ddŵr. Ymhen pum munud mae hi wedi mynd, pob briwsionyn ohoni. Ys gwn i a fydd Naomi yn hel clecs amdana i? Fedr hi ddim siarad digon i fynegi dim yn iawn eto. A beth bynnag, fydd dim bwys gan y Jamesiaid. Dwi 'di gweld Owenna'n taflu torthau cyfan i'r adar cyn hyn. Wel, hanner torthau beth bynnag. Os bydd Jay yn dal ymlaen efo'r cynllun yma i'm llwgu i i farwolaeth yna am wn i y medrwn i wastad gripio i'r ardd bob dydd a chwilio am fara ar fwrdd yr adar.

Ro'n i'n wirion na faswn i 'di helpu fy hun i rai o'r papurau newydd pan o'n i i lawr grisiau. Mi rown i'r byd am gael rhywbeth i'w ddarllen. Ond nonsens llwyr 'di hynny. Mae gen i lwythi o lyfrau yn y fan yma. Fedra i ddim darllen *Llyfr Mawr y Plant* heb glywed llais Iestyn ac yna dwi'n dechrau crio, ond mae gen i bedwar deg tri o'm llyfrau fy hun. Dwi'n pwyso allan o'r gwely ac yn sbio ar y pentwr. Dwi wrth fy modd efo nhw, y rhain yw fy nhrysorau, ac eto rhywsut dwi ddim yn teimlo awydd darllen yr un ohonyn nhw ar hyn o bryd. Dwi 'di darllen y rhan fwyaf ohonyn nhw ddwywaith neu dair. Wel, mae 'na un neu ddau dwi ddim 'di cychwyn arnyn nhw eto am eu bod nhw'n edrych braidd yn anodd ond mi ddarllena i nhw i gyd ryw ddiwrnod, mi wn i y gwna i. Roedd rhai llyfrau od drybeilig ar y silff deg ceiniog y tu allan i Siop Lyfrau'r Sinema yn y Gelli. Llyfrau fel *The Ladies' New Medical Guide* gan Doctor Pancoast. Mae o 'di colli ei gloriau, ond mae ganddo fo dudalen flaen o hyd a'r rhan fwyaf o'i gynnwys. Does dim syndod ei fod o'n syrthio'n ddarnau, oherwydd mae o bron yn gant oed. Mae ganddo fo luniau andros o ryfadd y tu mewn ac mi roeddwn i'n gobeithio y basa fo o help i mi efo Bioleg Dynol yn yr ysgol, ond am wn i bod cyrff pobl wedi newid yn sylweddol ers hynny. Mi ddewisais i lyfr daearyddiaeth i blant hefyd, ond am wn i bod gwledydd wedi newid hefyd, a tydi *Arwresau Ein Llên* ddim llawer o help efo Cymraeg oherwydd pan ddaru fi sôn am Elen Egryn ac Awen Mona a Moelona wrth Mr Huws yn yr ysgol doedd o 'rioed 'di clywed am yr un ohonyn nhw. Am wn i bod Hanes yn dal yr un fath oherwydd ei fod o wedi digwydd ac wedi gorffen yn barod, ond yr unig lyfr hanes fedrwn i ei ffeindio yn yr adran deg ceiniog oedd *Golygfeydd a Chymeriadau o'r Oesoedd Canol*.

Dwi'n ei godi o rŵan. Rhywun o'r enw'r Parchedig Iorwerth ap Gwallter ddaru 'i sgwennu o. Dyma fi'n trio darllen y dudalen gyntaf, ond tydw i ddim yn dallt rhyw lawer ohono fo. Dydi o ddim yn egluro beth oedd yr Oesoedd Canol. Pryd ddigwyddodd yr Oesoedd Cychwynnol a'r Oesoedd Terfynol? Dwi'n pori trwy'r tudalennau, gan edrych am luniau. Mae o fel pe bai o'n gwneud dim ond sôn am fynachod a marchogion a rhyw bobl o'r enw'r Brodyr Llwydion. Does bosib nad oedd yna bobl gyffredin i'w cael yn yr Oesoedd Canol? A merched? O, mae yna bennod ar leianod. Cafodd Jay ei hanfon i gwfaint pan oedd hi'n eneth fach ac mae hi'n deud ei bod hi'n dal i gael hunllefau am y lleianod, hyd yn oed rŵan. Roeddan nhw'n arfer ei phrocio hi efo pren mesur pan fydda hi'n siarad yn y dosbarth a phan oedd hi'n wirioneddol ddrwg mi roeddan nhw'n ei tharo hi'n galed ar ei migyrnau. Chwarae teg i'r lleianod, ddeuda i. Be 'di'r bennod yma ar ancresau? Dyna enw od. Ancr, fath ag angor? Oedd y morwyr yn arfer clymu dynes wrth raff a'i thaflu hi dros ymyl y llong?

Dwi'n chwilio am ddarlun. Ond na, dim ond dynes sy 'di penderfynu encilio rhag y byd ydi ancres. Meudwy benywaidd. 'Run fath â fi!

Mi faswn i mewn cwmni da yn yr Oesoedd Canol. Ond wrth gwrs doedd yna ddim cwmni i'w gael. Mae'n dweud yn y fan hyn bod yr ancresau'n arfer ymneilltuo i gell fechan ac yna byddai'r esgob yn rhoi sêl ar y drws ac yna doedd neb yn cael ei agor o fyth eto oni bai ei bod hi'n sâl neu ar fin marw. Mae'n siŵr bod hynny'n digwydd yn weddol sydyn os ydach chi 'di'ch cloi i mewn heb fwyd na diod—na, arhoswch funud, rydach chi'n cael bwyta ac yfed, mae ganddoch chi ffenest fechan ac mae rhywun yn dod â bwyd i chi bob dydd. Mae'n dweud eich bod chi'n byw ar gardod pobl dduwiol, elusengar. Mae ganddoch chi focs yn hongian y tu allan er mwyn dal y cardod. Mi hoffwn i hynny. Ella y rhodda i fy mocs fy hun a hel cardod y tu allan i'r drws. Pryd bynnag y bydd Owenna'n teimlo'n dduwiol neu yn elusengar mi geiff hi roi plataid o'i macaroni a chaws bendigedig ynddo fo. Mi alla Gordon adael *petits fours* i mi ar ôl ei giniawau busnes; mi fydd o'n aml yn dod â llond dwrn o Turkish Delight neu After Eights adra i Naomi. Mi gall Lois gyfrannu teisen o'r Bistro, ac mi all Meg adael carton o iogwrt plaen a deilen letys neu ddwy. Ella y byddai Naomi yn rhoi tiwb o Smarties imi bob yn hyn a hyn. Does dim pwynt gobeithio am gardod gan Jay. Tydi hi 'rioed wedi teimlo'n dduwiol nac yn elusengar yn ei hoes.

Mae'r llyfr yn dweud bod yna gyfyngiadau ar yr adegau pan gewch chi fwyta cig. Wel, does yna ddim cig mewn macaroni a chaws na fferins na theisennau na iogwrt na letys, felly mi fydda i'n iawn. Ond be ydw i i fod i'w wneud drwy'r dydd? Gweddïo, am wn i. Dwi 'di dysgu Gweddi'r Arglwydd o'r hen Feibl rhacsiog ges i yn Siop Lyfrau'r Sinema. 'Rho i ni heddiw ein bara beunyddiol.' Mi weddïa i am hynny'n ddigon siŵr. Ac mae o wedi gweithio heddiw. Dwi'n teimlo'n llawn am y tro cynta ers i mi fynd i 'ngwely. 'Ac nac arwain ni i brofedigaeth.' Mi weddïa i dros hynny hefyd. Drosodd a throsodd. Mae yna rywbeth am faddeuant hefyd, on'd oes? Ond tydw i ddim yn haeddu derbyn maddeuant. Pan fydda i'n meddwl am. . . Na, paid â meddwl.

Darllena'r llyfr od yma yn lle hynny. Roedd yr ancresau hyn yn ymroi i aml ddefosiwn. Be mae hynny'n ei feddwl? Sut fedren nhw ymddwyn yn ddefosiynol ar eu pennau'u hunain? Dychmygaf ancres yn cusanu'r mur yn angerddol, ancres arall yn mwytho'r llawr, un arall eto yn codi godre'i sgert a'i dal yn ofalus yn ei breichiau—na, nid dyna mae o'n 'i feddwl, mae'n siŵr. Aros funud, mae gen i hanner geiriadur o'r silffoedd deg ceiniog 'na: cyn belled â bod gair yn dod cyn 'M' mi fedra i olrhain ei darddiad o. O, dyna ddiflas. Dyma 'defosiwn' ac mae o jest yn golygu pader. Felly bydd yn rhaid i mi adrodd Gweddi'r Arglwydd drosodd a throsodd os ydw i am fod yn

ancres ac mi fydd hynny'n ddiflas ar y naw. A! Ond maen
nhw'n gwneud mwy na gweddïo a bwyta'u cardod. 'Yn ogystal
â'u haml ddefosiynau, arferent ymroi i ddarllen, ysgrifennu,
goreuro a gwniadwaith; ac er yr ymddengys i'r meudwyaid
oedd yn gysylltiedig â rhai mynachlogydd fod o dan orfodaeth
distawrwydd, eto yr arfer oedd i'r ancres gadw cwmni'n
barhaus wrth ei ffenestr agored, ac ymddengys bod hel clecs a
sgandal ymhlith ei phechodau amlycaf.'

O wel, gall Lois ddod a dweud yr holl glecs a sgandal
wrtha i. Mi fydd hi'n dda iawn am wneud hynny. Ond tydw i
ddim am bechu mwyach; felly, fydda i ddim yn agor fy ffenast
yn aml iawn. Ond mi faswn i'n mwynhau gwneud yr holl
bethau eraill yna. Darllen. Wel, dyna be dwi'n ei wneud rŵan.
Ac mae sgwennu'n iawn, cyn belled ag y medra i 'i wneud o
dan fy mhwysau fy hun. Be ydi goreuro? Geiriadur.
'Gorchuddio (gwrthrych) ag aur.' Na, y twmffat, nid dyna ydi
o, chwaith. 'Addurno (llythyren, tudalen, ac yn y blaen) trwy
ddefnyddio lliwiau, aur neu arian.' Mi hoffwn i wneud hynny,
dwi'm yn ddrwg efo gwaith celf, ac mi fedrwn i gael un o'r
beiros aur yna. Os oes gan ffrind Lois un, yna mae'n siŵr bod
ganddi hitha un hefyd.

Tydw i ddim yn siŵr 'mod i isio goreuro lluniau sanctaidd
chwaith. Un Nadolig, pan o'n i'n fach, mi ddywedodd un o'r
athrawon wrtha i am dynnu llun del o Mair a Joseff a'r baban
Iesu. Mi ddarllenodd yr athrawes Stori'r Geni ac yna rhoi
papur glân a thuniau o bensiliau lliw i ni. Fe wnaeth y plant
eraill yn siŵr 'mod i'n cael y darn o bapur oedd wedi'i rwygo
a'r tun efo'r holl bensiliau oedd wedi torri oherwydd mai fi
oedd y ferch newydd, front, od—yr hipi. Am unwaith doedd
dim gwahaniaeth gen i. Ro'n i'n rhy awyddus i gychwyn ar y
darlun oherwydd o'r diwedd ro'n i'n teimlo 'mod i'n gwybod
be ro'n i'n ei wneud. Roedd Magda, un o'r merched yn y
comiwn, wedi geni baban rhyw bythefnos ynghynt ac roeddan
ni i gyd wedi croesawu'r babi funudau ar ôl iddo fo gael ei

eni. Ro'n i'n teimlo fel chwydu pan faglais i mewn i'r stafell honno efo'i hogla drwg, ond roedd pawb arall wrth eu boddau. Roeddan nhw'n dweud ei fod o'n beth prydferth iawn. Doeddwn i ddim yn meddwl bod Magda'n brydferth o gwbl efo'i gwallt yn gudynnau o chwys, a gwaed dros ei choesau i gyd. Ac roedd y babi coch, rhychiog yn hyll fel pechod i mi, ond mi gytunais i'n ufudd ei fod o'n beth prydferth iawn. Felly yn yr ysgol mi dynnais i ddarlun del o'r Geni. Roedd Joseff a'r Baban Iesu yn weddol ddi-sôn-amdanyn-nhw. Mair oedd yn tynnu'r holl sylw. Ro'n i wedi tynnu ei llun hi yn union fel y gwelais i Magda, efo'i choban i fyny hyd ei cheseiliau a'i choesau yn dal i fod ar led. Fe bwniodd y plant oedd yn eistedd wrth fy ymyl i ei gilydd efo'u peneliniau a brathu eu gwefusau, a'u hwynebau'n goch efo grym eu hymdrech i beidio â chwerthin, ond ro'n i 'di arfer â hynny. Ddaru mi ddim sylweddoli bod yna ddim o'i le efo fy llun i nes i'r athrawes ei weld o a rhythu. Mi rwygodd y llun yn ddarnau mân a gweiddi mai dyna'r union fath o ymddygiad ffiaidd y byddai hi'n ei ddisgwyl gan blentyn fel fi.

O, paid â theimlo'n hunandosturiol, y ffŵl. Mi ddyliet ti fod yn gwybod yn well. Ddaru Lois erioed wneud camgymeriad fel yna. Neu os ddaru hi, mi wnaeth hi o'n fwriadol, er mwyn trio rhoi sioc i bobl neu i wneud argraff arnyn nhw. Rydw inna 'di rhoi sioc i lot o bobl ond dwi'm yn credu 'mod i erioed wedi gwneud argraff ar neb. Na, tydi hynny ddim yn gwbl wir, chwaith. Gwniadwaith. Dwi'n un dda am wnïo. Yn well na'r holl enethod eraill yn y dosbarth. Dwi wastad wedi gwnïo, byth ers i mi fedru cydio mewn nodwydd ac edau. Mi ddaru mi drwsio'r holl dyllau yn fy nillad a'u clytio nhw a throi'r clytiau'n lluniau. Mi drois i ffrogiau hir Jay yn ffrogiau i mi fy hun a phan aeth y rheiny'n rhy fyr ac yn rhy dynn mi drois i nhw'n dopiau ac yna'n ffrogiau bychain i'm doliau i. Y fi wnaeth y rheiny hefyd; roedd gen i lwyth o deuluoedd bychain 'run fath â theulu Siôn a Siân. Ro'dd eu dillad nhw mor dwt a chonfensiynol ag y medrwn i eu gwneud nhw, ac roedd ganddyn nhw i gyd gyrff pinc difrycheulyd a gwallt byr iawn, twt iawn, wedi'i wneud o wlân. Mi fyddwn i'n arfer eu gwaredu nhw y funud yr oeddan nhw'n dechra edrych yn flêr. Mi fyddan nhw'n fy nghadw i'n ddiddig am oria, felly doedd dim gormod o bwys gan Jay, er ei bod hi'n teimlo cywilydd braidd bod ganddi ferch oedd yn mwynhau gwneud rhywbeth mor fenywaidd â gwnïo.

Ddaru mi ddim sylweddoli y gallwn i ennill arian am wnïo nes i mi fynd am dro i'r farchnad grefftau'r haf diwetha a gweld yr holl sothach ar y gwahanol stondinau: ffrogiau efo godrau cam a hemiau'n disgyn, doliau'n syllu'n wag i nunlle, bagiau tapestri oedd yn colli eu dolennau'n barod. Mi wyddwn i'n iawn y medrwn i wneud yn well o lawer; felly, mi berswadiais i Owenna i gael gair efo Jeff, y dyn sy'n rhedeg y farchnad (dim ond rownd y gongl i'r farchnad mae Ogof Arthur) ac mi ges i fy stondin fy hun yno bob dydd Sadwrn.

Ond nid y dydd Sadwrn hwn. Dwi 'di gwneud tro gwael ag o, ac os dechreuwch chi chwarae mig â Jeff mi gollwch chi eich lle'n reit handi. Mae gen i bump doli glwt a phump tedi-bêr a bag a dau fag ysgwydd a thair ffrog fechan wedi'u brodio, wedi eu plygu'n daclus mewn bag bin mawr du ger fy ngwely. Mae'n rhyfeddod nad ydw i 'di treulio injan wnïo Owenna'n dwll. Ar ddiwrnod da mi fydda i'n gwerthu hyd at hanner fy stoc. Dim ond ar un diwrnod ddaru mi fethu gwerthu dim. Ro'n i isio hel pres i brynu cot aeaf go iawn a silff lyfrau i'r pedwar deg tri o lyfrau—ond be 'di'r ots? Gall y llyfra aros lle maen nhw, ac os arhosa inna lle rydw i hefyd fydd dim angen cot aeaf arna i chwaith, yn na fydd?

Ella yr a' i'n ancres ac aros yma yn y stafell hon am byth. Be maen nhw'n ei wisgo? Abid ddu a fêl mae o'n ei ddweud fan hyn. Dwi'm yn meddwl bod gen i ddim byd du. Mae gan Jay nicyrsys du, ond wneiff y rheiny mo'r tro, wrth gwrs.

Arhoswch funud, mae ganddi hi siôl ddu. Mi wnâi honno fêl berffaith. Ac ys gwn i oes gan Lois liw llifo du ar ôl ers iddi droi ei stafell wely gyfan yn ddu? Mi wnâi'r goban yma'r tro fel abid.

Dwi'n pori ymlaen drwy'r bennod ar ancresau, ac yn dal i chwarae efo'r syniad, nes i mi ddod at baragraff ynglŷn â dynes o'r enw Thaysis. Mi gafodd hi ei chloi i fyny gan yr abad fel penyd am ei bywyd pechadurus. Rhan o'r penyd hwnnw oedd yr orfodaeth oedd arni i chwipio'i hun yn gyson bob dydd.

5

Iestyn. Wyt ti'n cofio'r diwrnod cynta hwnnw yn nosbarth 5E? Roedd o'n sefyll allan yng nghanol yr holl hogiau eraill. Doedd ganddo fo ddim help, mae o dros ei chwe throedfedd a dwy yn nhraed ei sanau. Mae'n amlwg nad ydi o 'di arfer â bod mor dal oherwydd mae o'n cerdded yn chwithig, fel pe bai o'n cerdded ar bâr o goesau bandi. Un bychan oedd o nes cyrraedd ei bedair ar ddeg ac yna mi dyfodd o chwe modfedd mewn chwe mis a dydi o ddim 'di stopio ers hynny. Mae'r olwg ar ei wyneb o, sydd bob amser yn naturiol bryderus, yn gwneud iddo fo edrych fel pe bai o wedi cael ei arteithio ar y rac. Dydi o ddim yn ddel. Fasa fo ddim, hyd yn oed pe bai ei wallt o ddim yn gyrliog y tu hwnt i bob rheolaeth, hyd yn oed pe bai o ddim yn gwisgo sbectols, gafodd eu trwsio dwn i ddim faint o weithiau. Ac am ei lais o. . .

Mae o'n lais eithriadol o anffodus, dosbarth-canol-ucha. Mae o'n swnio'n biwis ac yn gysetlyd ar y gorau; a phan fydd Iestyn yn cynhyrfu mae ei lais o'n mynd yn uwch, yn fwy piwis ac yn fwy cysetlyd fyth nes ei fod o bron iawn yn annioddefol. Roedd Iestyn yn siarad 'run fath â phwll y môr ar y diwrnod cynta hwnnw, ac i ddechra fedrwn i ddim dallt pam na fasa un o hogia eraill y pumed yn rhoi cweir iddo fo. Roeddan nhw'n aml yn chwerthin pan fydda Iestyn yn dweud rhywbath, ond chwerthin efo fo oeddan nhw, nid ar ei ben o. Yna mi sylweddolais i pam. Nid Iestyn oedd yn siarad fel yna, ond Llawes. Byddai Iestyn yn gwthio'i arddwrn esgyrnog, hir i lawes ei siwmper lwyd a dal ei law yn ddwrn y tu mewn iddi. Roedd o 'di tynnu llun wyneb ar y llawes a phob tro y bydda Iestyn yn dweud rhywbath mi fyddai o'n symud ei fys blaen a'i fawd nes gwneud i Llawes ei ddweud o yn ei le. Yn rhai o'r gwersi byddai Iestyn yn gwneud hyn yn agored, gan bwyso ar ei beneliniau a gwneud i Llawes nodio'i ben. Doedd dim bwys gan Mr Jones yr athro Saesneg am hyn—mi fydda fo'n arfer siarad â Llawes ei hun; ddaru o a Iestyn ddatblygu rhyw fath o rwtîn gomic rhyngddyn nhw. Roedd y rhan fwyaf o'r athrawon yn trio anwybyddu Llawes, er ei fod o'n tynnu sylw, wrth reswm. Fyddai Iestyn ddim yn meiddio defnyddio Llawes yng ngwersi'r hen Mr Edwards blin, yr athro Hanes. Am a wyddai Iestyn, roedd ganddo fo gansen i lawr coes ei drowsus. Fe fyddai Iestyn yn cadw Llawes o dan glawr y ddesg yn ystod y wers Hanes, ond pryd bynnag y byddai Mr Edwards yn sgwennu rhywbeth ar y bwrdd gwyn byddai Llawes yn neidio allan ac yn dawnsio dawns fach herfeiddiol a phawb arall yn cilchwerthin.

Doedd Iestyn ddim yn boblogaidd, ddim yn hollol. Doedd ganddo fo ddim ffrindiau go iawn ymhlith y bechgyn, a chwerthin am ei ben o fyddai'r genethod. Ond fyddai neb yn pigo arno fo a thaflu ei bethau ar hyd y lle na dynwared ei lais anhygoel o. Roeddan nhw'n aml yn galw pen dafad neu lembo arno fo, ond gwneud hynny'n gyfeillgar yr oeddan nhw.

Ro'n i'n meddwl bod Iestyn yn glyfar dros ben, yn manteisio ar ei odrwydd fel yna. Ar y cychwyn ro'n i'n siŵr ei fod o'n glyfar go iawn, hefyd; byddai Llawes yn ateb ac yn dadlau mor rhugl. Ond pan ddes i arfer â'r oslef Brifathrawol mi sylweddolais i nad oedd yr hyn oedd o'n ei ddweud bob amser yn gwneud synnwyr. A phan ddôi hi'n fater o wneud gwaith ysgrifenedig fedrai Iestyn ddim cuddio y tu ôl i Llawes. Byddai llif grymus ei eiriau'n sychu'n hen bwll lleidlyd. Roedd o'n gwneud smonach iawn ohoni, wrth i'w sillafu simsanu ac i'w atalnodi ddiflannu. Byddai'n methu geiriau neu frawddegau cyfan, a fedrai o ddim gwneud y sym hawsa heb wneud camgymeriad. A deud y gwir, fedrai o ddim hyd yn oed gopïo'n gywir.

'Dwyt ti ddim yn meddwl, Iestyn Pritchard, dyna dy drafferth di. Rwyt ti'n hogyn digon clyfar, ond dwyt ti ddim yn meddwl. Meddylia, fachgen, meddylia,' gorchmynnodd Mr Edwards ar ddiwrnod cynta'r tymor.

'Dwi *yn* meddwl,' meddai Iestyn pan ddes i i'w nabod o. 'Dyna'r drafarth. Mae gen i ormod o feddylia yn fy mhen. Dyna lle maen nhw i gyd yn corddi fel gwenyn mewn cwch a fedra i ddim rhoi taw arnyn nhw er mwyn medru canolbwyntio.'

Roedd o 'di bod mewn lot o ysgolion eraill cyn Ysgol y Bryn. Roeddan nhw 'di trio dwyn perswâd ar Iestyn, 'di rhoi gwersi ychwanegol iddo fo, 'di rhoi cweir iddo fo. Yn y diwedd ddaru ei rieni redeg allan o ysgolion da ac fe landiodd Iestyn yn nosbarth 5E yn yr ysgol gyfun.

Roedd o'n gam i lawr i Iestyn, ond roedd Ysgol y Bryn yn gam i fyny i mi. Cychwyn newydd. Roedd gen i fy arian fy hun o'r farchnad grefftau felly mi fedrwn i gychwyn yn y ffordd ro'n i isio hefyd. Mi es i Boots ac mi brynais i flysher a cholur llygaid a mascara. (Fydd Jay ddim yn gwisgo colur o gwbl. Ydi hi'n meddwl nad oes ei angen o arni?) Mi brynais i botel fawr o Head and Shoulders (hefyd mae'n gas gen i'r llysnafedd llysieuol yna mae Jay yn ei gael o'r siop), a photel o Mum Rolette (mae Jay yn meddwl bod diheintydd yn amharu ar gydbwysedd cemegol naturiol y corff). Ac mi brynais i ddillad.

Ro'n i 'di bod yn gwneud dillad i mi fy hun ers blynyddoedd ond roeddan nhw'n gwneud i mi sefyll allan. Felly mi es i Miss Selfridge a phrynu dillad newydd, sgert a throwsus nefi a siwmper lwyd.

Fe dorrodd Jay ei chalon pan welodd hi fi. 'Maen nhw'n gwneud i ti edrych 'run fath â phawb arall.'

Dyna'r peth neisia fedrai hi fod wedi'i ddweud wrtha i.

Mi driais i'n galed i ymddwyn fel pawb arall yn yr ysgol. Mi gedwais i'n dawel a chopïo be'r oedd y genod eraill yn ei wneud. Ar ôl y dyddiau cynta fe ddaru nhw golli diddordeb yndda i, a doeddan nhw ddim fel tasan nhw'n malio os o'n i'n eu dilyn nhw. Ddaru'r un o'r bechgyn fy mhoeni i. Fe benderfynodd yr athrawon 'mod i mor ddi-liw â'm dillad a chymryd dim sylw ohona i. Ro'n i'n sylweddoli nad oedd hyn yn syniad da iawn. Ro'n i isio dechrau dysgu. Ro'n i isio iddyn nhw roi fy enw ar gyfer sefyll yr arholiadau. Mi driais i'n galed iawn yn y gwersi ond roeddan nhw fel tasan nhw'n siarad mewn rhyw iaith estron ac roedd Cymraeg, hyd yn oed, yn peri penbleth imi. Ro'n i 'di edrych ymlaen gymaint at y gwersi Cymraeg. Ro'n i 'di darllen fy nghopïau ail-law o nofelau Kate Roberts nes i'r tudalennau ddisgyn yn ddarnau. Roedd lot o'r tudalennau ar goll pan brynais i nhw beth bynnag, ond roedd *Traed mewn Cyffion* ac *Y Byw sy'n Cysgu* a'r rhan fwyaf o *Tywyll Heno* yn dal yn gyfan felly roedd yn werth eu prynu nhw. Roedd Lois wedi darllen *Tywyll Heno* yn ei hysgol hi ac ro'n i wedi bwrw golwg ar ei llyfr ymarferion Cymraeg Llên i weld pa waith roedd hi 'di 'i wneud arno fo. Doedd o ddim yn edrych yn rhy anodd. Mi fedrwn inna roi cynnig ar sgwennu astudiaeth o gymeriad Bet. Mi fedrwn innau gymharu a chyferbynnu bywyd y 'sbyty a bywyd y mans. Mi ddarllenais i ymdrechion Lois a phenderfynu y gallwn innau wneud cystal. Gwell.

Ond ddaru ni ddim astudio *Tywyll Heno* yn 5E. Fe

ddarllenon ni *'Tydi Bywyd yn Boen!* a *Jabas* a *Sbectol Inc.* Roedd yr athro Cymraeg yn meddwl eu bod nhw'n fodern.

Yr unig wers ro'n i'n ei hoffi oedd Gwnïo. Mi gawson ni goban hynod o syml i'w gwneud, un o'r patrymau arbennig yna sy'n hawdd i'w wnïo, ac eto fedrai rhai o'r genethod ddim gwneud honno'n iawn. Roedd o'n un ffordd o'u cael nhw i fy nerbyn i. Mi wnïais i lawer drostyn nhw ar amser egwyl neu yn ystod yr awr ginio. Yna fe ddaru'r athrawes ddysgu pwythau brodio syml i ni a dweud wrthan ni am addurno ein cobanau hir, gwyn. Ddaru'r rhan fwyaf o'r genethod wnïo un neu ddwy friallen fechan ddigon di-sut ar y bodis ac o amgylch y godre. Mi benderfynais inna wneud 'run fath, ond roedd o'n codi'r felan arna i i wnïo llond cae o friallu yn ôl ac ymlaen ar draws fy nghoban. Felly pan gyrhaeddais i adre mi ychwanegais i glychau'r gog a blodau pabi ac yna mi es i dipyn yn fwy mentrus a gwnïo planhigion oedd yn dringo i bob man, a llwyni a choed, a haid o adar ac yna mi ychwanegais i fwnci yn hongian ar gangen a theigar yn prowlian trwy'r jyngl ac yna fedrwn i ddim stopio. Mi frodiais i Bren Gwybodaeth efo sarff yn nadreddu o'i chwmpas gan wenu, ac Adda ac Efa bach pinc a Duw efo barf yn eistedd ar gwmwl. Roedd arna i ofn mynd â hi'n ôl i'r ysgol rhag ofn i'r genod eraill wneud hwyl am fy mhen i, a meddwl 'mod i'n od, ond roeddan nhw i gyd i'w gweld wrth eu boddau efo hi a ddaru'r athrawes binio fy nghoban ar y wal adeg y Diwrnod Agored. Ddywedais i ddim wrth Jay. Do'n i ddim am iddi hi ddod i'r ysgol. Fasa hi ddim 'di traffethu dod beth bynnag, fwy na thebyg.

Roedd y genod i gyd yn bodio fy nghoban ac yn dweud pethau amdani ac mi ddywedodd un y basa hi'n costio ffortiwn yn y siopau. Tra o'n i'n holi fy hun a ddyliwn i ddweud wrthan nhw am y stondin oedd gen i yn y farchnad grefftau bob dydd Sadwrn ddaru nhw grwydro i ffwrdd ac mi gollais i'r cyfle.

Dyna sut ddaru mi ddod yn ffrindiau efo Iestyn: mi gwrddon ni yn y farchnad grefftau. Ro'n i'n eistedd yno'n pwytho, pan glywais i lais cyfarwydd yn dweud, 'Henffych well! Do'n i'm yn disgwyl eich gweld chi yma, 'ngenath i. Ewcs, am ddeniadol ydi'r bobl fychain yma. Ga i ofyn i chi sut ydach chi heddiw?' Llawes oedd yno, yn nadreddu o amgylch braich Iestyn.

Chwarddais yn anesmwyth, gan obeithio bod neb yn sbio arnon ni.

'Y chi bwythodd yr holl greiriau hyfrydwych yma?' holodd Llawes. Atebais i mohono fo, ond dyma fo'n dechrau taro fy nhrwyn yn ysgafn. 'Lodes, ydach chi'n dioddef o ryw nam ar eich clyw, dywedwch? Mi ofynnais i ai. . .'

'O, taw, Iestyn, mi fydd pobl yn meddwl dy fod ti o dy go,' mwmialais.

'Nid y fi ydi o, Llawes sy'n gneud. Mae o bron â 'nhreulio i'n dwll, mae o mor llamsachus,' meddai Iestyn yn ei lais ei hun, llais wedi ei lastwreiddio, tra aeth Llawes yn ei flaen i dwrio trwy fy nwyddau.

'Plîs paid,' crefais, gan afael mewn dau fag yr oedd Llawes wedi'u taflu o'r neilltu.

'Mae'n flin gen i, ond fedra i ddim ei reoli o. Dwi 'di trio eistedd arno fo ond wedyn mae o'n brathu fy mhen ôl i. Mae gynno fo frathiad cas, wsti, er nad oes gynno fo'r un dant yn ei hen geg wlanog. Faswn i ddim yn ei gynddeiriogi o taswn i yn dy le di, neu mi eiff o amdanat ti hefyd. Mae o'n sgut am dynnu trwyna, wsti. Llawes. Paid, Llawes. Paid, Llawes, paid.' Roedd Llawes yn tynnu fy nhrwyn fel 'randros. Roeddan ni 'di denu tyrfa fechan erbyn hyn a fedrwn i ddim cymryd dim mwy.

'Stopia, Iestyn, plîs!'

'Mi faswn i wrth fy modd pe medrwn i ei stopio fo ond— Llawes, mi gei di fynd ar dy ben i fâth o ddŵr oer os na wnei di stopio'r funud 'ma. Llawes!—na, paid â gafael yn ei chlust hi, mae o'n brifo. . .'

'Rwyt ti'n fy mrifo i. A dydi o ddim yn ddoniol. Gad lonydd i mi, wnei di, dwi'n trio gwerthu petha. Iestyn, pam na wnei di dynnu dy siwmper?'

'Ac arddangos fy noethni pinc i'r byd? Am syniad. Iestyn, mae'r eneth ifanc yma'n aflednais ac yn anweddus,' protestiodd Llawes.

'Wyt ti'n arfer bihafio fel hyn?' holais yn egwan.

'Mae'n rhaid i chi drio dallt be 'di problem Iestyn,' meddai Llawes. 'Druan â fo. Yn wahanol i mi, mae o'n rhy hen i chwarae tricia gwirion. Ystyriwch fy nheimladau i. Mae'n dân ar 'y nghroen i 'mod i'n gorfod ymwneud â rhyw lembo diflas fath â fo.'

Ochneidiodd Llawes yn felodramatig. Mi geisiais inna ei anwybyddu o. Edrychais ar Iestyn yn lle hynny. Prin bod ei geg o'n symud o gwbl tra oedd Llawes yn siarad. Roedd o fel pe baen nhw'n ddau endid cwbl wahanol.

'Dydach chi ddim yn talu sylw, 'ngenath i,' meddai Llawes, gan roi proc caled yn fy ystlys.

Codais un o'm bagiau papur mawr a'i roid o dros ei ben.

'Help! Rhyddhewch fi ar unwaith! Gwarth!' gwaeddodd Llawes, a'i lais yn gryg.

'Well iddo fo beidio â siarad,' meddwn inna, 'rhag ofn iddo fo ddefnyddio'r holl ocsygen sydd yn y bag. A ddylai o ddim strancio fel yna, neu mi fydd o'n rhwygo twll yn y bag papur a does gen i ddim llawer ar ôl. Iestyn. Plîs.'

'Iawn, dwi'n cytuno. Mi fedrwn inna wneud hebddo fo am dipyn hefyd,' meddai Iestyn. Gwenodd arna i'n swil. 'Mae'r rhain yn grêt,' medda fo, gan godi bag gydag un o'i ddwylo di-Lawes. 'Pwy ddysgodd ti i wnïo? Dy fam?'

'Naci! Neb! Dwi'n medru gwnïo erioed. Pwy ddysgodd ti i daflu dy lais? Dy dad?'

'Naci! O, dwi'n dallt rŵan.' Edrychodd arna i'n anesmwyth. 'Dwyt ti ddim byd tebyg i'r genod eraill yn yr ysgol, Glesni.'

'Diolch,' meddwn inna'n chwerw.

'Naci, dwyt ti'm yn dallt, dwi'n falch nad wyt ti ddim.'

Distawrwydd eto. Sbiodd Iestyn ar Llawes yn hiraethus.

'Mae dy betha di'n grêt,' meddai eto. 'Ac ro'n i wrth fy modd efo'r goban honno wnest ti, efo Gardd Eden arni.'

'Diolch.'

'O wel. Well i mi fynd rŵan. Wnei di ollwng Llawes yn rhydd neu wyt ti am i mi wneud? Well i mi ei wthio fo'n ôl i 'mhoced yn reit handi.'

Wrth iddo wneud mi ddisgynnodd llwyth o hen luniau sepia o'i boced.

'Sbia, rwyt ti 'di gollwng rhywbeth. Be ydyn nhw?' Gwelais lun gŵr bonheddig o oes Fictoria mewn het gron, galed. 'Dy hen-daid di 'di hwn?'

'Naci, newydd eu prynu nhw ydw i. Mewn siop rownd y gongl. Wel, mae hi'n debycach i archfarchnad antîcs na siop. Ogof Arthur. Wyt ti'n gwybod amdani?'

Wel, wrth gwrs fy mod i.

'Dwi'n casglu hen gardia post. Peth gwirion i'w wneud, yn tydi?' meddai Iestyn gan godi'i ysgwyddau.

'Gad i mi gael eu gweld nhw.'

Daliodd nhw fel 'mod i'n medru'u gweld nhw. Defnyddiodd law Llawes ond roedd Llawes fel petai o wedi troi'n fud ar ôl ei wyliau yn y bag papur. Dyma fi'n sbio ar ŵr a gwraig o oes Fictoria, a babi hynod o dew mewn siwt wlanog.

'Wyt ti'n leicio babis?' holais yn syn.

'Nac 'dw, dwi'n eu casáu nhw. Ond maen nhw'n ddefnyddiol. Mi fydda i'n defnyddio'r cardia post i wneud *collages*, weli di,' meddai Iestyn, gan wrido.

'*Collages*?' Ddim yn dallt ystyr y gair o'n i, ond roedd Iestyn yn meddwl 'mod i'n gwneud hwyl am ei ben o. Erbyn hyn roedd o'n fflamgoch.

'Mi wn i ei fod o'n beth cadi-ffan i hogyn ei wneud.'

'Nid dyna ydi o, ond tydw i jest ddim yn gwybod be ydyn nhw, dyna'r cyfan. *Collages*.'

'Dwyt ti ddim yn gwybod? Llunia ydyn nhw, wedi eu gneud allan o sgrapia o bob math o wahanol betha. Mae fy rhai i mor swrreal â phosib.'

'Mor real?'

'Swrreal. Ty'd, gei di'u gweld nhw os wyt ti isio. Ty'd acw ac mi gei di'u gweld nhw.'

'Fedra i ddim gadael fy stondin.'

'Wedyn. Ar ôl i'r farchnad gau. Ty'd acw i swpar.'

'Fydd dy fam di ddim yn malio?'

'Na fydd siŵr. Y fi fydd yn gwneud swper, beth bynnag. Dwi'n giamstar ar goginio. Dim o'r hen sothach tramor yna. Bwyd cartra Cymreig sydd ora gen i,' meddai Llawes, gan neidio allan o boced Iestyn.

Ochneidiais a rholiodd Iestyn Llawes i fyny hyd ei benelin esgyrnog.

'Dyna chdi. Mae o 'di mynd rŵan. Deud y doi di, Glesni.'

Felly mi es i.

6

Mae'r Jamesiaid 'di mynd allan am dro. Mae Jay 'di mynd efo nhw, diolch i'r drefn. Dwi 'di cael llond bol arni. Mae hi'n rhygnu ymlaen ac ymlaen ynglŷn â rhyddid personol a ffyrdd amgen o fyw ond fedr hi ddim rhoi llonydd i mi. Dydw i ddim yn rhydd ac mae hi'n wfftio at fy newis i o ffordd o fyw. Mi wyddwn y byddai hi'n gwneud rhyw sylw am liw newydd fy nghoban i ond feddyliais i ddim y byddai hi'n dechrau pwffian chwerthin. Dwi'n ei chasáu hi. Y *hi* 'di'r un sy'n gwisgo gwisg ffansi, y hi 'di'r hulpan ddaru daflu ei hun at sêr y byd pop, y drygi ddaru gymryd gormod o gyffuriau, *flower child* y comiwns, a fyddai'n gwywo'n ddigon sydyn pan fyddai ei dynion yn ei gadael. Mae hi'n dri deg a dwy, fwy neu lai yn ganol oed, ac mae hi'n dal i gardota. Fe fedrai hi bacio ei holl eiddo i hen rycsac efo'r hen ystrydeb '*Make Love not War*' wedi'i frodio arno fo. Mae hi'n caru efo pawb arall ond mae'n ryfel rhyngom ni'n dwy. Y fi ddylai fod yn chwerthin am ei phen hi, ond dydi hi ddim yn ddoniol bellach, mae hi'n drist. Mi ddywedodd hi ei bod hi 'di laru ar gael y fath hulpan wirion yn ferch iddi. Am nad o'n i'n fodlon newid o'm coban ddu a mynd lawr i gael cinio dydd Sul efo'r Jamesiaid. Os ydi hi'n gall yna dwi inna'n falch 'mod i'n wallgo, a fydda i ddim yn hulpan am lawer hwy oherwydd tydi hi ddim yn fodlon rhoi bwyd i mi. Dim brecwast, hyd yn oed. Roedd hi'n meddwl y byddwn i'n llwgu gymaint erbyn amser cinio nes rhoi'r gorau iddi a chodi. Mae hi'n gwybod y bydda i wrth fy modd efo ciniawau Owenna. Mi gollais i gawl nionod efo crwtons caws a chrempog efo cyw iâr a salad gwyrdd, a phwdin bricyll, a choffi efo bisgedi siocled bychain bach. Mi ddywedodd Jay wrtha i'n sbeitlyd am bob cynhwysyn wrth iddi wisgo'i bŵts yn barod i fynd allan. Mi gogiais i 'mod i'n cysgu a dwi'n dal i gogio rŵan.

Dacw sŵn y lle chwech yn fflysho i lawr grisiau. Ella'i bod hi heb fynd efo nhw wedi'r cyfan. Na, nid sŵn traed Jay 'di'r rheina. Swagro ma' hi ar hyd y lle yn ei sgidiau uchel. O Dduw, plîs paid â dweud mai Lois sy yna. Mi fydd hitha'n chwerthin am fy mhen i hefyd.

Mi roddwn i'r byd am gael dod o hyd i hafan go iawn a byw ar fy mhen fy hun. Ro'n i'n arfer chwarae efo merch fach o'r enw Catrin pan oeddan ni'n byw yn y *chalet* glan-môr. Roedd gan Catrin ddol Barbie efo deuddeg o ffrogiau ac mi fydden ni'n arfer treulio oriau yn ei gwisgo hi ac yn ei pharedio hi ar hyd y lle ar flaenau'i thraed. Ro'n i isio i Barbie fod yn eneth go iawn, a siarad efo hi a gwneud i bethau ddigwydd iddi, ond byddai Catrin yn taro'i bys yn erbyn ei thalcen ac yn dweud 'Dwyt ti'm yn gall'. Geneth fechan galed oedd Catrin, efo gwallt byr ac ôl annwyd o dan ei thrwyn ac mi roedd arna i ei hofn hi, felly mi ro'n i'n arfer cytuno 'mod i'n honco ac ymlaen â ni efo'r sioe ffasiwn. Mi fyddwn i'n diflasu gymaint nes dechrau dylyfu gên drosodd a throsodd, ac weithiau byddai Catrin yn cynddeiriogi ac yn rhoi pinsiad i mi, ond weithiau—yn anaml iawn—mi fyddai'n gwthio Barbie a'i holl ffrogiau yn ôl i'w wardrob blastig fechan ac yn dweud hanes y Cartref Plant wrtha i. Roedd Catrin wedi treulio'r rhan fwyaf o'i bywyd dan ofal pobl eraill. Doedd y gofal hwnnw ddim yn swnio'n ofalus iawn i mi. Ella bod gan Catrin ddychymyg wedi'r cyfan. Roedd y cwbl yn swnio fel rhyw hen chwedl imi. Roedd yn rhaid i'r plant olchi eu cynfasau gwlyb eu hunain mewn dŵr oer yn y gaeaf. Roedd yn rhaid iddyn nhw fwyta pob tamaid o fwyd ar eu platiau ac unwaith, pan ddaru un o'r plant chwydu, bu'n rhaid iddo fo fwyta hwnna hefyd. Roedd yn rhaid iddyn nhw olchi eu cegau efo sebon os oeddan nhw'n dweud pethau drwg. Os câi un o'r hogiau bychain ei ddal yn chwarae efo'i hunan yna roedd yn rhaid iddo wisgo cerdyn o amgylch ei wddf am ddiwrnod cyfan yn datgan 'Hogyn bach budr ydw i'. Roedd un hogyn bach yn wirioneddol fudr ac mi roedd o'n arfer gwneud llanast yn ei drowsus o fwriad, felly mi gâi ei gloi yn y cwpwrdd. Dyna oedd y gosb waethaf oll. Byddai Catrin yn crynu wrth iddi sôn amdani.

Gofynnais iddi beth oedd yn y cwpwrdd, gan ddychmygu llygod mawr a phryfaid cop, ond dyma ddywedodd Catrin, 'Dwyt ti'm yn gall. Roeddan nhw jest yn dy adael di yno ar dy ben dy hun.' Doedd o ddim yn swnio mor ofnadwy â hynny i mi. Os oeddach chi wedi'ch cau yn ddiogel yn y cwpwrdd yna fedrai'r plant eraill ddim rhoi cweir i chi a fasa dim rhaid i chi wneud eich gwersi. Mi allech eistedd yno ar eich pen eich hun yn y tywyllwch. Mi roddwn i'r byd am gael bod yng nghwpwrdd Catrin rŵan. Mae rhywun yn dringo'r grisiau.

Sŵn sgidia sodlau uchel. Felly mae'n rhaid mai Lois sydd yno. Dos o 'ma, dos o 'ma.

Daw cnoc betrus ar y drws. Fyddai Lois ddim yn breuddwydio am gnocio.

'Pwy sy 'na?' Mae fy llais yn swnio'n wirion, yn gryg. Am nad ydw i wedi siarad rhyw lawer yr wythnos hon, mae'n siŵr. Siarad yn uchel, hynny ydi. Dwi 'di bod yn siarad â mi fy hun yn fy mhen trwy'r adeg.

'Fi sy 'ma. Meg. Ga i ddod i mewn?'

Wel, dyna syrpreis. Daw i mewn gan gario hambwrdd, sy'n gwegian o'r naill ochr i'r llall am ei bod hi'n gwisgo *stilettos* Oxfam Lois.

'Helô,' medda finna, gan godi ar fy eistedd. Dwi'n cribo fy ngwallt efo 'mysedd. O leia mae o'n lân rŵan. Dwi 'di penderfynu bod ancresau yn cael bàth bob dydd—mewn dŵr oer!

Gwenaf yn nerfus ar Meg. Damia 'mod i mor swil.

'Dwi 'di dod â hwn i ti. Mam ddeudodd wrtha i am wneud,' meddai Meg, gan estyn yr hambwrdd.

Cawl nionod! Haleliwia. A dacw gwlffyn mawr o fara cartre Owenna.

'Dwi 'di'i aildwymo fo. Ond paid â phoeni, does dim rhaid i ti'i fwyta fo. Ddeuda i ddim wrth neb,' meddai Meg yn ddifrifol.

'Na, mae arna i'i isio fo! Plîs! O, am ogla!' Dwi'n estyn fy mreichiau i dderbyn yr hambwrdd. Mae Meg yn syllu ar fy nwylo ond mae arna i gymaint o isio bwyd, does dim bwys gen i. Dyma fi'n llyncu ac yn llowcio. 'Duwcs, mae hwn yn dda.'

'Dwi'n meddwl ei fod o'n edrych yn ffiaidd,' cyhoedda Meg. ' Llysnafedd drewllyd, tywyll. A lwmp mawr brown 'run fath â. . .'

'Meg!'

Fedr hi ddim codi cyfog arna i. Mae blas bendigedig arno fo.

'Mae 'na fwy i lawr grisia,' medd Meg. 'Mi a' i i'w nôl o i ti os leici di. Ac mi gei di fy mhwdin bricyll i. A 'nghrempogen i hefyd, er nad ydw i ddim yn siŵr sut mae'i haildwymo hi.'

'Mi ga i hi'n oer,' meddaf inna'n sydyn.

'Pam na ddaru ti ddod i lawr grisia amser cinio os does dim bwys gen ti fwyta? Mi ddeudodd Jay nad oeddat ti isio dim.'

'Dim isio codi o'n i.'

Mae Meg yn nodio'i phen yn ddifrifol, fel pe bai hi'n dallt. Ella am ei bod hi mor rhyfedd ei hunan. Dyma hi'n simsanu o'r stafell wely ac yn dod yn ei hôl efo hambwrdd llwythog. Mae hi'n llusgo'i thraed rŵan am ei bod hi wedi diosg sgidiau Lois rhag ofn iddi faglu. Mae hi'n gwisgo sanau duon sy'n fflapio'n llac o amgylch bysedd ei thraed. Mae'n amlwg mai Gordon sy biau nhw. Wneiff Meg ddim gwisgo ei dillad ei hun. Wn i'm pam. Dwi'n meddwl eu bod nhw'n wych a phe bawn i'n ddigon tenau fy hun mi faswn i'n crefu arni am gael eu benthyg nhw. Mae Meg yn gwisgo hen binaffôr y bu Owenna'n ei gwisgo pan oedd hi'n disgwyl Naomi. Mae rhychau'r brethyn melfaréd wedi breuo dros y blynyddoedd ac mae'r lliw porffor wedi troi'n llwyd pyglyd. Ella bod Owenna'n ei gwisgo hi pan oedd hi'n disgwyl Meg hefyd. Mae hi'n hongian yn hurt ar Meg rŵan, gan wneud i'w breichiau a'i choesau, sydd fel brigau beth bynnag, edrych yn odiach nag erioed.

'Pam wyt ti'n gwisgo hen binaffôr Owenna?' holaf, gan gychwyn ar fy ail fowlenaid o gawl.

Mae Meg yn codi ei hysgwyddau tenau. Mae pont ei hysgwydd yn edrych fel pe bai am wthio'i ffordd trwy ei chroen, sy'n frau fel papur. 'Mae o'n cuddio fy mol tew i.'

Nid tynnu coes mae hi. Mae hi'n meddwl o ddifri ei bod hi'n dew, er ei bod hi i lawr i chwe stôn a rhywbeth ac yn colli pwysau o ddydd i ddydd. Fydd hi ddim yn hir nes y bydda i'n llythrennol ddwywaith ei maint hi. Dwi'n teimlo'nl rêl hwch o 'nghymharu â Meg. Mae hi'n gwylio pob cegaid dwi'n ei chymryd. Os ydw i ar fy nghythlwng ar ôl ychydig ddyddiau yna, ys gwn i sut beth ydi llwgu'ch hun am fisoedd?

'Wyt ti wir yn casáu byta, Meg?'

'Wel. Dwi'n fy ngorfodi fy hun i gasáu byta.'

'Pam?'

'Er mwyn peidio â magu pwysa.'

'Wyt ti *wir* yn credu dy fod ti'n dew?'

'Dim cynddrwg ag yr o'n i. Ond tydw i dal ddim cweit digon tena. Beth bynnag, feiddia i ddim byta eto neu mi fydda i'n wirioneddol dew.'

'Ond rwyt ti'n dal i fwyta rhai petha? *Cottage cheese* a dy fisgedi slimio?'

'Dwi 'di stopio byta'r bisgedi, maen nhw'n gneud i mi fagu llawer gormod o bwysa, a dwi 'di torri i lawr ar y *cottage cheese*. Ro'n i'n arfer mynd trwy garton cyfan bob dydd— roedd hynny'n hurt. Felly, rŵan, dwi'n bwyta deg llond llwy de bob pryd bwyd, rhai bychain wrth gwrs.'

'Wyt ti'n mesur pob un dim fyddi di'n ei fwyta?'

'Sut arall fedra i wybod faint o galorïau dwi'n eu byta? Wrth gwrs, mae o'n dal i fod yn rhy uchel o'r hanner ac mae'n broblem torri i lawr arno fo. Mae Mam yn gwneud gymaint o ffŷs bob pryd bwyd, yn dwrdio ac yn edliw drwy'r adeg, felly dwi 'di dechrau gneud mwy o ymarfer corff er mwyn llosgi'r calorïau ychwanegol. Dwi'n gneud awr o aerobics pan fydda i'n codi yn y bore ac awr arall gyda'r nos, ac mi fydda i'n nofio ym mhwll nofio'r ysgol gymaint ag y medra i ac yn cerdded i'r ysgol yn lle dal y bws. Mi fydda i'n cerdded i bob man. . .'

'Felly pam nad wyt ti allan rŵan yn cerdded efo'r lleill?'

'Tydi tro fel yna ddim llawer o iws. Dydyn nhw ddim yn cerdded yn hanner digon cyflym, ac mae Naomi isio stopio drwy'r amser i sbio ar y blodau neu i fwydo'r hwyaid a fedr

61

Lois ddim cerdded yn gyflym am ei bod hi'n gwisgo'r hen sgidia gwrion yna. A fasan nhw ddim yn gadael i mi ddod beth bynnag. Dwi wedi'u pechu nhw.'

'Pam?'

'Oherwydd mi fytis i ychydig o gawl a salad gwyrdd jest i stopio Mam rhag cega, ac mi wnaeth o i mi deimlo'n sâl; felly, mi es i i'r lle chwech a gwthio 'mysedd i lawr fy ngwddw ac mi glywodd Mam fi'n taflyd i fyny ac mi ddeudodd hi wrth Dad ac mi aeth o'n gandryll a rŵan maen nhw'n poeni bod gen i bulimia yn ogystal ag anorecsia.'

'Bul. . .?'

'Byta ac yna gneud i chi'ch hun daflyd i fyny.'

'Wel paid â gneud hynny. Ych-a-fi! Na, dyna be sy isio i ti neud ydi cogio dy fod ti'n byta ac yna cuddio'r bwyd yn dy gôl a dod â fo i fyny ata i.'

Dyma Meg, yn sydyn, yn gwenu fel giât.

'Ocê. Duwcs, dyna ddwy dda ydan ni. Mae Jay yn poeni'n ofnadwy amdanat ti, Glesni.'

'Nac 'di, wir, dydi hi ddim yn poeni dwy ffeuen amdana i. Sbia sut mae hi'n gwrthod rhoi bwyd i mi. Dwyt ti ddim yn sylweddoli pa mor lwcus wyt ti bod gen ti fam sy'n trio dy fwydo di. Mae hynny'n well o lawer na mam sy'n trio dy lwgu di,' meddwn inna gan gnoi ar lond ceg o grempogen.

'Mi fasa Peter yn deud ei fod o'n arwyddocaol ein bod ni'n trafod ein mamau. Mae o'n deud mai dyna pam dwi'n anorecsic. Dyna fy ffordd i o fynnu sylw Mam.'

'Wyt ti'n meddwl bod hynny'n wir?'

'Na 'dw. Ddim mewn gwirionedd. Dwi jest ddim isio bod yn dew. Er mi fydda i'n eitha leicio pan fydd o'n sôn am Lois a Naomi a pha mor anodd yw hi i mi, mae'n rhaid, i fod yn stýc yn y canol. Nid y fi 'di'r hyna na'r fenga. Nid y fi 'di'r glyfra na'r ddelia, felly . . .'

'Felly mae'n rhaid i ti gael bod yn deneuach na phawb arall?'

'Mmm. Wel, dyna be mae o'n 'i feddwl. Ac mi fydda innau'n cytuno efo fo am ei fod o mor ffeind wrtha i ac yn gadael i mi wneud pob dim dwi isio. Mae o'n arbenigo ar seiciatreg plant felly mae gynno fo'r holl degana yma yn ei stafell a dwi'n cael chwarae efo nhw os ydw i isio. Fydd o ddim yn tynnu 'nghoes i nac yn deud 'mod i'n rhy hen. Mae 'na dŷ dol. Felly pan fydda i'n rhedeg allan o betha i'w deud wrth Peter dwi'n chwarae efo'r doliau yn y tŷ dol. Mae 'na fam a thad a lot o blant a babi. Mi fydd Peter yn cogio darllen ei bapur neu sgwennu ei nodiadau ond mewn gwirionedd mae o'n fy ngwylio i 'run fath â barcud.'

'I weld a fyddi di'n gwthio'r chwaer fawr i lawr y lle chwech ac yn berwi'r babi mewn sosban?'

Mae Meg yn chwerthin. Meg. 'Watsia di. Ella y byddan nhw'n dy anfon di i'w weld o hefyd.'

'Be?'

'Mi ddeudodd Mam a Dad wrth Jay gystal seiciatrydd ydi o ac mi ddeudon nhw ella y medra fo dy sortio ditha allan hefyd.'

'Ond does 'na ddim byd o'i le arna i! Sbia. Dwi'n byta 'run fath â cheffyl,' meddwn i, gan hel y briwsion.

'Wyt, mi wn i dy fod di'n byta, ond wnei di ddim codi, na wnei? Mae Dad yn deud bod hynny'n golygu dy fod ti'n trio dianc rhag rhywbath.'

'Sut mae o'n gwybod? Nid seiciatrydd ydi o.'

'Mae o 'di darllen yr holl lyfra yma am broblema plant yn eu harddega. Oherwydd fi. Ac oherwydd Lois, pan ddaru hi ddechra cymryd y bilsen a sôn o hyd am ei bywyd rhywiol. Yna mi gafodd hi rywbath 'run fath â thrysh ac ro'dd Mam yn poeni mai VD oedd o ac mi alwodd hi'r doctor i'w harchwilio hi, ac fel mae'n digwydd, gwyryf 'di Lois.'

'Naci fyth!'

'Wel, ella nad ydi hi rŵan, ond mi'r oedd hi y llynadd.'

'Iesgyrn!' Dwi 'di fy synnu gymaint nes imi stopio bwyta. 'Ond mi ddeudodd hi wrtha i. . .'

'Mi ddeudodd hi lawer o betha wrtha i hefyd. Ond clwydda oedd y cyfan.'

'Pam na wnân nhw anfon Lois at y seiciatrydd yna 'ta?'

'Mi aeth hi unwaith, ond roedd hi'n deud ei fod o mor *boring*, fedra hi byth fynd eto. Am wn i ei *fod* o braidd yn *boring*, yn enwedig os nad ydach chi'n leicio chwarae tŷ dol.'

'Dydi Jay ddim o ddifri ynglŷn â fy anfon i, ydi hi? Wel, a' inna ddim chwaith. Fedr hi ddim gneud i mi fynd. Beth bynnag, preifat ydi o, yntê? Fedra hi ddim fforddio talu.'

'Ydi, mae o'n costio ffortiwn, ond mi ddeudodd Dad fod y seiciatrydd yma'n sgwennu llyfr ar ymddygiad plant yn eu harddegau ac mae gynno fo ddiddordeb arbennig mewn plant oedd yn arfer byw mewn comiwns, felly ella y basa fo'n dy weld di am ddim.'

'O Dduw mawr. Wel dwi'm yn mynd a dyna ddiwedd arni.'

'Paid â phoeni, Glesni. Ti sy'n iawn, fedran nhw ddim dy orfodi di i fynd. A dwyt ti ddim yn wirioneddol honco, fath â fi, nac wyt? Dwi'n gwybod y gall anorecsia ladd, ond elli di ddim marw jest o orwedd yn dy wely a phaentio dy ddwylo'n ddu.'

'Nid eu paentio nhw'n ddu ddaru mi. Lliw ydi o.'

Mi ges i liw du arnyn nhw wrth lifo fy nghoban. Nid y goban ro'n i wedi'i brodio, wrth gwrs, ond hen un wen. Mi fenthycais i liw Lois brynhawn ddoe tra oedd hi allan. Ro'n i'n gwybod yn iawn y dylwn i wisgo menig rwber ond fedrwn i ddim ffeindio pâr. Mi driais i wisgo hen fenig gwlân ond wrth gwrs mi ddaeth y lliw reit drwadd. Dwi 'di sgwrio fy nwylo nes eu bod nhw'n gwaedu, bron, ond maen nhw'n dal yn ddu fel chwilod. Maen nhw 'di cymryd y lliw yn well o lawer na 'nghoban i.

'Dydyn nhw ddim i fod yn ddu,' eglurais.

'O. Ro'dd Gordon yn meddwl. . .'

'Dos yn dy flaen. Deuda wrtha i.'

'Wel, wyt ti'n gwybod am Lady Macbeth? Mae Lois yn studio'r ddrama ar gyfer TGAU a hi 'di Lady Macbeth bob tro ac mi fydd yn rhaid i mi wrando arni'n adrodd ei geiriau. Mae Lady Macbeth 'di mwrdro rhywun, dwi'n meddwl, felly mae hi'n colli arni dipyn bach ac yn golchi ei dwylo o hyd am ei bod hi'n meddwl bod yna waed arnyn nhw. Felly roedd Gordon yn meddwl ella dy fod ti'n cadw'n ôl ryw fath o awydd i fwrdro rhywun ac felly rwyt ti 'di paentio dy ddwylo efo'r lliw sy'n cynrychioli marwolaeth.'

'Y fo sy o'i go! Pwy mae o'n feddwl sy gen i mewn golwg?'

'Ddaru o ddim deud yn union. Ond roedd dy fam yn edrych fel tasa hi'n poeni'n arw.'

'Glywais i 'rioed y fath lol! Dydi o ddim o ddifri, nac 'di?'

'Dydi o ddim yn meddwl go iawn dy fod di am fwrdro rhywun. Er mi ddaru o ddeud bod llofruddion yn aml yn swil iawn ac yn cadw llawar o betha'n ôl.'

'Lol botes maip!'

'Ydi, mae o,' medd Meg, ond mae hi'n symud yn ôl a blaen yn anesmwyth, gan bwnio'i chluniau tenau. 'Dwi'n trio torri'r braster i lawr,' eglura. 'Mae'n flin gen i os dwi'n gneud i'r gwely grynu.' Seibiant, wrth iddi hi daro'n galetach. 'Er, ddaru mi drio llofruddio rhywun unwaith. A dwi'n swil, yn tydw?'

'Pwy ddaru ti drio'i lofruddio, Meg?'

'Lois,' medd Meg, gan ddal i dylino.

'Be wnest ti? Dadlau efo hi?'

'Ddaru mi ei tharo hi'n anymwybodol.'

Dyma fi'n syllu arni.

'Do, wir,' medd Meg, gan ddechrau curo'i choesau rŵan. Mae'n rhaid eu bod nhw'n fflamgoch, o dan ei sgert. 'Ddaru mi ei tharo hi efo sosban haearn a'i dal hi ar ei harlais. Mi syrthiodd hi i'r llawr a jest gorwedd yno ac ro'n i'n siŵr 'mod i wedi ei lladd hi. Wrth gwrs, dim ond peth bach o'n i bryd hynny. Ddaru Mam a Dad gogio mai damwain oedd y cyfan, ond nid damwain oedd o o gwbl. Ro'n i isio'i lladd hi.'

'Pam? Hynny ydi, mi fedra i weld pam, fedrwn i ddim diodda cael Lois yn chwaer i mi, ond pam yr union adeg honno? Be'r oedd hi wedi'i wneud i ti?'

Dyma Meg yn rhoi'r gorau i daro a syllu ar ei chôl.

'Ddaru hi 'mradychu i. Roeddan ni'n dal i fyw efo'r bobl o'r comiwn er ein bod ni wedi symud i ffermdy yn y wlad ac roedd hynny'n neisiach o lawer; roedd gynnon ni asyn yn y cae isa hyd yn oed. Be bynnag, ddaru mi syrthio mewn cariad efo rhywun. Ro'n i mewn cariad go iawn, ro'n i'n meddwl ei fod o'n grêt ac roedd o mor ffeind wrtha i, er nad oedd o'n gwybod 'mod i mewn cariad efo fo. Ddim bryd hynny. Prin y deudais i ddim wrtho fo ond mi sgwennais i'r holl betha ddaru o'u deud wrtha i mewn llyfr nodiada arbennig ac mi wnes i flwch cyfrin i mi fy hun. Wyt ti'n cofio Miranda? Mi wnes i flwch allan o hen focs siocled ac mi lynais i fferins bach crwn drosto fo fel gemau ac ro'n i'n cadw'r llyfr nodiada a phob math o. . . drysorau. . . eraill ynddo fo. Roedd yna rai pethau gwirioneddol wirion, hances bapur ro'dd o 'di defnyddio, un o'i sanau o, ddaru mi ddwyn honna, a blewyn neu ddau ro'n i 'di'u dwyn o'i gôt o. Ond roedd rhai petha sbesial iawn, hefyd, fath â llunia a storïa. Ac mi ddaeth Lois o hyd iddyn nhw a'u dangos nhw i bawb a deud wrtho fo, a fedrwn i ddim byw yn fy nghroen; felly, mi driais i ei lladd hi.'

Ro'n i'n gwybod yn iawn pwy oedd o. Defi. Ro'n inna'n ei garu o hefyd.

7

Defi ydi'r person cyntaf y medra i ei gofio. Ymhell cyn Jay, er mi wn i nad ydi hynny'n bosibl. Pan ges i 'ngeni roedd hi'n byw mewn rhyw Gartref henffasiwn, Cartref i Famau Dibriod a'u Babanod ac ar ôl hynny mi fuon ni'n byw mewn pob math o lefydd, *bedsits* a sgwats am wn i, cyn cwrdd â rhyw arlunydd o'r enw Stwnsh neu Sbloet neu rywbeth cwbl annhebygol fel yna. Roedd o'n byw yn y comiwn, felly mi aethon ninna i fyw yno hefyd. Rhyw ddwy a hanner o'n i. Do'n i ddim yn eneth fach ddel. Ro'n i'n dew ac yn swil ac mi fyddwn i'n cuddio fy wyneb y tu ôl i gadach trwy'r adeg. Cadach glân oedd o — er mae'n rhaid ei fod o 'di troi'n llwyd yn y pen draw oherwydd do'n i byth yn fodlon gollwng gafael arno fo'n ddigon hir i neb ei olchi o, a doedd Jay ddim yn debygol o fynnu 'mod in gwneud! Blanced fwythau a siôl ar y cyd oedd y cadach hwn i mi: mi fyddwn i'n claddu fy nhrwyn ynddo fo ac yn troi'r ymylon oedd wedi breuo o amgylch fy ngwddf ac i fyny dros fy mhen. Doedd dim syndod bod y plant eraill yn gwneud hwyl am fy mhen i.

Byddai plant y comiwn yn mynd ac yn dod ond roedd Lois a Meg yno o'r cychwyn cyntaf. Babi oedd Meg ar y pryd ac roedd Lois yn eneth fach ddel a arferai fy mhinsio nes gwneud i mi grio. Byddwn yn mynd i 'nghwman mewn cornel, efo 'mhenliniau yn erbyn fy mrest a'r cadach dros fy mhen. Unwaith, pan ddigwyddodd hyn, mi glywais sŵn cerddoriaeth. Ro'n i 'di arfer â roc trwm neu bobl yn tynnu tannau gitâr. Ond roedd hwn mor bersain ac mor wahanol nes gwneud i mi grynu. Pipais heibio i'r cadach a gweld Defi'n canu ei chwisl dun, yn Bibydd Brith go iawn. Roedd o hyd yn oed yn edrych yn debyg i'r Pibydd Brith, oherwydd byddai bob amser yn gwisgo sanau o wahanol liwiau, coch a gwyrdd un diwrnod, glas a melyn y diwrnod wedyn, ac roedd gynno fo siaced hir o glytwaith du a phorffor. Byddai hefyd yn gwisgo het fawr ddu dolciog a phluen borffor ynddi, hyd yn oed dan do.

Wn i ddim efo pa eneth yn y comiwn roedd Defi'n mynd bryd hynny. Un eneth yn arbennig, neu'r holl giwed? Yn bendant roedden nhw i gyd wrth eu boddau efo fo. Roedd y dynion yn ei hoffi o hefyd, ac roedd hynny'n fy synnu i. Roedden ni i gyd i fod i garu'n gilydd a byddai'r oedolion yn arfer mynegi'r cariad hwnnw yn gwbl agored, ond yn aml iawn diwedd y gân oedd y merched yn crio a dau o'r dynion yn cwffio. Ond ddaru neb crioed gwffio efo Defi. Y plant oedd yn ei garu o fwyaf. Roedd pob oedolyn yn y comiwn i fod i dreulio diwrnod bob wythnos yn stafell y plant yn gofalu amdanon ni. Doedd dim ots a oedd ganddyn nhw blant ai peidio. Roedd plant y comiwn i fod i berthyn i bawb. Ond roedd yna un neu ddau—neu fwy —o'r oedolion do'n i ddim isio perthyn iddyn nhw.

Roedd rhai ohonyn nhw gymaint allan o'u pennau fel eu bod nhw jest yn pendwmpian mewn rhyw gongl ac yn gadael i ni wneud be roeddan ni isio—neu ddim isio —felly roedd y rhai mawr yn plagio'r rhai bychain ac mi fyddai'r ychydig deganau'n torri. Unwaith ddaru Meg gropian i mewn i lond sach o gorbys coch a thrio byta'i ffordd allan a bron â mygu i farwolaeth. Roedd rhai o'r lleill yn iawn am ychydig, yn llawn syniadau am gêmau a hwyl, ond yna'n fuan iawn mi fasan nhw'n colli diddordeb ac amynedd. Un felly oedd Jay. Doedd gan Stwnsh neu Sbloet, neu be bynnag oedd ei enw o, ddim amynedd chwaith, ond roedd o'n arfer ein llwgrwobrwyo ni efo Smarties a Golden Wonder (doedden ni ddim i fod i'w cael nhw). Dim ond cyfanfwyd y comiwn roedden ni i fod i'w fwyta felly roedden ni'n sgut am fferins a chreision. Roedd y rhan fwyaf o'r lleill yn leicio'r hen Sbloet tadol ond doeddwn i ddim yn meddwl rhyw lawer ohono fo, er y bydda fo'n arfer rhoi mwy na'm siâr o felysion i mi fel na faswn i'n poeni Jay pan oedd o isio hi iddo fo'i hun.

Doedd dim angen i Defi freibio neb. Roedd y dyddiau pan oedd o'n gofalu amdanon ni'n well na phen blwydd. Mi fyddai'n chwarae efo ni trwy'r dydd ac mi roedd o fel pe bai o'n cael gymaint o hwyl â ninnau. Mi fyddai'n canu ei bib er mwyn i ni gael dawnsio, yn adrodd straeon wrthon ni, yn tynnu lluniau sialc i ni ar y llawr pren, yn llenwi cafn mawr efo tywod fel y medren ni chwarae glan môr, ac mi fydda fo'n gwneud peli mawr o does allan o flawd a halen a dŵr fel y gallen ni wneud cadwyni a photiau ac anifeiliaid bychain. Byddai Defi'n gwneud pobl fychain allan o does, a'u galw'n Toesion. Roedd o'n arfer eu pobi nhw nes eu bod nhw'n galed ac yna eu cyflwyno nhw i ni. Roedd ganddyn nhw i gyd bersonoliaethau gwahanol a'u lleisiau arbennig eu hunain: Toesyn Tew a Toesyn Tenau a Toesyn Twmffat a'r Toesyn Truenus Trachwantus Tryloyw oedd yn arfer brathu pawb efo'i ddannedd toes.

Yr unig beth oedd yn arfer difetha'r dyddiau gwych hynny efo Defi oedd gorfod ei rannu o efo'r plant eraill. Do'n i ddim yn gweddu i fywyd ar gomiwn. Do'n i ddim yn leicio fy nheulu estynedig, yr holl chwiorydd a brodyr a mamau a thadau maeth. Do'n i ddim bob tro yn leicio fy mam fy hun. Ro'n i jest isio Defi.

Dwi ddim yn meddwl iddo fo dalu mwy o sylw i fi nag i'r un o'r plant eraill ond roedd ganddo fo'r gallu i wneud i chi deimlo'n arbennig. Mi fydda fo'n canu ei bib ac yna'n dal fy llygad nes i mi deimlo ei fod o'n ei chwarae hi jest ar fy nghyfer i. Neu mi fydda fo'n dweud stori ac mi fyddai yna wastad un ferch fach ynddi oedd yn union 'run fath â fi. Pan o'n i'n drist byddai Defi'n gwybod yn syth bìn ac yn fy nghodi i ar ei arffed i gael mwytha. Mi fedra i weld rŵan ei fod o fel hyn efo'r plant i gyd. Wrth gwrs ei fod o. Ond tydw i ddim isio meddwl am hynny. A dydw i ddim isio ei drafod o efo Meg. Y fi biau Defi.

Da'n ni 'di cadw cysylltiad ers hynny. Mi fydd o'n anfon

anrhegion bychain ata i: cragen fôr, breichled, cyllell bapur wedi'i cherfio o ddarn o froc môr, talp o ambr crai bron yr un siâp â chalon. Dwi 'di'u cadw nhw i gyd, wrth gwrs. Mewn blwch dirgel. Mi wnes i f'un i yn yr ysgol gynradd, allan o focs hancesi papur. Mi wnes i fachyn selotêp i ddal y clawr ac yna mi beintiais i o y tu mewn a'r tu allan efo paent gwyn a'i orchuddio fo efo stwff sgleiniog arian. Sesiwn gwneud presantau Dolig ar gyfer ein rhieni oedd o i fod ond ddaru mi gadw fy mlwch arian i, a'i guddio fo rhag Jay. Roedd o mor arbennig nes bod rhaid i mi ei gadw o i mi fy hun.

Mae o'n dal i fod gen i rŵan, er ei fod o mor dolciog a blêr fel bod rhaid i mi ei atgyfnerthu o trwy'r amser efo tâp i gadw'r holl drysorau rhag disgyn allan.

Mi fydd o'n anfon cardiau post ata i hefyd, o Ffrainc a'r Eidal ac India ac Israel a gwahanol rannau o America. Mae o 'di teithio llawer ers i'r comiwn chwalu, ond mi fydd o'n dod yn ei ôl i Gymru bob yn hyn a hyn ac mi fyddwn ni wastad yn ei weld o bryd hynny. Y tro diwethaf roedden ni'n byw mewn pebyll ar y Mynydd Du yn disgwyl y madarch hud.

Roedd Jay efo Tim. Roedd o'n flewog fel iac ac mi roedd o'n drewi fel iac hefyd. Fedrwn i ddim gweld sut y medrai Jay feddwl am rannu ei chwdyn cysgu efo'r ffasiwn ddyn. Do'n i ddim am gael dim i'w wneud efo fo—nac efo hithau, chwaith. Ro'n i'n nabod rhai o'r plant eraill oedd yn yr un gwersyll ond y rhan fwyaf o'r amser mi fyddwn i'n crwydro i ffwrdd ar fy mhen fy hun. Byddwn yn cerdded i lawr o'r mynyddoedd i'r Gelli a chrwydro rownd y dre. Rhoddai Tim arian i mi 'brynu rhywbeth i'w fwyta'. Nid Americanwr oedd o; dwi'n meddwl mai un o Birmingham oedd o, ond roedd o'n arfer gwisgo dillad cowboi a chanu caneuon hil-bili a chymryd arno fo bod ganddo fo acen Americanaidd.

Dim ond rhyw 60 neu 70 ceiniog fyddai o'n ei roi i mi fel arfer, a doedd hynny ddim yn ddigon i mi fynd i gaffi, felly fel arfer mi fyddwn i'n prynu bynsan i ginio ac yn cadw'r gweddill i brynu llyfrau o'r silff rad y tu allan i Siop Lyfrau'r Sinema. Wel, weithiau. Bryd arall mi fyddwn i'n rhy farus ac yn prynu dwy fynsan, tair hyd yn oed, neu fagaid o sglods. Unwaith ddaru rhyw ddyn sylwi arna i'n lladd amser yn llwglyd y tu allan i'r siop sglodion ac mi ddaeth o allan efo pecyn o bysgod a sglods a'i wthio fo i'm dwylo i. 'Dos yn dy 'laen, tretia dy hun,' medda fo. Ro'n i'n glafoerio o glywed eu hoglau nhw a gafaelodd fy nwylo'n reddfol o dynn yn y pecyn papur, roedd arna i gymaint o eisiau'u cymryd nhw— ond roedd arna i ofn bod yna ryw fagl ynddi. Edrychai'n wirion, ac eto'n ddigon diniwed, yn ei drowsus byr a'i sgidiau cerdded trwm, a'r haul wedi llosgi corun ei ben moel yr un lliw â mefusen, ond roedd rhywbeth ynglŷn â'r ffordd roedd o'n edrych arna i yn f'atgoffa i am Tim, am Sbloet, am yr holl ddynion eraill oedd ar hyd y lle efo Jay. Ro'n i'n boenus o ymwybodol o 'nghrys-T tyn a'm trowsus byr fy hun.

Roedd o'n sbio arna i ac mi ro'n i'n casáu hynny, yn ei gasáu o, felly mi wthiais i y pysgod a'r sglodion yn ôl i'w ddwylo poeth, hyll a rhedeg i ffwrdd. Mi'i heglais hi o 'na, reit trwy'r dre ac i fyny'r lôn at y mynydd, gan redeg nes ro'n i'n diferu o chwys a bron â chrio gan yr ymdrech i ddal fy anadl. Ro'n i'n dal i deimlo'n boeth ac yn hyll pan gyrhaeddais i'n ôl yn y gwersyll. Mi ges i gip ar Jay ac mi roedd hi'n edrych yn wahanol, yn ddeliach yn ei sgert lliw gwin a'r flowsan wen efo llewys byr. Roedd y flowsan yn gwneud i'w breichiau hi edrych yn denau, 'run fath â breichiau hogan ifanc, ac roedd ei gwallt fel gwallt hogan ifanc, hefyd, yn gwlwm ar ei phen. Ac roedd yna ryw olwg ddireidus ar ei hwyneb. Syllais arni mewn syndod, ac yna mi welodd hi finna a gwenu ac egluro pam ei bod hi wedi'i gweddnewid.

'Choeli di fyth, Glesni. Mae Defi yma.'

A dacw fo, draw ger y nant efo Tim yr Iac. A chyn i mi fedru dweud wrthi am ei chau hi, dyma Jay yn gweiddi arno fo a bu'n rhaid i mi fynd i gwrdd ag o a finna'n dal i wisgo fy hen ddillad tynn, poeth, hyll. Ddaru mi ddal yn ôl yn swil ond cododd Defi ei law a rhedeg draw i 'nghofleidio i a doedd o ddim yn fodlon gadael i mi fod yn stiff ac yn swil; dyma fo'n fy anwylo i a dwyn perswâd arna i nes i mi deimlo mai fi oedd yr hen Glesni eto, yr eneth fechan oedd yn ei garu o heb fod yn hunanymwybodol.

Ddaru o aros am dridiau ac roedd o'n gyfnod hyfryd, er bod Tim yr Iac a Jay a'u pencwn o ffrindiau drygi yn tin-droi o'i amgylch y rhan fwyaf o'r amser. Ond ar y diwrnod olaf mi ddaeth Defi i lawr i'r Gelli efo mi. Mi aethon ni i Siop Lyfrau'r Sinema am fy mod i wedi dangos fy llyfrgell fechan iddo fo ac roedd o 'di dweud ei fod o am gyfrannu iddi. Stelciais y tu allan, ger y silffoedd llyfrau rhad, ond aeth Defi â mi reit i mewn i'r siop. Dyna'r tro cyntaf ro'n i 'di meiddio mynd i mewn i'r siop ei hun a ddaru ni grwydro o amgylch y lle'n araf, i fyny ac i lawr y grisiau, a sŵn ein traed i'w glywed yn uchel ar y llawr pren. Roedd fy llygaid yn brifo wrth sbio ar yr holl lyfrau ac roedd fy nwylo'n crynu wrth i mi droi'r tudalennau llychlyd a 'nghalon yn curo fel gordd am ei fod o'n lle mor arbennig ac am fod Defi mor arbennig hefyd ac ro'n i bron â marw isio ffeindio yr un llyfr arbennig, arbennig—a fedrwn i ddim dewis. Ddaru mi newid fy meddwl ddwsinau o weithiau a bu bron i mi ddechrau crio yn y diwedd. Gwelodd Defi beth oedd o'i le.

'Fasat ti'n leicio i mi ddewis drostat ti?'

Mi aeth o â mi i'r adran grefftau am ei fod o isio prynu llyfr arbennig ar wnïo i mi ond doedd ganddyn nhw ddim un a fyddai'n gwneud y tro iddo fo. Porodd trwy'r adran llyfrau darluniadol wedyn yn lle hynny a dod o hyd i hen addasiad o'r Mabinogi ar gyfer plant. Nodiodd ei ben pan welodd y lluniau du-a-gwyn a'u dangos nhw i mi. Do'n i ddim yn siŵr a o'n i'n eu hoffi nhw ar y dechrau. Roedden nhw'n rhy dywyll a manwl, yn rhyfedd a sinistr. Dyna lle'r oedd Efnisien efo'i gyllell greulon yn torri clustiau'r meirch, Rhiannon â'i dwylo'n diferu o waed y cŵn bach, a Blodeuwedd ar rith tylluan efo crafangau milain a llygaid gorffwyll.

'Maen nhw'n codi gormod o fraw arna i.'

'Sbia ar Branwen yn y gegin, yn dysgu'r drudwy i siarad,' meddai Defi gan droi'r tudalennau.

Edrychais, ond roeddwn i'n dal heb fod yn siŵr. Roedd gan Branwen ddillad del ofnadwy ond roedd hi'n rhy dew ac roedd ganddi olwg wirion ar ei hwyneb, 'run fath â llo bach.

'Tydw i ddim yn meddwl ei bod hi'n ddigon del i fod yn dywysoges,' medda finna gan bwyntio.

'Wel mi rydw i,' meddai Defi. 'Mae hi'n debyg i ti, Glesni.'

Ysgydwais fy mhen, gan deimlo'n chwithig—bron na fasai'n well gen i tasa fo heb ddweud y ffasiwn beth. Rŵan roedd arna i isio'r llyfr efo fy holl fod ac roedd Defi'n gwybod hynny. Prynodd y llyfr i mi.

8

'Wyt ti'n bwriadu gorwedd yn y gwely na am weddill dy oes?' holodd Jay, gan roi proc milain i mi.

Roedd hi'n fêl i gyd ddoe ar ôl iddi fod am dro. Daeth â hufen iâ Mr Whippy yn ôl i mi, y côn 99 mwyaf sydd i'w gael. Roedd lot ohono fo wedi toddi ar fraich Jay ond mi fwytais i'r gweddill yn eiddgar. Roedd Jay braidd yn flin pan sylweddolodd hi 'mod i wedi bwyta'r holl fwyd roddodd Meg i mi hefyd, ond roedd ei llais yn dal yn felys felys a'i goslef yn dyner wrth iddi eistedd ar waelod y gwely i siarad efo mi. Mae'n amlwg bod Owenna a Gordon wedi ei chynghori hi i ddefnyddio tactegau newydd. Fynnai hi ddim rhoi'r gorau i holi hyd yn oed ar ôl i mi ei hateb hi mewn geiriau unsill, os ateb o gwbl. Aeth hi yn ei blaen i sgwrsio'n benderfynol a daliodd i wneud hynny, yn awr ac yn y man, trwy gydol y noswaith. Doedd gen i'r un syniad be ddywedodd hi oherwydd ddaru mi ddim ymboeni gwrando. Mi driais i ddarllen y Beibl, 'run fath ag ancres dda—dydd Sul oedd hi, wedi'r cyfan—ond ar ôl un bennod roedd y geiriau'n gwrthod gwneud synnwyr, felly mi ddechreuais i wnïo. Do'n i ddim yn teimlo awydd gwneud dim ar gyfer y stondin grefftau. Twriais yn fy mag sbarion yn lle hynny a dod o hyd i hen flowsan wen ro'n i'n arfer ei gwisgo i'r ysgol erstalwm. Torrais y cefn yn un hances fawr a dechrau rhoi hem arni.

Dyma fi'n estyn amdani rŵan, wrth chwilio am rywbeth i'w wneud, ond dyma Jay yn gafael ynddi a'i thaflu hi ar lawr.

'Oes rhaid i ti? Mae'r llawr yn fudr.'

'Wel golcha fo 'ta, yn lle cwyno.'

Ble mae siwgwr a sbeis dydd Sul rŵan, ys gwn i? Bore dydd Llun ydi hi ac mae tymer Jay yn gweddu i hynny. Mae hi wedi gwisgo ac wedi cael brecwast ac yn barod i fynd i'r gwaith, felly pam nad eiff hi?

'Sbia faint o'r gloch 'di hi.'

'Sbia di.'

'Rwyt ti'n hwyr i'r gwaith.'

'Rwyt titha'n hwyr i'r ysgol.'

'Pam wyt ti'n bihafio mor blentynnaidd?'

'Pam ydw i. . .?'

Mae golwg mor hyll arni pan mae hi'n flin. Pethau bach pinc fel llygaid mochyn ydi'i llygaid hi ar y gorau ond rŵan maen nhw'n dyllau sgarlad cul ac mae hi 'di gwneud stumiau efo'i hwyneb nes ei bod hi'n edrych fath â mwnci. Am wn i ei bod hi'n meddwl ei bod hi'n edrych yn rhywiol yn ei jîns tynn, tynn ac, o, Dduw, pam na wisgith hi fra, pwy o ddifri sydd isio'i gweld hi'n crynu'n ôl a blaen y tu mewn i'w siwmper felŵr werdd? Mae hi 'di colli rhywbeth ar hyd-ddi, sawl peth, un stremp fawr ydi hi o'i chorun i'w sawdl.

'Rwyt ti'n codi cyfog arna i,' medd Jay.

Mae hi'n codi cyfog arna innau, ond dydw i ddim am iselhau

fy hun wrth ddweud wrthi. Mi wna i jest gorwedd yma a chau
fy llygaid a chogio 'mod i'n cysgu ac yn hwyr neu'n hwyrach
mi fydd hi'n diflasu ac yn mynd i'r gwaith. Yn hwyr yn
hytrach nag yn hwyrach, gobeithio. Be 'di'r sŵn yna mae hi'n
ei wneud? Mae hi'n crio! Tydi Jay byth yn crio, dim ond cogio
mae hi, chwarae un o'i thriciau gwirion. Dyma fi'n sbio arni'n
sydyn. Dagrau go iawn. Wel, wel. Pwy fasa'n meddwl? Ond
mae fy nghalon yn curo a dwi'n teimlo'n boeth.

'Am be wyt ti'n feddwl rŵan?' hola Jay trwy'i dagrau.

'Dim.'

'Paid â deud bod dim bwys gen ti dy fod ti wedi fy ngyrru i
i'r fath gyflwr?'

'Dwi'm 'di gneud dim.'

'Yn union! Gwranda, wyt ti byth yn mynd i godi? Ateb fi!'

Dyma fi'n codi fy 'sgwyddau, er ei bod hi'n anodd i wneud
yr ystum hwnnw'n effeithiol pan ydach chi'n gorwedd ar eich
hyd yn y gwely.

'Paid â gorwedd yna'n fy anwybyddu i!'

Dyma'i llaw hi'n fflachio trwy'r awyr. Daw clec sydyn ac
mae fy moch yn brifo a dyma fi'n brathu fy ngwefus mewn
syndod. Mi fedra i flasu'r gwaed. Dyma fi'n rhoi fy llaw yn
erbyn fy wyneb. Dyna lle mae hi'n anadlu'n drwm uwch fy
mhen i, yn ddagrau i gyd, a'i thrwyn yn gollwng. Mae hi'n
ffiaidd. Cymeraf fy llaw o'r fan. Dim ond ychydig bach o
waed sydd. Dyma fi'n brathu'n galetach o dan ddillad y
gwely ac yna'n rhwbio'r gwaed yn fuddugoliaethus ar gefn fy
llaw fudr.

'Sbia.'

'Ateb fi.'

'Fedra i ddim cofio be roeddat ti'n ei ofyn.'

'Pryd wyt ti'n mynd i godi?'

'Wn i'm.'

'Tydi hynny ddim yn ateb.'

'Dyna'r unig un gei di.'

Dyma hi'n codi'i llaw eto ond yna'n stopio'n sydyn. 'Gwranda, os wyt ti 'di laru ar yr ysgol yna pam uffar na ei di allan i weithio?'

'Tydw i ddim yn ddigon hen.'

'Rwyt ti bron â bod yn un ar bymtheg. A beth bynnag, mi fedret ti weithio yn y farchnad grefftau.'

'Dim ond ar y penwythnosa mae honno'n agored.'

'Mae 'na farchnadoedd eraill. Neu mi fedrat ti helpu Owenna yn Ogof Arthur. Mi fedrat ti wneud dwn i'm faint o wahanol betha.'

'Tydw i ddim isio.'

'Nid mater o isio gwneud ydi o! Pam dylwn i weithio bob blydi dydd yn y siop iechyd ddiflas yna er mwyn i ti gael gorweddian yma yn dy wely?'

'Doeddat ti ddim yn gweithio pan oeddat ti'r un oedran â mi. Ddaru ti optio allan. Felly pam na fedra i?'

Dyma Jay yn sbio arna i'n filain. 'Rwyt ti'n meddwl dy fod ti mor glyfar, yn dwyt. Dwi 'di cael llond bol arnat ti'n troi dy drwyn arna i drwy'r adeg. Rwyt ti'n meddwl dy fod ti'n gwybod y cyfan, Glesni, ond wyt ti'n gwybod dim.'

Tydw i ddim isio gwybod unrhyw beth. Dwi isio i'r holl bryderon sy'n dawnsio fel fflamau y tu mewn i 'mhen i losgi'n ulw. Dwi isio cael fy ngadael heb ddim ond düwch a diffeithwch, dim, dim, dim.

Dwi'n clywed Jay yn crio ac yna yn ei chlywed hi'n siarad ac yna mae hi'n rhoi'r gorau iddi ac yn mynd a dyma fi'n ymdrechu i geisio dal gafael yn y syniad o ddim. Mae fy mhen yn wag, wedi'i sgwrio o bob syniad, yn ddu fel y düwch y tu ôl i'm llygaid a dyma fi'n cuddio yno, gan feddwl am ddim. Na, iawn 'ta, meddylia am unrhyw beth ond amdano fo. Tic toc, meddylia am y cloc, deuda clic wrth y tic er mwyn dy stopio dy hun rhag meddwl, clic cloc efo fy nhafod yn erbyn fy nannedd, ei dafod o, yn llac yn fy ngheg, yn wlyb ac yn chwilio am. . .

Codaf ar fy eistedd, dringo allan o'r gwely er mwyn dod o hyd i'm hances boced, a dechrau gwnïo. Gorffennaf yr hem a dechrau gwneud braslun o gynllun, ac yna dwi'n tynnu'r defnydd yn dynn ar fy ffrâm frodio. Mae fy nodwydd yn gwneud synau plicio bychain ar y defnydd tynn, plic a phloc i'r un curiad â'r cloc, mae fy llaw yn symud yn rythmig i fyny ac i lawr, i fyny ac i lawr, yn gyflymach ac yn gyflymach; na, dydw i ddim yn mynd i feddwl am y peth. Meddylia am y brodwaith. Dwi'n gwnïo llun sanctaidd. Ancres ydw i sydd wedi'i chloi yn ei chell fechan a dwi'n brodio darlun o Fair Wyryf—'Wyt ti'n wyryf?'—dwi'n defnyddio pwythau cadwyn i frodio gwallt euraid Mair a chyn bo hir mi fydda i'n barod i ddefnyddio edau lliw saffir ar gyfer ei gŵn llaes, a glas tywyllach ar gyfer y plygion a'r tu mewn i'w llewys. Mae plygion yn ei llewys am ei bod hi'n magu'r Baban Iesu ac mae gen i edau pinc golau arbennig ar gyfer ei groen. Na, dydw i ddim isio gwneud babi wedi'r cyfan, mae'n gas gen i fabanod, dydi hi ddim yn dal babi o gwbl. Mi fedr hi weddïo yn lle hynny.

Sut fedra i ei gwneud hi'n amlwg mai Mair ydi hi os nad oes ganddi Faban Iesu? Dydi hi ddim yn edrych yn rhyw debyg iawn i santes, efo'i thresi hir golau mae hi'n edrych yn debycach i dywysoges hardd. Felly mi wna i hi'n dywysoges hardd; does dim rhaid i'r darlun fod yn un sanctaidd, a beth bynnag, dydw i ddim llawer o iws fel ancres.

Feiddia i ddim cofio fy mhechod a does dim gobaith i mi wneud penyd digonol amdano. Mi allai hi fod yn un o dywysogesau'r Mabinogi. Dyma fi'n estyn am lyfr Defi ac yn troi'r tudalennau er 'mod i'n nabod pob llun ar fy nghof. Dwi'n syllu ar Rhiannon a dyma fi'n meddwl wedyn y medrwn i frodio llun ceffyl, hefyd. A llun Pwyll ar gefn ei geffyl o yn ei dilyn hi. Y tywysog golygus dan hud y dywysoges hardd. Ond does yna ddim tywysogion golygus, dyna ddaru Iestyn a minna gytuno. Rwtsh 'di Rhamant. Mae Cariadon o'u Co. Rybish 'di Rhyw. Ein tair rheol euraid.

Ddaru ni drafod y peth y tro cynta i mi fynd i'w dŷ o. Ddaru o ddisgwyl i mi gau fy stondin ac yna mi es i adre efo fo. Rhuthrais i mewn i Ogof Arthur i ddweud wrth Owenna 'mod i wedi hel fy mhethau oherwydd yn swyddogol mae'r stondin yn ei henw hi. Ro'n i'n gwybod ei bod hi'n synnu fy ngweld i efo hogyn o'r diwedd, ond wnaeth hi ddim ond gwenu yn ei ffordd fursennaidd, Owennaidd ei hun. Mi fasai wedi bod yn dda gen i ar y pryd pe bai Iestyn yn fyrrach, yn fwy rhywiol, ac yn gallach—ond o leiaf roedd Llawes dan reolaeth ganddo fo ar y pryd.

'Ganddi hi y prynis i 'nghardiau post,' meddai Iestyn ar ôl i ni adael y siop.

'Dwi'n gwbod.'

'Dy fam di ydi hi?'

'Naci. 'Dan ni jest yn byw efo hi.'

'Be, 'dach chi'n rhannu fflat neu rywbeth?'

'Mae gan Mam a finna stafell yn ei thŷ hi.'

'Felly mae hi'n landledi arnoch chi?'

'Nac 'di, ddim yn union.'

Ond roedd Iestyn am wybod pob manylyn. 'Be wyt ti'n feddwl?'

'*Ffrind* ydi hi.' Ro'n i'n dechrau colli amynedd efo fo. Oedd Iestyn yn ei ffansïo hi neu rywbeth? Mae gymaint o ddynion yn meddwl fod Owenna'n grêt, efo'i gwallt sidanaidd hir a'i llygaid mawr glas a'i gwên fechan findlws. Ei Mawrhydi Grasusaf bydd Jay yn ei galw weithiau, a dwi byth yn siŵr ai bod yn faleisus y mae hi ai peidio. Mae'n rhaid ei bod hi'n ddeugain o leiaf, ond mae hi'n dal i edrych yn ifanc iawn, flynyddoedd ar flynyddoedd yn iau na Jay. Roedd un o gariadon Lois wedi mopio'n lân arni. Roedd hynny'n ddigon i godi cyfog ar Lois.

'Mae hi'n ddeniadol iawn, yn tydi?'

'Deniadol?' Swniai Iestyn yn syfrdan.

'Wrth gwrs, mae hi'n tynnu 'mlaen erbyn hyn. Mae ganddi ferch 'run oedran â fi.'

'Dwi'n meddwl ei bod hi fath â bwgan brain,' meddai Iestyn, gan siarad, fel Llawes, efo awdurdod. 'Mae'n gas gen i'r ddelwedd sipsïaidd, ffair-sborion yna, yn sgarffia a siolia a breichleda i gyd.'

'A finna hefyd,' meddwn innau'n siriol.

'Mae hi'n stŷc yn y saithdegau.'

Ydi.

'Efo'r gwallt hipïaidd yna'n cuddio ei hwyneb—er mwyn dyn! Dwi'n leicio'r ffordd y byddi di wastad yn clymu dy wallt yn ôl yn daclus.'

Daliodd Iestyn ei fraich yn chwithig fel pe bai o am gyffwrdd â 'ngwallt i, ond yn sydyn aeth ei law o i'w lawes.

'Esgusodwch sylwadau personol y bonheddwr ifanc, fonesig,' dywedodd Llawes. 'Nid yw'n fwriad ganddo eich tramgwyddo chi. Does ganddo fo ddim synnwyr cymdeithasol o gwbl.'

'Iestyn,' sefais yn stond. 'Iestyn, plîs wnei di anfon Llawes o 'ma?'

'Ydi'n well gynnoch chi ddal pen rheswm efo rhyw lefnyn nag ymgomio efo llawes soffistigedig, efo dipyn o steil yn perthyn iddo fo?' holodd Llawes, gan swnio'n boenus.

Gorfodais fy hun i beidio â chwerthin. 'Mi wnest ti addo 'i gadw o o dan reolaeth.'

'Ocê, ocê,' meddai Iestyn, gan dynnu'r siwmper o'i law a chwifio'i fysedd o dan fy nhrwyn. 'Mae o 'di mynd.'

Roedd y ffordd yn hir i dŷ Iestyn ac mi ddechreuais i feddwl ella nad oedd troi 'nhrwyn ar gwmni Llawes yn gystal syniad wedi'r cyfan. O leia roedd gan Llawes rywbeth i'w ddweud. Roedden ni'n amlwg yn stŷc hebddo fo. Cariai Iestyn fy mag mawr o nwyddau a phob hyn a hyn mi fydda fo'n taro'n chwithig yn erbyn ein coesau ni. Ddaru ni ymlwybro hyd ben gogleddol y dre, ger y parc. Mi gerddon ni trwy'r stad o dai—rhai oedd yn ffugio eu bod nhw'n rhai Sioraidd—lle brynais i 'ngwely. Edrychais am yr Angharad Fflur ddychmygol. Ro'n i'n rhyfeddu bod Iestyn yn byw mewn ardal mor grachaidd. Do'n i ddim yn gwybod ei hanner hi. Ddaru ni gerdded heibio i'r stad a cherdded i fyny'r bryn ar hyd rhodfa o dai Fictorianaidd mawr. Roedd rhai ohonyn nhw wedi eu troi'n gartrefi henoed ac yn fflatiau drud ond roedd tŷ Iestyn yn dal i fod yn gartref teuluol er ei fod o'n enfawr. Syllais ar blastr gwyn y tŷ, ei dalcenni cochion, y gwrych wedi ei docio i siâp bwa, y llwyni twt, y lawnt eang.

'Ai ti sy'n byw yma go iawn?' holais yn hurt.

'Ie,' meddai Iestyn yn ddi-hid, fel petai o'n ddim ond tŷ teras.

Stelciodd i fyny'r llwybr cerrig, anwybyddu'r drws ffrynt pwysig-yr-olwg efo'r ddolen siâp pen llew, a cherdded draw at gefn y tŷ. Dilynais i o. Dyma ni'n cerdded i mewn i ystafell wydr fawr efo planhigyn ceanothws yn tyfu hyd ei tho crwn a phalmwydden yn cysgodi'r cadeiriau esmwyth Lloyd Loom. Stopiodd Iestyn ger pentwr o welingtons, tynnu ei sgidiau llychlyd a cherdded ymlaen yn nhraed ei sanau. Do'n i ddim yn siŵr a ddylwn i dynnu fy sgidiau inna, hefyd. Ro'n i'n trio dyfalu a oedd ei fam o'n ddynes bropor ai peidio. Ond roedd yna lwch a mân flewiach ar y teils a phan aeth Iestyn trwodd i'r gegin doedd hi'n ddim ond llanast pobol grand, yn fwyd a llestri budron ar hyd y dodrefn pin i gyd, basgedaid o olch yn goferu ger y peiriant golchi, a'r Miele yn llydan agored efo'r llestri'n bentwr pendramwnwgl ynddi. Roedd yna ddyn yn pwyso yn erbyn yr oergell yn cnoi ffon hir o fara Ffrengig a dynes yn eistedd wrth y bwrdd, yn yfed paned allan o fŵg crochenwaith. Gwenodd y ddau arna i'n hawddgar mewn ffordd gymysglyd braidd.

'Fy rhieni i 'di'r rhain,' mwmialodd Iestyn. 'Glesni 'di hon. Ffrind i mi.'

Roedd rhieni Iestyn yn destun rhyfeddod i mi. Ro'n i 'di dychmygu y basan nhw'n hen ac yn od, ond prin eu bod nhw'n ganol oed ac roedden nhw'n cŵl mewn rhyw ffordd braidd yn henffasiwn. Roedd Mr Pritchard yn gwisgo siaced saffari lliw hufen efo sgarff Indiaidd rownd ei wddf: roedd ganddo fo locsyn bwch gafr a sbectols bach crynion efo rhimyn aur. Roedd Mrs Pritchard yn gwisgo sgert hir print Liberty efo top o'r un defnydd. Roedd sawl breichled drilliw'n clindarddach ar ei garddyrnau a chlipiau trilliw mawr yn dal ei gwallt hir, brith, y tu ôl i'w chlustiau. Y nhw oedd cwpl saithdegau'r ganrif.

Edrychais ar Iestyn a gweld ei fod o'n sbio arna i ac am ennyd roedd y ddau ohonon ni'n dallt ein gilydd i'r dim. Ro'n i'n nerfus iawn o'i rieni 'run fath. Ddaru nhw fy ngwahodd i i rannu eu pryd bwyd blêr nhw, felly mi eisteddais yn ufudd. Fe sbiodd Iestyn yn gas arna i.

'Wnawn ni rywbath ein hunain ar ôl i chi *fynd*,' meddai, gan roi pwyslais anfoesgar ar y gair olaf.

'Iawn 'ta, 'rhen hogyn,' meddai Mr Pritchard, gan roi'r gorau i fwyta'r dorth Ffrengig. Roedd briwsion yn frith trwy'i farf. 'Mae'n rhaid i ni'i throi hi beth bynnag, yn does, Siân?' Gwenodd arna i. 'Rydan ni'n mynd i Theatr Gwynedd a 'dan ni isio gwneud yn siŵr ein bod ni'n clywed y cyngerdd yn y cyntedd cyn y ddrama.'

Gwenais yn hollwybodus er nad oedd gen i syniad lle'r oedd Theatr Gwynedd. Aeth i nôl siaced glytwaith gynnes i Mrs Prichard. Ro'n i'n gwerthu siacedi tebyg yn y farchnad grefftau. Am funud meddyliais am ddweud wrthi ond ro'n i'n teimlo'n rhy swil.

'Hwyl fawr, 'ta, blantos. Mwynhewch,' meddai Mr Prichard, gan roi winc i ni oedd yn ddigon i wneud i Iestyn wingo. 'Fyddwn ni ddim yn ein holau tan ganol nos oherwydd rydan ni am fynd am bryd go iawn ar ôl y ddrama.

Ac mae Gwilym allan efo. . . Pwy ydi hi'r tro yma, Siân? Lleucu neu Llinos?'

'O, cariad, pam wyt ti mor anobeithiol am gofio enwau cariadon Gwil? Non ydi hi rŵan, ac wedi bod ers tair wythnos o leiaf,' meddai Mrs Pritchard, gan gau botymau ei chôt.

'Hwyl, 'ta, Glesni. Dda iawn gen i eich cwarfod chi.' Edrychodd ar Iestyn. 'Mi gofi di hebrwng Glesni'n ôl adra, yn gwnei, cariad. Neu wyt ti isio i mi adael arian tacsi i ti?'

'Mam!'

'Sori, sori!' meddai Mrs Prichard, gan guchio.

Cuchiodd Iestyn hefyd ar ôl iddyn nhw adael o'r diwedd, yn y Volvo. Roedd yr ystum yn mynegi cywilydd o'r radd flaenaf. Cydiodd mewn dryll dychmygol a phoeri bwledi tua'r carped a'i rieni.

'Dydyn nhw ddim byd tebyg i ti,' meddwn i. 'A phwy 'di Gwil?'

'Gwil! Yn union. Fy mrawd, Gwilym. A thydi o ddim byd tebyg i mi, chwaith. Sôn am lanast,' meddai, gan daro'r bwrdd yn flin efo'i ddwrn. Gafaelodd yn y bara Ffrengig. 'Ôl dannedd! Myn uffarn i.' Edrychodd yn ddiflas ar gwlffyn o Stilton. 'Mae'n rhyfeddod ei fod o heb suddo'i safnau yn y caws hefyd. Fedrwn ni ddim byta'n y fan hyn. Ty'd i fyny i fy stafell i ar unwaith.'

Edrychais arno fo'n hurt. Gwridodd. Gwthiodd Llawes ei ben i'r brwes.

'Dylai'r hogyn fynegi ei hun yn fwy eglur. Does dim rhaid i chi ofni eich bod chi ar fin dioddef rhyw brofiad rhywiol anaeddfed. Y cyfan mae'r hogyn yn ei olygu ydi bod ei stafell o yn werddon o drefn ynghanol y diffeithwch hwn. O, myn brain i, tydw i'n medru Cymraeg coeth pan dwi isio.'

'Dos i gysgu, Llawes,' meddwn innau. Edrychais ar Iestyn. 'Wnei di ddim trio dim, na wnei di?'

Yn ôl yr olwg ar wyneb Iestyn roedd hi'n amlwg 'mod i wedi ei bechu o. 'Dwi newydd ddweud. Does dim isio i ti boeni am ryw pan wyt ti efo fi. Dwi'n meddwl ei fod o'n wastraff amser.'

'Wyt ti wir?'

'Ydw. A Rhamant a'r holl stwff yna—bloda a chalonna aballu. Rwtsh 'di Rhamant.'

'Sothach 'di Serch?'

'Yn union!' Gwenodd Iestyn. 'Ein rheol euraid, ocê?'

9

'Heia. Dwi 'di dod â'r rhain i ti.' Dyma Lois yn ffrwydro i mewn i'm stafell ac yn gosod bag papur soeglyd ar fy mrest. Dyma fi'n sbio arno fo'n amheus.

'Grêps,' medd Lois, gan ddechrau'u bwyta nhw ei hun.

'Diolch. Diolch yn fawr.' Maen nhw'n tynnu dŵr o'm dannedd i. Dyma fi'n codi ar fy eistedd ac yn dechrau'u bwyta nhw. 'Maen nhw'n wych. Ond ddylet ti ddim.'

'Paid â phoeni. Eu dwyn nhw 'ddi ar stondin yn y farchnad ddaru mi,' medd Lois yn ddifater.

Dwi'm yn siŵr a ydw i'n ei chredu hi ai peidio. Ddaru hi ddwyn y bag papur hefyd?

'A beth bynnag, rwyt ti'n sâl i fod, yn dwyt ti,' medd Lois. 'Be'n union sy'n bod arnat ti, 'ta.'

Dyma fi'n codi fy sgwyddau mewn embaras.

'Roedd Jay'n crio o dy achos di y bore 'ma. Roedd o'n od, dwi 'rioed 'di'i gweld hi'n crio o'r blaen. Does 'na'm byd difrifol yn bod arnat ti, oes yna?'

'Nac oes.'

'Felly jest mynd o dy go yn dawel wyt ti?'

'Rhywbeth felly.'

'O wel. Dwi 'di hen arfer â lwnis. Sbia ar Meg Mwy na Mynydd.'

'Ddylset ti ddim galw hynny arni. Mi fyddi di'n gwneud iddi feddwl ei bod hi'n dal yn dew.'

'Mae ganddi hi lygaid, yn does? Mae hi fath â sgerbwd yn union, mae'r peth yn ffiaidd.' Dyma Lois yn gwthio llond dwrn o rawnwin i'w cheg. 'Be wyt ti 'di bod yn ei wneud drwy'r dydd 'ta?'

'Dim llawar.'

'Mae'n rhaid ei bod hi'n uffernol o ddiflas yma.'

'Ydi.'

'Ti'm yn malio?'

'Nac ydw.'

'Dduw mawr!'

Dwi'n gweld bod Lois yn dechrau meddwl 'mod inna'n ddiflas hefyd. Mae hi'n prowlan o amgylch y stafell am ychydig funudau, gan boeri hadau'r grawnwin hwnt ac yma, ac yna'n crwydro allan, gan fwmial rhywbeth am waith cartra. Dwi'n bwyta gweddill y grawnwin; dim ond llysnafedd o rawnwin sur sydd ar waelod y cwdyn. Ond dwi'n eu bwyta nhw 'run fath ac yna'n gorwedd. Dwi am fynd i gysgu cyn i Jay ddod yn ei hôl.

Dydw i ddim yn llwyddo.

'Helô.'

Mae hi'n edrych yn isel ei hysbryd. Gobeithio nad ydi hi am ddechrau llefain eto. Dyma hi'n dod draw ac yn eistedd ar erchwyn y gwely.

'Mae'n flin gen i 'mod i 'di rhoi stîd i ti'r bore 'ma. Jest colli 'nhymer wnes i. Mi wyddost ti sut mae hi.'

Na wn, wn i ddim. Mi fydda i'n cynddeiriogi, byddaf, ond fydda i ddim yn ymladd na gweiddi. Mi fydda i jest yn dweud y geiriau yn fy mhen. Weithiau mi fydda i'n synnu nad ydyn nhw'n sgathru allan 'run fath â bwledi.

'Fedra i ddim diodda pan fyddi di'n gwrthod siarad efo mi, Glesni. Dwi 'di trio bod yn agored efo ti bob amser.'

Do, yn rhy agored. Mae hi 'di llefain a sgrechian cyfrolau o bethau y byddai'n well pe bai hi wedi'u dal nhw'n ôl.

'Fedrwn i ddim siarad efo fy mam fy hun,' meddai Jay. 'Roedden ni'n byw mewn dau fyd cwbl wahanol.'

Mi faswn i wrth fy modd ar blaned Nain, yn heddwch a boneddigeiddrwydd o'r naill ben i'r llall. Dydi hi ddim 'di sgwennu'n ôl.

'A rŵan fedrwn ninna ddim siarad efo'n gilydd chwaith. Wn i ddim beth i'w wneud. Fedri di ddim dal ymlaen i fihafio fel hyn, neu mi wnei dy hun yn wirioneddol sâl.' Mae hi'n sbio arna i. 'Dwyt ti'm yn sâl, wyt ti?' Mae hi'n teimlo fy nhalcen. 'Rwyt ti'n teimlo'n boeth. Ys gwn i oes gen ti wres? Mae golwg reit od arnat ti. Ac mi rwyt ti mor welw. Sut wyt ti'n teimlo?'

'Yn od.'

'Pa fath o od?'

''Di blino. Yn sâl. Jest yn od.'

'Roedd rhywun yn y siop yn deud bod yna hen ffliw cas ar hyd y lle. Ella dy fod ti 'di cychwyn hwnnw a dyna pam rwyt ti 'di bod yn rhyfadd ac yn isel i gyd.'

Dyma fi'n meddwl am y ffliw. Do'n i'm 'di meddwl y cawn inna o hefyd. Ella bod Jay yn iawn.

Mae hi 'di cael benthyg thermomedr gan Owenna. Prin 99°C 'di fy nhymheredd i ond mae hi'n glynu wrth y gred 'mod i'n sâl. Mae hi'n coginio swper arbennig i mi am fy mod i'n sâl: dau wy *free-range* wedi'u berwi (mi fydd hi'n cracio hanner dwsin yn y gwaith bob yn hyn-a-hyn er mwyn eu cael nhw am hanner pris), bysedd tôst bara ddoe a iogwrt bricyll, dim ond deuddydd heibio i'w ddyddiad terfyn.

Mae dydd Mawrth yn well fyth. Mae 'na *pizza* cyfanfwyd enfawr o'r siop iechyd (ddaru o syrthio ar y llawr ond roedd y llawr yn lân, felly dim ond wedi'i dolcio ryw gymaint mae o) a dyma Jay yn prynu bag o orenau Jaffa fel y gall yr holl fitamin

C yna dreiddio i mewn i'm gwythiennau fath â cherrynt trydan a gwneud i mi ddisgleirio ryw ychydig.

Gwnaeth Iestyn salad od efo orenau Jaffa y diwrnod cynta hwnnw yr es i i'w dŷ o. Torrodd yr orenau'n dafellau efo almwns ac india corn, a ddaru ni ei fwyta fo efo brechdanau Stilton a thafellau o seleri. Ar ôl twrio yn y cwpwrdd am bwdin daeth ar draws paced o fisgedi sbwng a thun o laeth. Fedrwch chi ddim teimlo'n swil gyda neb os ydach chi'n trochi'ch bisgedi yn yr un tun llaeth â fo, hyd yn oed os ydach chi'n eistedd ochr yn ochr ar y gwely. Roedd stafell Iestyn yn fwy o stydi na stafell wely beth bynnag. Roedd yna lyfrau ym mhobman, yn bentwr ar ganol y llawr hyd yn oed, a dau hen gwpwrdd ffeilio a desg a phob math o siartiau a mapiau a phapurau newydd wedi'u gosod yn drefnus yn erbyn y wal. Holais ynglŷn â'i *collages* o. Roedd o'n eu cadw nhw mewn ffolder fawr ddu wedi'i chlymu efo rubanau.

'Dydyn nhw ddim yn *ddiddorol* iawn,' dywedodd yn nerfus. 'Mae o'n beth plentynnaidd ofnadwy i'w wneud, yr holl dorri a gludo 'ma.'

Mewn gwirionedd, roedd y *collages* yn bopeth ond plentynnaidd. Roedden nhw'n llawn dychymyg ac yn sicr yn wahanol efo llewpart neu ddau yn llechu y tu ôl i'r planhigion a chnocell y coed yn twrio tyllau trwy bennau rhyw bobl bropor yr olwg o oes Fictoria a breichiau briw yn gwaedu ar hambyrddau arian. Roedden nhw wedi eu gwneud mewn ffordd mor glyfar nes bod rhaid i mi fyseddu ymylon y papur i wneud yn siŵr mai wedi eu glynu wrth ei gilydd yr oedden nhw. Gwnes fy ngorau glas i ddod o hyd i rywbeth priodol i'w ddweud.

'Maen nhw'n. . . wych.'

Nadreddodd Llawes i'r golwg.

'Rŵan 'ta, 'rhen hogan, peidiwch â defnyddio geiria fath â "gwych" yn ysgafn neu mi fydd pen yr hogyn 'cw'n chwyddo fel pêl-droed. Maen nhw'n ddigon cymen, mi wranta i. Mae o'n dipyn o giamstar efo'r hen Evostick, hyd yn oed os ydi dyn y siop bapur yn meddwl ei fod o'n anadlu glud, ond beth am y delwedda? Twt twt! Mae'n ddigon i godi braw ar seiciatrydd. Tystiolaeth o bersonoliaeth wyrdroëdig dros ben. Ffiaidd. Grotésg. Taswn i yn eich sgidia chi mi faswn i'n ei heglu hi o 'ma ar fy union. Ych a fi! Sbia ar yr hen beth erchyll yna.'

Ro'n i 'di cyrraedd y darlun olaf. Doedd Llawes ddim yn gor-ddweud. Roedd Iestyn 'di torri lluniau allan o ryw lyfr o luniau Fflemaidd o'r Iesu a gwahanol seintiau'n cael eu croeshoelio a'u merthyru ac wedi eu hailadeiladu nhw'n un darlun erchyll o farwolaeth. Roedd o wedi gosod ffotograffau o fabanod yn lle holl bennau'r bobl oedd yn y lluniau'n wreiddiol. Edrychais arnyn nhw'n fanwl. Ro'n i'n meddwl mai gwahanol fabanod oeddan nhw i gyd i ddechrau, ond yna sylweddolais mai dim ond dau fabi oedd yna. Roedd un babi'n arteithio'r babi arall. Roedd gan y babi oedd yn arteithio'r llall wg bryderus ar ei wyneb ac roedd ei wallt yn cyrlio'n wyllt i bob man. Iestyn. Syllais ar y babi oedd yn dioddef y fath erchyllterau. Roedd gan hwnnw wên braf ar ei wyneb bob amser. Roedd o'n un o'r plant deniadol, heulog hynny fyddwch chi'n eu gweld mewn hysbysebion.

'Fedrwch chi ddim dyfalu?' mynnodd Llawes. 'Duw, duw, 'dach chi ddim yn glyfar iawn. 'Dach chi rioed 'di clywed sôn am Cain ac Abel? Ei frawd o ydi o. Gwil Bril. Gwilym y Seren Ffil-ym.'

Wyddwn i ddim beth i'w ddweud.

'Mae o braidd yn ffiaidd, dwi'n cyfadda,' mwmialodd Iestyn yn ei lais ei hun. 'Mae'n flin gen i rŵan 'mod i 'di'i ddangos o i ti.'

'Mi wnes i ddoli ar siâp fy mam unwaith,' meddwn i. 'Pan welais i hi un tro efo rhyw ddyn ro'n i'n ei leicio. Fedrwn i ddim diodda meddwl bod arno fo 'i hisio hi. Felly mi wnïais i ddoli glwt. Mi wnes i hi'n ofalus, ofalus, gan frodio'i hwyneb, gwneud gwallt iddi allan o hen belen o wlân, a set o ddillad. Dwi 'rioed 'di cymryd gymaint o ofal dros unrhyw ddoli arall. Roedd hi'n ddarlun bach perffaith o Mam. A'r foment ro'n i wedi'i gorffen hi mi gydiais i yn fy siswrn gwnïo mawr a'i malu hi'n ddarna mân, mân, mân.'

10

Wn i ddim beth i'w wneud liw nos. Mae cloc larwm Jay yn tician ac yn tocian yn ddidrugaredd ac mae'i ddwylo fo'n chwarae'r mig efo mi. Mi fydda i'n pwyso allan o'r gwely ac yn sbio i weld faint o'r gloch ydi hi; yna'n gorwedd eto ac yn troi i'r naill ochr ac yn troi'r ffordd arall ac yn pwnio fy ngobennydd gan fwmial gweddïau 'run fath ag ancres a llafarganu'r ychydig emynau ddysgais i yn yr ysgol. Meddwl am goronau aur a moroedd gwydr a chynllunio tapestri gogoneddus gymaint â'r wal, tapestri i orchuddio'r pedwar mur hwn. Tapestri heb ymylon fydd hwn, a bydd yn gorchuddio'r ffenestri a'r drysau, yn fy nghau i mewn yn ddiogel. Ond does dim un man diogel; rhith ydi'r cyfan, rhith yn y meddwl, ac mae rhywbeth yn rhwygo trwy'r pwythau, paid, rwyt ti'n fy mrifo i, mae o'n brifo, a dyma fi'n codi ar fy eistedd, yn chwysu ac yn sbio eto ar y cloc ac yn gweld bod munud wedi tic-tocian heibio, munud 'run hyd â noson gyfan. Mae'n rhaid i mi fyw trwy bum deg naw ohonyn nhw eto cyn y daw un awr fach i ben a tydi hi ddim yn ganol nos eto.

Mae yna gliciau yn ogystal â thiciau. Mae Jay yn llythrennol yn gorwedd wrth fy nhraed, a'i matras wrth ben fy ngwely yn erbyn y wal, ac wrth iddi anadlu mae hi'n gwneud sŵn clicio yn rhywle yng nghefn ei gwddf. Dyw'r tician ddim yn digwydd ar yr un pryd â'r clician. Tic a chlic, dwi'n eu cyfri nhw ac yn taro bargeinion; os medraf i gyfri hyd at fil cyn i Jay droi drosodd, os medra i ddal fy anadl wrth gyfri hyd at ugain, os medraf i anadlu i'r un rhythm â hi a chau fy nghlustiau am bum munud ac os bydda i wedyn yn dal i anadlu i'r un rhythm, os gwnaf i hyn, os gwnaf i'r llall, yna mi fydd y cyfan yn iawn. Dwi'n ymladd ac yn ymdrechu ond mae Jay yn cynllwynio yn fy erbyn i yn ei hisymwybod hyd yn oed. Mae hi'n troi drosodd ar unwaith, yn twrio ei phen o dan y cynfasau fel na fedra i ei chlywed hi'n anadlu, mae hi'n diddymu fy holl hud a lledrith. Mae hi'n dal i gysgu'n fodlon tra ydw inna'n gorwedd yma â'm llygaid poenus ar agor.

Noswaith ar ôl noswaith. Ddydd ar ôl dydd. Dwi'n eu cyfri nhw, hefyd. Dwi'n eu cyfri nhw nes imi golli cownt oherwydd maen nhw i gyd yr un fath. Ond mae heddiw'n wahanol. Mae Jay yn dal llythyr yn ei llaw.

'I ti mae o.'

Dwi'n codi ar fy eistedd, gan rwbio fy llygaid. Mae Jay yn llithro llythyr arall i mewn i boced ei jîns, llythyr post awyr glas.

'Gan bwy mae hwnna?'

Dau lythyr mewn diwrnod! Fyddan ni ddim yn cael llythyrau o gwbl fel arfer. Rydan ni'n symud gormod o un lle i'r llall.

Mae Jay yn codi ei hysgwyddau. 'Dim ond rhyw foi.'

Dyma hi'n dechrau eto, felly. Mae hi 'di bod mor dawel yma'n ddiweddar, heb ddynion ar hyd y lle. Dyna i chi air gwirion hyll, 'boi', ac eto mae o'n un o hoff eiriau Jay. Mae hi'n swnio mor uffernol o ddosbarth canol pan fydd hi'n ei ddweud o, hefyd, yn ei ynganu o mor gysáct. Ella'i fod o'n briodol wedi'r cyfan. Mae bron i bob un o ddynion Jay wedi bod yn boenus o anaeddfed.

'Beth am dy lythyr di?' hola, gan ei estyn o i mi.

Syllaf ar yr amlen. Mae hi'n un hir, lliw hufen, ac mae hi'n crensian am ei bod hi wedi'i leinio efo papur sidan. Mae'r ysgrifen yn gywrain o annarllenadwy. Llandudno ydi'r marc post.

'Llythyr gan Mam ydi o.'

'Ia, dwi'n meddwl.'

'Pam mae hi'n sgwennu atat ti?'

'Wn i'm.'

Dyma ni'n dwy'n aros.

'Wel, agora'r blydi llythyr i ni gael gweld!'

Dwi'n dal i ddal yr amlen. Yn dal i aros.

'Glesni. Agor o.'

'I fi mae o.'

'Ia, mi wn i. Dwi jest isio—fy mam i ydi hi wedi'r blydi cyfan.'

Mi fydd hi bob amser yn rhegi pan fydd hi wedi'i chyffroi.

'Fy nain i ydi hi,' meddaf yn dawel. Ac y fi sy'n ennill.

'O, Iesu Grist. Does dim bwys gen i am dy hen lythyr gwirion di beth bynnag,' gwaedda Jay. 'Mi fedri di roi'r gora i'w ddal o at dy galon, does dim diddordeb gen i, ocê? Dwi'n mynd i'r gwaith.'

Mae hi'n gwisgo'i siaced hynafol hyll amdani ac yn cerdded yn dalog o'r stafell yn ei hen sgidiau tlodaidd, gan gau'r drws yn glep y tu ôl iddi.

Dwi'n disgwyl am bum munud cyfan, nes i mi fod yn siŵr nad ydi hi'n dod yn ei hôl, ac yna dwi'n llithro fy mys yn ofalus o dan ymyl yr amlen ac yn ei gwthio ar agor yn dyner. Fedra i ddim meddwl am ei rhwygo, mae hi mor hardd. Mae'r papur sidan yn frown tywyll. Am steil! Dyma fi'n tynnu'r llythyr o'r amlen a'i agor o. Edrychaf ar y llofnod ar y gwaelod. Nid Nain neu Nanw. Mae hi 'di rhoi ei henw, 'Yn gywir, Mair Ellis'. O leia mae hi 'di dechrau efo 'Annwyl Glesni'. Mae'n ddigon o ryfeddod ei bod hi heb roi 'Annwyl Miss Ellis' neu 'Annwyl Fadam', hyd yn oed. Ond ella mai dyna sy'n iawn. Ella mai dyna'r ffordd iawn i'w wneud o.

Mae'n cymryd pum munud arall cyn y medra i ddehongli'r llythyr er ei fod o mor fyr nes bod yn swta.

Annwyl Glesni,
    Awgrymaf ein bod ni'n cyfarfod am 10.30 ar fore dydd Sadwrn yn O.M.

                            Yn gywir,
                            Mair Ellis

Dydd Sadwrn nesaf. Y dydd Sadwrn yma sy'n dod. Ond beth ydi O.M.? Fedra i ddim meddwl am ddim byd sy'n dechrau efo O.M. heblaw O.M. Edwards, sy'n hurt. Edrychaf eto ac eto ar y ddwy lythyren ond maen nhw 'di troi yn un bwrlwm o inc glas tywyll. Ble oedd O.M. Edwards yn byw? Ai dyna mae hi'n ei feddwl? 'Mod i i'w chyfarfod hi yng nghartra O.M. Edwards? Ble ma' hwnnw? Mae gen i ryw frith gof mai yn Llanuwchllyn oedd o'n byw. Ond pam fasa hi isio cwrdd yn fan'no? A sut ydw i'n mynd i fynd yno heb gar?

Ella y basa Iestyn yn gwybod. Mae Llawes yn gwybod am bethau felly. Mi fydd o'n gwrando llawer ar Radio Cymru, yn arbennig ar y rhaglenni cwis: yn neidio o un lle i'r llall yn ystod cystadleuaeth Pennau Bach ac yn pwnio'r awyr yn fuddugoliaethus pryd bynnag y bydd o'n rhoi'r ateb cywir. Mae'r atebion yn gywir bob tro, jest iawn, er bod Iestyn mor anobeithiol yn yr ysgol. . .

'Llawes sy'n gwybod, nid fi. Mae o'n llyncu gwybodaeth fel mae llewys eraill yn llyncu powdwr golchi. Hen lawes beniog ydi o, yn wir i ti. Mi fedrai o adrodd yr wyddor y tu chwith yn ôl pan oedd o'n ddim mwy na thamaid o edafedd.'

O Iest, dwi'n gweld dy isio di. Pam oedd rhaid i mi ddifetha'r cyfan? Na, dwi ddim am feddwl am y peth, dwi ddim am boeni, dim rŵan. O.M., meddylia am hynny, ceisia ddyfalu. Ond fedra i ddim. Ac mae hi'n ddydd Sadwrn fory. Does yna ddim rhif ffôn ar lythyr Nain. Dwi'n codi ac yn sleifio i lawr y grisiau ac yn trio chwilio am ei rhif yn llyfr ffôn Gordon, ond does yna'r un Mair Ellis yn y llyfr. Mae'n rhaid bod ganddi hi ffôn. Mi fedra i ei gofio fo. Un du, henffasiwn, yn disgleirio o lendid, fel popeth arall yn y fflat.

Dwi'n ffonio Ymholiadau ond fedran nhw ddim fy helpu i. Tydi hi ddim isio rhoi ei rhif ffôn hi i neb. Fel na all pobl ei ffonio hi. Fel na alla' i ei ffonio hi.

Na, mae arni hi *isio* fy ngweld i, yn yr O.M. anniffinadwy yma sydd bron â'm gyrru'n wyllt gacwn. Bydd rhaid i mi ofyn i Jay pan ddaw hi adref o'r gwaith. Mae'n siŵr ei bod hi'n gwybod am y lle'n iawn, a hyd yn oed os nad ydi hi, mi fydd hi'n gwybod rhif ffôn Nain. Ond dydw i ddim isio gofyn i Jay. Mi fydd hi'n gweld y llythyr wedyn. Ella y daw hi efo mi, hyd yn oed. Bydd dim cyfle gen i wedyn. Mae Nain yn casáu Jay, a dim rhyfedd. Mae'n rhaid i mi ddangos iddi nad ydw innau 'run fath.

Wyt, mi rwyt ti. Llathen o'r un brethyn. Dwi'n troi fy nwylo duon yn ddyrnau. Na, paid, meddylia, O.M. . .

Ella y gallai Owenna helpu. Dwi'n aros nes imi ei chlywed hi'n dod adre yn y pnawn, yn sgwrsio efo Naomi, ac yna dwi'n rhedeg i lawr y grisiau, gan 'mod i eisiau cael gafael ynddi cyn i Lois a Meg ddod adre o'r ysgol. Dwi'n rhedeg yn rhy gyflym, mae'r grisiau'n troi a dwi'n baglu.

'Glesni!'

Mae Owenna'n swnio'n bryderus. Mae Naomi'n rhoi'r gorau i swnian am ddiod o Ribena ac yn symud i ffwrdd.

'Wyt ti'n iawn, Glesni?' hola Owenna. 'Ty'd, eistedda.'

Mae hi'n fy arwain at gadair yn y gegin ac yn rhoi help i mi eistedd arni. Mae hi'n fy nhrin i fel petawn i'n wirioneddol sâl. Ac mi rydw i'n sâl. Mae goleuadau neon yn fflachio yng nghegin lliw-pin golau Owenna, mae'r teils cochion ar y llawr yn dawnsio ac mae dwy Naomi fach yn nodio'u pennau arna i, a dwy Owenna'n mwmial wrth fy ochr.

Mae hi'n gwneud coffi i mi ac mae Naomi'n ysgwyd y tun

bisgedi ata i. Mae fy nannedd yn rhincial yn erbyn y mŵg ac mae'n anodd atal y baned rhag diferu dros yr ymyl, ond erbyn i mi yfed fy nghoffi a bwyta dwy fisgïen siocled, dwi'n teimlo'n well. Mae Owenna'n rhoi Naomi i eistedd wrth y sinc efo llond powlen o ddŵr a'i set o lestri te plastig ac yna'n troi ata i.

'Fedri di ddim dal ati fel hyn, Glesni. Rwyt ti'n codi braw mawr arnan ni. Mae Jay druan bron â mynd o'i cho. Dwi'n meddwl y dyliet ti weld doctor, wir i ti rŵan.'

'Dwi'n iawn.'

'Dwyt ti ddim yn iawn. Mae isio help arnat ti.'

Dwi'n syllu arni hi ac mae arna i isio chwerthin. Mae hi wir yn meddwl 'mod i o 'ngho. Ac eto, mi ydw i'n teimlo'n wallgo braidd, yn eistedd yno'n crynu yn fy nghoban ryfedd yr olwg. Dwi'n cydio ynddi efo fy nwylo duon crynedig. Sut fedra i gyfarfod â Nain fel hyn?

'Wyddoch chi be 'di ystyr O.M.?'

Mae Owenna'n syllu arna i. 'Wel y fo ddaru sefydlu *Cymru'r Plant*, siŵr iawn.'

Dyma fi'n dechrau pwffian chwerthin nes 'mod i'n methu stopio. Mae Owenna'n codi Naomi o'i sedd wrth y sinc ac yn dweud wrthi am fynd i chwarae yn ei stafell wely am bum munud. Mae Naomi'n protestio ac yn tywallt llond tebot o ddŵr dros ei ffrog. Mae'n rhaid i Owenna ei llwgrwobrwyo hi i fynd i'w stafell trwy gynnig bisgïen arall iddi. Ydi hi'n meddwl 'mod i gymaint o 'ngho y baswn i'n gafael yn y gyllell fara ac yn lladd Naomi? Dwi'n chwerthin ac yn dal i chwerthin, a'r ymdrech o chwerthin yn tynnu fy nghorff o'r naill ochr i'r llall, yn ei wlychu â chwys, a'r chwys yn tasgu allan dros fy nghorff mawr talpiog, a finna'n tyfu'n fwy ac yn fwy talpiog bob dydd, ym mhob ffordd. Dwi'n chwerthin ei hochr hi. Yna'n sydyn dwi'n crio ac mae Owenna'n rhoi ei breichiau o'm hamgylch a dwi'n cydio ynddi, gan chwilio am gysur.

'Be sy, cariad?' hola Owenna'n dawel. Mae hi'n mwytho fy ngwallt blêr fel pe bai ganddi ddiddordeb go iawn ynof i. 'Be gychwynnodd hyn i gyd? Fedri di ddeud wrtha i, del?'

'Dwi'n meddwl 'mod i'n . . .'

'Mmm?'

Dwi isio dweud wrthi, mae'r geiriau'n llamu ar fy nhafod, ond yna mi fydd hi'n dweud wrth Jay a bydd y cyfan yn cychwyn. Fedra i ddim, dwi'n rhy llwfr o'r hanner.

'Fedra i ddim,' llefaf. 'Dwi isio gneud, ond fedra i ddim.'

'Paid â phoeni,' medd Owenna'n dyner ac mae hi'n swnio fel pe bai o ddifri yn deall. 'Paid â phoeni, Glesni. Mi wn i. Mae prifio'n beth mor anodd ac unig a phryderus. Ond mi ddaw'r cyfan yn iawn i ti yn y pen draw. Rwyt ti'n hogan hyfryd, wyddost ti? Rwyt ti fymryn yn debyg i fy Meg fach i, dwi'n credu. Mae hi mor anodd iddi fod yn chwaer i rywun fel Lois, sydd bob amser mor hyderus ac allblyg. Ac mewn ffordd, mae Lois bron fel chwaer i ti hefyd, yn tydi? Ac mae'n rhaid ei fod o'n codi cenfigen arnat ti i'w gweld hi'n mynd ac yn dod fan hyn a fan draw, yn gwneud gymaint o ffrindiau newydd ac yn cael gymaint o hwyl a thitha'n teimlo'n rhy swil i fod yn rhan o hynny.'

Dyma fi'n ceisio llacio ei gafael arna i. Fedra i ddim credu'r hyn mae hi'n ei ddweud.

'Ond mi fedrat titha gael hwyl hefyd, Glesni. Rwyt ti mor ddel yn dy ffordd arbennig dy hun. Os fedri di ddysgu dy hoffi dy hun yna mi fydd pawb arall yn dy hoffi di hefyd.'

Dwi'n troi'n stiff i gyd ac yn eistedd yno'n dioddef tra bod Owenna'n siglo'n ôl ac ymlaen gan gredu ei bod hi'n fy nghysuro i.

'Dyna ni,' medd hi o'r diwedd, gan sychu fy llygaid efo'r lliain sychu llestri. 'Wyt ti'n teimlo'n well rŵan?'

Wrth gwrs nad ydw i'n teimlo'n well, ond dwi'n nodio 'mhen 'run fath. Mae Owenna'n edrych fel pe bawn i wedi rhoi rhyw anrheg wych iddi. O, mae hi wrth ei bodd yn chwarae Mam i bawb. Ond na, mae'n debycach i ryw iâr fawr sy'n clwcian dros ei chywion, hyd yn oed y cyw hwyaden hyll.

'Pam na gymeri di fàth hir persawrus?' awgryma.

O na, oes 'na oglau drwg arna i? Mae Owenna'n rhedeg y bàth imi fel pe bawn i 'run oed â Naomi. Mae hi'n llenwi'r bàth efo bybls Naomi hefyd ond tydi hi ddim cweit yn trio tynnu fy nghoban dros fy mhen a 'nghodi i mewn i'r bàth. Fasa'n well gen i mewn ffordd pe bai hi'n trio gwneud hynny. Mae hi'n ymdrech mor seithug fel arall. Mae'r ager yn yr awyr yn rhoi cur pen i mi. Mi fedra i deimlo fy mhyls yn curo yn fy amrannau a dyma fi'n eu cau nhw wrth imi ddringo i mewn i'r bàth er mwyn peidio â gweld fi fy hun yn y drych. Dyma fi'n suddo o dan y dŵr persawrus ac mae o'n wych. Ro'n i 'di anghofio pa mor wych y medrai o fod, rhaid 'mod i o 'ngho i ddewis plymio fy nghorff i mewn i ddŵr rhynllyd, oer—a beth bynnag, mae bathiau poeth i fod yn help, yn tydyn? Rhai berwedig. Dyma fi'n rhedeg y tap dŵr poeth nes i'r dŵr gyrraedd yr ymyl a gorwedd yno. Mae fy nghorff cyfan yn curo i rythm cyson, mi fedra i deimlo'r gwaed trwy 'nghorff i gyd. Mi fedra i deimlo, 'Rwyt ti'n teimlo mor feddal,' na, NA. Dwi'n neidio o'r bàth, a'r dŵr yn tasgu i bob man, ac yn sgwrio fy hun efo'r tywel, a hunangasineb yn fy ngyrru.

Dwi'n dal yn binc fel cimwch wrth ddringo'n ôl i'r gwely yn fy mhais lân. Dim mwy o gobanau duon ac ymddwyn fel ancres. Mae fy nwylo yn llwyd 'run fath â chroen eliffant rŵan ac mae'r dŵr poeth wedi eu troi nhw'n grychau i gyd, 'run fath â chroen eliffant, hefyd. Dyma fi'n gadael ôl fy mysedd yn ysgafn ar lythyr Nain wrth imi syllu ar O. . . M. . .

Olion Murddun? O Mam? Mae hyn yn hurt!

Dyma'r drws yn agor, gan daro'n glep yn erbyn y wal, a gwneud i mi neidio. Lois, pwy arall, wedi dod yn ei hôl o'r ysgol, ei thei ysgol fel sgarff o amgylch ei gwddf, a bathodyn Prif Ddisgybl wedi ei binio, fel jôc, ar ei siwmper.

'Heia! Be sy arna ti rŵan, y frech goch?'

''Di cael bàth poeth ydw i.'

'Hen bryd i ti hefyd. Mae Mam newydd gael gair efo fi, newydd ofyn i mi fod yn llawn tact a gofyn i ti ddod allan efo fi a'r genod heno. Felly dyma fi'n gofyn.'

'Dim diolch.'

'Na, do'n i'm yn meddwl y basat ti isio dŵad, rywsut. Wn i'm pam oedd Mam yn sôn. Dwyt ti ddim isio bod yn un o'r criw, yn nac wyt? Hynny ydi, rwyt ti'n gwbl hapus yn cogio mynd o dy go, yn dwyt? Hei, gan bwy gest ti lythyr? Dy gariad rhyfadd di?' Dyma hi'n gafael ynddo fo cyn i mi fedru ei stopio hi. 'Mair Ellis? O, dy nain di, mi sgwennaist ti ati, yn do? Wel? Wyt ti'n mynd i'w chyfarfod hi yn Oriel Morfa fory?'

11

Tri munud cyn hanner awr wedi deg. Dwi'n sefyll yma y tu allan i Oriel Morfa, yn syllu ar y briciau coch tywyll fel pe bai rhyw ystyr i'w patrwm. Mae'r gwynt yn oer a dwi'n rhynnu. Dwi'n gobeithio bod yna le chwech yno. Mae arna i gymaint o angen mynd fel bod rhaid i mi neidio o un droed i'r llall, a dwi'n teimlo mor sâl. Fedrwn i ddim bwyta brecwast ac yna ro'n i'n teimlo mor wan nes i mi brynu Flake Cadbury's a phaced o Hula Hoops a'u bwyta nhw ar y trên. A rŵan mae 'na ddarnau bychain o fflêc yn neidio trwy bob hula hoop, gan neidio'n uwch ac yn uwch nes y medra i flasu eu surni yng nghefn fy llwnc.

Mi fydd Nain yn cael croeso dramatig gen i: naill ai y bydda i'n gwlychu fy hun, neu'n chwydu. O Dduw, mae hi'n wyth munud ar hugain wedi deg, mi fydd hi yma unrhyw funud, a be ddigwyddith os na fydda i'n ei nabod hi? Ro'n i'n meddwl ei bod hi yno'n saff yn fy mhen, 'run fath â ffotograff, ond rŵan pan fydda i'n trio cofio'n union sut un ydi hi mae hi'n colli'i lliw — prin ei bod hi yno o gwbl. Smart, main — gwallt lliw arian — ond dacw ddwy ddynes mewn siwtiau nefi ac mae'r ddwy'n fain ac yn smart efo gwallt brith. Ai y hi 'di un ohonyn nhw? Mae'r ddwy'n cerdded heibio imi heb sbio arna i, gan siarad mewn lleisiau uchel, ffroenuchel, ac maen nhw'n gwneud i mi deimlo mor dlodaidd ac mor ofnus.

Naw munud ar hugain. Mi fydda i'n gwlychu fy hun go iawn. Mae 'na ddyn swyddogol yr olwg yn sefyll jest yr ochr draw i'r drws. Well i mi ofyn a ga i ddefnyddio'r lle chwech? Mae o'n nodio ei ben arna i bob yn hyn a hyn; mae o'n edrych yn reit gyfeillgar, ond fedra i ddim gofyn iddo fo, mi fydd o'n meddwl 'mod i'n gymaint o fabi, a be os daw Nain tra dwi yno ac yna mynd cyn y medra i ddod yn fy ôl?

Roedd hi'n ffodus bod Lois yn gwybod y cyfan am Oriel Morfa.

'Math o amgueddfa yn Llandudno ydi hi. Mi es i yno'r ha' dwytha efo Gruffydd ac Armon. Roedden nhw wrth eu bodda yno, yn wahanol iawn i mi.'

'Be sy 'na? Ydi hi'n costio llawer i fynd i mewn?'

'Wn i'm. Roedd yna lwythi o luniau o ryw fynyddoedd tywyll, mawr,' meddai Lois. 'Ond dwi'm yn meddwl bod isio talu, chwaith.'

'Felly doedd hi ddim yn grand ofnadwy?'

'Nac oedd, jest diflas. Mi fyddi di wrth dy fodd efo'r lle.'

Dwi'n siŵr na fydda i ddim. Mae'r lle i gyd yn edrych yn hynod o smart ac mae hi wedi hanner awr wedi deg ac mae 'ngheseiliau i'n chwysu er 'mod i'n dal i grynu. Dyma fi'n gweld fy adlewyrchiad yn y ffenest wrth y drws a dwi'n edrych yn waeth nag yr o'n i 'di 'i ddychmygu, hyd yn oed. Mae 'ngwallt i'n dianc o'r clipiau'n barod ac mae cudynnau mawr ohono fo'n crwydro i lawr fy ngwddf. Mae fy siaced yn edrych yn rhad ac yn flêr ac mae fy sgert yn smonach hefyd. Mi'i rhwbiais hi ac mi'i rhwbiais hi ond ro'n i'n methu â chael gwared ar y stremp arni ac mi fydd hi'n siŵr o'i weld o'n syth bìn.

Mae hi'n wyth munud ar hugain i un ar ddeg rŵan a dwi yn y fath gyflwr nes 'mod i'n cerdded yn ôl ac ymlaen, gan gamu mor stiff â sowldiwr, chwith, dde, ond wn i ddim beth i'w wneud efo fy mreichiau. Mae'n beth hurt, ond dwi fel pe bawn i 'di colli'r arfer o gerdded ac mae fy sgidiau'n brifo; mae fy nhraed yn teimlo mor dyner ar ôl bod yn y gwely ers gymaint o amser. Be ddyweda i wrthi? Helô? Bore da? Be fydd pobl yn arfer ei ddweud wrth eu neiniau? Mae mam Owenna 'di marw, dwi'n credu, ond mi fydd mam Gordon yn dod i weld y teulu ar ddydd Sul weithiau a dwi ddim yn credu bod Lois a Meg yn trafferthu ei chydnabod hi hyd yn oed. Mae Naomi'n rhuthro ati ac yn gweiddi 'Nan-nan-nan' ond fedra i ddim gwneud hynny. Mae hi'n saith munud ar hugain i un ar ddeg rŵan a dyma fi'n bachu ei llythyr o 'mhoced ac yn sbio ar O.M. am y pum canfed tro. Dwi'n siŵr mai O.M. mae o'n ddweud, ac yn Llandudno mae o, mae hi'n byw yn agos, mae'n rhaid 'mod i yn y lle iawn, oni bai bod yna fynedfa arall—o, Dduw, oedd hi'n bwriadu i mi gyfarfod â hi y tu mewn?

Dyma fi'n cerdded at y fynedfa, gan wenu fel ffŵl ar y ceidwad, a sbio i mewn. Hyd y gwela i does yna neb yn aros, neb yn y cyntedd, neb wrth y grisiau enfawr. Mae'n lle mor grand!

'Fedra i eich helpu chi?'

Y ceidwad sy'n siarad. Bod yn neis mae o, mi wn i hynny, ond mi fedra i deimlo fy hun yn gwrido'n wirion.

'Dim diolch. Wel na, dwi'n chwilio am rywun, am fy nain, ac ro'n i jest yn meddwl — ond tydi hi ddim yma eto.'

'Mi fedrwch chi ddod i mewn i edrych os leiciwch chi.'

'O na, dim diolch — well i mi ddisgwyl y tu allan.'

Felly dyma fi'n camu'n ôl ac ymlaen y tu allan, efo 'mhledren yn gwegian; mi ddylwn i fod wedi gofyn iddo fo, mae hi wedi pum munud ar hugain i rŵan, dydi hi ddim yn dŵad. Dydi hi ddim yn dŵad. Dyma fi'n gwneud dyrnau o'm dwylo llwydion. (Llwydion rŵan—mi drochais i nhw mewn powlen ar ôl powlen yn llawn dŵr berwedig a sgwrio mor galed nes bron i mi flingo'r croen.) Mae hi 'di newid ei meddwl. Ella nad oedd ganddi hi'r un bwriad i ddod o gwbl. Mae hi 'di chwarae tric arna i. Na, mae hynna'n hurt, pam fasa hi'n gwneud hynny? Oes yna rywbeth wedi digwydd iddi? Ella'i bod hi'n brysio yma i 'nghyfarfod i, wedi camu oddi ar y palmant ac wedi syrthio o dan gar. Fydda i byth yn gwybod. Wel byddaf, wrth gwrs, mae ei chyfeiriad hi gen i. Mi fedrwn i fynd yno. Mi ro i ddeng munud arall iddi—mae hi'n ugain munud i rŵan—ella y basa'n well i mi aros am ugain munud arall—ac yna am un ar ddeg mi ffeindia i fy ffordd i'w fflat hi: mi fedrwn i holi rhywun sut mae mynd yno, dydw i dim yn gwbl ddiymadferth.

Ond dyna sut dwi'n teimlo. Wn i ddim beth i'w wneud. Dwi'n meddwl ella 'mod i ar fin dechrau crio. Ond fedra i ddim crio yn y fan hyn. Mae o'n lle rhy grand o'r hanner ac mae'r ceidwad yn dal i 'ngwylio i, ac mae rhywun yn dod. Hen ddynes od yr olwg. Mae hi'n gwisgo siwt ddu henffasiwn sydd wedi bod yng ngwaelod rhyw gês ers blynyddoedd, mae'n amlwg; mi fedra i weld y plygion ynddi o hyd. Mae hi'n llawer rhy fawr iddi rŵan. Mae'r hem yn disgyn o amgylch ei choesau, sy'n druenus o debyg i briciau coed. Tydi hi ddim yn gwisgo sanau ac felly maen nhw'n boenus o wyn. Mae ei sgidiau patent duon di-raen yn llithro oddi ar ei thraed efo pob cam. Mae hi 'di aros yn ei hunfan. Mae hi'n sefyll ac yn sbio arna i a finnau'n sbio arni hi. O na.

'Bora da. Y chi—y chi ydi Glesni?'

'Bora da—y chi ydi—y chi ydi—Nain?' Baglaf dros fy ngeiriau, gan geisio bod mor fonheddig â hithau.

Dyma hi'n gwrido o dan ei phowdwr trwchus ac mae ei cheg yn crychu. Mae ei minlliw'n llenwi'r rhychau i gyd.

'Ydach chi'n gwneud hwyl am fy mhen i, hogan?' hola'n siarp.

'Nac ydw! Wir!' Dwi 'di cael cymaint o fraw nes iddi sylweddoli mai wedi camgymryd y mae hi.

'Ddaru chi gopïo be ddeudais i,' eglura, gan dynnu hances les wedi'i rhwygo o'i phoced. Mae'r gwynt yn hel dagrau i'w llygaid ac mae hi'n eu sychu nhw'n ddiamynedd. Mae peth o'r colur sydd ar ei hamrannau'n stremp ar hyd un foch ond fedra i ddim dweud hynny wrthi.

''Dach chi'n fwy o lawer nag o'n i'n ei ddisgwyl,' cwyna. Dyma hi'n sniffio ac yna'n sychu. 'Yr hen wynt dychrynllyd 'ma! Well i ni fynd i mewn. 'Dach chi'n leicio orielau?'

'Ydw,' atebaf, gan geisio swnio'n frwdfrydig.

'Mae Oriel Morfa yn un o'm hoff fannau.'

Dyma hi'n siglo trwy'r drysau yn ei sgidiau rhy fawr. Sylweddolaf yn rhy hwyr y dylswn i fod wedi agor y drysau iddi. Mae hi'n sgwrsio efo'r ceidwad rŵan. Mae o isio sbio yn ei bag hi, er mwyn gwneud yn siŵr am wn i nad ydi hi'n cuddio bom. Nid bag go iawn ydi o. Bag 'molchi o Boots ydi o. Dyma hi'n datod y bachyn a dwi innau'n siŵr ei bod hi ar fin dangos brws dannedd a sbwng iddo fo ac yna mi fyddwn ni i gyd yn gwybod bod fy nain o'i cho, ond dyma hi'n dangos pwrs cwbl gyffredin, hances les arall, minlliw, a'm llythyr innau, wedi ei blygu'n dwt.

'Gobeithio nad oeddach chi'n malio 'mod i wedi sgwennu atach chi,' meddaf wrth i ni gychwyn cerdded i fyny'r grisiau crand.

Dydi hi ddim yn ateb ond am wn i ei bod hi'n canolbwyntio ar ddringo. Mae ei cheg bron â diflannu ac mae ei llygaid yn fawr dan yr ymdrech. Tybed a ddylwn i afael yn ei braich hi? Dwi'm yn meiddio gwneud. Dwi'n hofran yno wrth ei hochr nes inni gyrraedd top y grisiau o'r diwedd. Mae hi'n anelu am sedd a bron â disgyn wrth eistedd, ond mae hi'n llwyddo i sadio eto, a'i migyrnau'n wyn wrth afael yn ei phenliniau. Mae ei dwylo wedi eu troi tuag allan, fel pe bai hi wedi bod yn gorwedd yn chwithig arnyn nhw yn ystod y nos. Maen nhw'n frith o frychni henaint. Mae ei thair modrwy'n llac ar ei bysedd, a'r deiamwntiau'n gwyro am i lawr.

Sut ddaru hi heneiddio gymaint? Mae 'na oglau drwg arni hi braidd, hefyd. Mae hi'n ymladd i gael ei hanadl. Mae hi'n rhoi ei llaw ar ei bron ac yn cau ei llygaid. Dydi hi ddim am gael trawiad, nac ydi? O Dduw, be wna i? Rwy'n clirio fy llwnc ac ymhen chwinciad mae ei llygaid ar agor. Dyma hi'n gwgu.

'Peidiwch â sbio arna i. Sbiwch ar y lluniau,' yw ei gorchymyn.

Do'n i ddim hyd yn oed 'di sylwi arnyn nhw. Dwi'n syllu ar y lliwiau sydd ynddyn nhw, sy'n frown fel mawn, yn ddu fel plu brain. Dwi 'rioed 'di gweld y lluniau yma o'r blaen ac eto 'dwi'n teimlo fel pe bawn i'n eu nabod nhw. Mynyddoedd a chlogwyni aruthr yn sgrafiadau trwchus o baent olew ar y cynfas. Eryri yn ei gogoniant.

'Dwi'n meddwl bod y lluniau yma'n bwerus dros ben.'

Dwi'n codi syndod arni. ''Dach chi'n hoffi gwaith Kyffin Williams?'

Nodiaf fy mhen, er nad oeddwn i 'rioed 'di clywed sôn amdano o'r blaen.

'Dewch i weld be 'dach chi'n ei feddwl o Wil Roberts,' medd hi wedyn, ac wrth iddi dynnu ei hun o'i sedd mae hi'n estyn ei llaw ac yn dal gafael yn fy mraich. Ella ei bod hi'n fy hoffi i fymryn wedi'r cyfan.

Ella'i bod hi 'di meddwl y baswn i'n debyg i Jay. Unwaith, ddaru honno eistedd ar lawr a'i choesau ynghroes am awr gyfan mewn ystafell yn llawn o luniau enfawr coch a du. Paent du a phaent coch yn donnau mawr. Dim byd arall. Gofynnais iddi beth roedden nhw i fod i'w gynrychioli a ddaru hi droi'n flin a gofyn pam bod yn rhaid i mi fod mor llythrennol trwy'r adeg, nid rhyw hen luniau cynrychioliadol diflas oedd y rhain, mater o deimlad oedd y peth. Anadlodd yn ddwfn ac amneidio tuag at y darluniau dirgel a dweud, 'Paid â cheisio dadansoddi, Glesni, *teimla*.' Roedd gen i gymaint o gywilydd oherwydd roedd yna bobl yn dechrau sbio arnon ni. Ddaru mi ddim holi mwy arni, ond cogio bod angen mynd i'r lle chwech arna i.

Nid cogio ydw i rŵan, mae arna i gymaint o eisiau mynd fel bod rhaid i mi ganolbwyntio ar bob cam, oherwydd os rhodda i'r gorau i'w ddal o i mewn am eiliad hyd yn oed yna mi wn i y bydd y cyfan yn llifeirio allan dros y llawr sgleiniog yma i gyd. Bydd yn rhaid i mi ddweud wrthi, ac eto mae'n swnio mor blentynnaidd ac mae arna i ofn y bydd hi'n flin efo fi.

Rydan ni'n dal i syllu ar y lluniau o Eryri, ac mae arna i isio gwneud argraff arni a dweud y pethau iawn i gyd ond dwi'n gneud dim ond oernadu'n gyson 'O! Mae hwnna'n hardd!' Dwi'n meddwl y dylai fod yn well gen i waith Kyffin Williams na gwaith Wil Rowlands a dwi'n esgus ei bod hi, ond mae golwg mor dywyll ar y mynyddoedd 'na. Ac mae Nain yn cymysgu rhyngddyn nhw o hyd. Fedr hi ddim darllen y labeli o dan y lluniau ac mae hi'n meddwl bod lluniau gan bobl o'r enw Beynon a Llewelyn gan Kyffin Williams hefyd. Mae ganddi hi lais hynod o dreiddgar a dwi'n neidio o un droed i'r llall gan obeithio na fydd neb yn sylweddoli ei bod hi'n anghywir. Mae hi'n dangos minaturau i mi mewn cabined bychan—'Sbiwch, Glesni, yn tydyn nhw'n ddel?'—ond pan wasgaf fy nhrwyn yn erbyn y gwydr mi welaf i hefyd eu bod nhw braidd yn ddi-chwaeth. Mae un ddynes fechan ddel, bryd golau yn pi-pi i mewn i bot. O, mi roddwn i'r byd am bot fy hun. Mae pethau'n gwaethygu ac mae fy stumog gyfan yn drom ac yn boeth gan boen. Ddaru Jay a finna fyw mewn sgwat unwaith lle roedd y lle chwech wedi blocio ac roedd o mor fochaidd beth bynnag fel na fedren ni feddwl am ei ddefnyddio fo a bu'n rhaid i ni ddefnyddio bwced. Roedd yn rhaid i ni fynd o flaen ein gilydd ac ro'n i'n casáu hynny gymaint fedrwn i ddim mynd oni bai bod Jay yn cau ei llygaid ac yn rhoi ei dwylo dros ei chlustiau. Dyma fi'n cau fy llygaid fy hun rŵan ac yn ysgwyd fy mhen er mwyn peidio â meddwl am y peth.

'Be 'dach chi'n neud?' hola Nain.

'Dim.'

'Dwi'n cymryd eich bod chi wedi'ch diflasu.'

'Nac ydw! Nac ydw, wir. Dwi wrth fy modd yma. Dwi'n meddwl ei fod o'n . . . hyfryd.'

O, Dduw, pam na fedra i feddwl am ddim byd arall i'w ddweud? Fedra i ddim meddwl, mae'r boen yn fy stumog mor ddrwg. Mae'n cydio yndda i efo pob cam dwi'n ei gymryd. Y boen. Y boen honno? O, plîs, plîs dywedwch mai dyna ydi hi, dyna ydi hi, dyna ydi hi. Ydw i'n mwmial? Mae Nain yn dal i sbio arna i.

'Mi ddangosa i'r tsieina i chi,' datgana'n grand, fel pe bai'r amgueddfa'n perthyn iddi hi.

Dyma ni'n cerdded yn araf o amgylch cwpwrdd mawr gwydr yn llawn tsieina, rhai gwyrdd a glas tywyll a glas golau a phinc golau. Biti na fasa Defi yma efo mi, mi fedren ni adrodd y fath storïau gwych am wleddau'r tylwyth teg. Mae 'na gabined arall yn cynnwys set o blatiau arian solet, a chyllyll a ffyrc i fynd efo nhw; mae o fel rhywbeth allan o stori 'Del sy'n Cysgu'. Ddylwn i ddweud wrth Nain? Dwi'n ymarfer y geiriau yn fy mhen ond maen nhw'n swnio'n wirion rŵan, a tydw i ddim mor siŵr ei bod hi'n fy hoffi i. Dwi'n gweld fy adlewyrchiad yn y cesys gwydr ac yn wynebau'r clociau drwy'r adeg a dwi'n edrych yn fwy ac yn flerach bob munud, ac mae'r munudau'n tician heibio, mae 'na gloc ym mhob stafell, cloc ym mhob congl, ac maen nhw i gyd yn tician tician a dyma lle rydw i efo fy nain ond fedra i ddim achub ar y cyfle, fedra i ddim dweud dim, dwi wedi fy nal y tu mewn i'm hunan, dwi'n credu y bydda i wedi fy nal am byth, yn wibedyn yn fy ngwe fy hun.

'Mae hi'n bryd i ni gael coffi rŵan,' medd Nain, wrth i'r clociau ddechrau canu, un ar ôl y llall. 'Dowch, Glesni.'

Dwi'n ei dilyn hi i lawr y grisiau. Mae hi'n camu i lawr efo un goes ac yna efo'r llall ac yn gorffwys cyn dechrau ar y ris nesaf, fel y bydd Naomi'n ei wneud. Mae ei hwyneb yn dynn gan ymdrech, felly mi fedra i syllu arni. Dydyn ni'n ddim byd tebyg i'n gilydd. Ella'i bod hi ryw fymryn yn debyg i Jay. Ei chernau a'i gên ymwthgar. Fydd Jay rywbeth tebyg iddi pan fydd hitha'n hen? 'Dydan ni ddim wedi sôn dim amdani hi eto.

Mae Nain yn aros i gael hoe wrth droed y grisiau, a'i llygaid ynghau, er mwyn dod ati hi'i hun. Mae hi'n twtio'r sgarff sidan wen wrth ei gwddf. Dydi hi ddim yn wen bellach mewn gwirionedd ac mae hi 'di'i llosgi hi efo'r haearn smwddio. Mae hi'n tynnu ei broits a'i gwisgo hi eto. Tusw o flodau tsieina ydi hi. Dwi'n cofio'i gweld hi yn y blwch tlysau erstalwm, ond mae'n rhaid bod rhywun wedi ei gollwng hi, oherwydd mae 'na dolciau ym mhetalau'r rhosod i gyd. Fedra i ddim dygymod â hyn. Does arna i ddim isio'r hen ddynes fusgrell, ffwndrus yma, dwi isio Nain fel yr oedd hi erstalwm.

'Mi a' i â chi i *Maison Saigne*,' cyhoedda'n dywyll.

Mae'n amlwg ei bod hi'n disgwyl i mi fod yn ddiolchgar, felly mwmialaf fy niolch. Er mai yn ffrwd E ydw i, mi wn i bod *maison* yn golygu tŷ felly mae'n debyg ein bod ni'n mynd i rywle crand, yn llawn o luniau Ffrengig y tro hwn. Oherwydd 'mod i 'di dweud 'mod i'n leicio'r minaturau ella. Wel, mi rydw i, ond dwi 'di gweld tomenni o luniau ers i ni gyrraedd ac mae fy mol yn brifo ac mae arna i ofn fy mod i'n mynd i wlychu fy hun o ddifri y funud y cerddwn ni allan i'r gwynt oer. Gofynna iddi, dyweda wrthi, dos i chwilio am y lle chwech, y ffŵl. Pam wyt ti mor gwbl anobeithiol trwy'r adeg?

'Dwi'n meddwl yr a' i i'r *Ladies* yn gyntaf,' medd Nain. ''Dach chi am ddisgwyl amdana i yn y fan hyn?'

'O, na, mi ddo i efo chi.'

Rydan ni'n cerdded trwy gynteddau'n llawn arfau gloyw, trwy ddrws ac i lawr y grisiau. Mae Nain yn cymryd gymaint o amser, herc, gris, y goes arall, herc, gris, saib bychan ac yna mae hi'n cychwyn ar y ris nesaf. O Dduw, mi fyddwn ni yma am oriau, a rŵan 'mod i'n nesáu at y lle chwech mae fy mhledren ar fin byrstio ac mae'n rhaid i mi ddal i wasgu ar i fyny a fedra i ddim sefyll yn llonydd.

Dwi'n ei gadael hi hanner ffordd i lawr y grisiau. Does dim iws, does gen i ddim mo'r help, a dwi yn y lle chwech, yn ymbalfalu efo 'nillad, yn eistedd—ac o'r gollyngdod! Yna dwi'n mentro sbio, gan obeithio, er gwaethaf popeth. Mae'r boen yn dal yna, felly ydi o 'di digwydd?

Naddo. Dim. Yn sydyn mae arna i gymaint o fraw nes 'mod i'n crynu wrth eistedd yno, gan geisio dyfalu be dwi'n mynd i'w wneud. Fedra i ddim twyllo fy hun bellach. Mae'n rhaid i mi feddwl am y peth. Dwi bum diwrnod yn hwyr a dwi 'di bod fel cloc byth ers i mi ddechrau. A dwi isio mynd i'r lle chwech trwy'r amser a dwi'n teimlo'n sâl ac mae'r bendro arna i. Mae pob un o'r symptomau arna i. Wnes i sbio amdanyn nhw yn *The Ladies' New Medical Guide*. Dwi'n disgwyl babi.

Dwi'n sibrwd y geiriau. Maen nhw'n swnio mor hurt. A dwi mor ddiurddas yn eistedd yma efo fy nicars o amgylch fy mhenliniau. Dwi'n codi fy sgert ac yn syllu ar fy stumog. Mi wn i bod hyn yn swnio'n hurt, ond mae o'n edrych yn fwy yn barod, o ddifri rŵan. Ac mi fydd o'n fwy o lawer cyn hir. Dwi'n syllu arno fo fel pe bawn i'n disgwyl ei weld o'n tyfu fel pelen blastig o flaen fy llygaid.

'Glesni?' galwa Nain.

'Ia, mae'n flin gen i, dwi'n dŵad rŵan.'

Dwi'n twtio fy hun ac yn ailymddangos. Mae golwg ffwndrus ar Nain. Mae hi'n brysio heibio i mi ac yn cau'r drws yn glep. Dwi'n gwrando. Dwi'n disgwyl, a 'nghalon i'n curo'n swnllyd. Dwi'n golchi fy nwylo, gan redeg y tapiau yn swnllyd. Ar ôl ysbaid hir daw Nain allan eto. Prin y medra i sbio arni er ei bod hi'n ymddangos yn gwbl dawel a hunanfeddiannol. Ond mae'r drws yn agor eto y tu ôl iddi ac er 'mod i'n fy nghasáu fy hun am sbio dwi'n syllu ar y pwll ar y llawr. Sbiaf ar Nain mewn dychryn, ond diolch byth does yna ddim i'w weld. Mae hi'n golchi ei dwylo ac yna'n estyn ei minlliw. Mae hi'n lliwio gwên grynedig ar ei gwefusau. Mae ein llygaid yn cyfarfod yn y drych. Gwenaf yn ansicr arni.

12

Fedra i ddim penderfynu be dwi isio i'w fwyta. Dyna lle mae'r teisennau, yn gorwedd y tu ôl i wydr fel trysorau yn yr Amgueddfa Genedlaethol. Mae pob un ohonyn nhw mor berffaith fel na fedra i ddewis 'run.

'Mi gawn ni goffi,' medd Nain yn grand. Does arni hi ddim ofn y weinyddes ffroenuchel sy'n sefyll ger ein bwrdd. 'A theisan, Glesni? Neu sgon, efallai?'

'Ia, plîs.'

Am wn i mai sgon dwi 'di'i dewis. Tydw i ddim hyd yn oed yn leicio sgons. Mi fydd Jay yn dod â rhai adra o'r siop iechyd, y rhai brown, sydd wedi'u llosgi, na fydd neb yn fodlon 'u prynu. Maen nhw'n gorwedd yn eich stumog chi 'run fath â cherrig. Mi allwn i fod wedi dewis y deisen binc 'cw, y darten geirios, y deisen 'run siâp â llyffant gwyrdd efo gwên siocled. Mi allwn i fod 'di dewis unrhyw un o'r teisennau a be dwi 'di gael? Sgon.

Dwy sgon. Ac maen nhw'n rhai ysgafn, délicet, yn sgons o'r radd flaena mae'n amlwg. Mae 'na fenyn go iawn hefyd, dim o'ch marjarîn hadau blodyn-yr-haul chi yn fan'ma. Ac mae eu blas nhw cystal â'u golwg nhw. Mi fasa teisen yn well, wrth gwrs, ond mae'r sgons yn bleser er hynny. Ella y ca i ddewis teisen y tro nesa? Dwi'n meddwl ella y bydd yna dro nesa. Mae hi'n fy leicio i, dwi'n siŵr ei bod hi, felly does 'na'm rheswm pam na allwn ni ddechrau cyfarfod yn rheolaidd rŵan. Ella y gwneiff hi fy ngwahodd i i fynd i fyw efo hi, hyd yn oed.

Fedra i ddim. O Dduw, nid rŵan. Dwi'n fwy nag yr oedd hi'n ei ddisgwyl yn barod. A dwi'n mynd i dyfu a thyfu. Yr un hanes â hanes Jay ydi hi eto.

'Ydach chi'n mwynhau eich sgons, Glesni?'

Cymeraf gegaid fawr, er nad oes arna i lawer o isio bwyd erbyn hyn. 'Ydw, diolch,' dywedaf, gan dasgu briwsion i bob man. Roedd yn rhaid i mi siarad efo 'ngheg yn llawn, yn doedd?

'Mae'r sgons yn dda bob amser yn *Maison Saigne*.'

Ys gwn i pam nad ydi hi 'di archebu dim iddi hi'i hun? Roedd 'na ddwy sgon. Oedd un ohonyn nhw i fod iddi hi? Dwi 'di bwyta un a hanner yn barod. Ddylswn i gynnig yr hanner sydd ar ôl iddi hi? Ond dwi 'di'i ddeintio fo ac mi fydd hi'n siŵr o ffieiddio wrtha i.

Dwi'n ei roid o'n ôl ar y plât ac yn yfed fy nghoffi gan deimlo'n llawn cywilydd. Mae Nain yn yfed coffi hefyd. Fedrwn ni ddim meddwl am ddim byd arall i'w ddweud. Mae'r bobl sy'n eistedd wrth y byrddau bregus o'n hamgylch ni'n siarad trwy'r amser. Mae hi'n haws iddyn nhw. Maen nhw'n nabod ei gilydd yn iawn. Pam nad oes arni hi isio fy nabod i? Wedi'r cyfan, y fi 'di'r unig wyres sydd ganddi. Pam na fasa hi'n fy holi i, yn holi am yr ysgol? Wel, mi rydw i'n falch nad ydi hi isio gwybod am y fan honno. Ond mi allai hi ofyn pa bynciau dwi'n eu leicio, holi am fy niddordebau. Ddylwn i sôn 'mod i'n leicio gwnïo? Neu a fasa hi'n meddwl 'mod i'n canmol fy hun?

'Oes ganddoch chi unrhyw ddiddordeba arbennig, Nain?'

Mae hi'n syllu arna i. 'Be?'

Dyma fi'n ailadrodd be ddywedais i, gan wrido.

'Wel, tydw i ddim yn casglu stampiau nac yn canu'r ffidil, os dyna 'dach chi'n ei feddwl,' ateba'n gwbl ddiflewyn-ar-dafod.

'Naci. . . nid dyna o'n i'n ei feddwl. . . 'dach chi'n gwnïo?'

'Botymau. Hemiau.'

'O.'

'Fedra i ddim gneud dim arall erbyn hyn.'

Mae'r ddwy ohonon ni'n sbio ar ei dwylo cam. Dwi'n teimlo'n ofnadwy.

'Ro'n i'n arfer gwnïo cryn dipyn. Y fi wnaeth y flowsan yma, a deud y gwir.'

'Y chi!' Fedra i ddim gweld rhyw lawer o'r flows oherwydd mae ei siwt yn ei chuddio. Dwi'n pwyso dros y bwrdd mor weddaidd ag y medraf a sbio ar y defnydd brau. *Crêpe de chine* lliw brown cynnes ydi o. Mae'r goler yn dechrau breuo ac mae isio golchaid dda arni, ond sbio ar y pwythau ydw i.

''Dach chi 'di'i gwnïo hi'n gywrain ofnadwy. Mae hi 'di'i gwneud efo llaw, hefyd, yn do?'

'Mae 'na frodwaith ar y boced,' medd hi, gan agor ei siaced er mwyn dangos i mi.

'O, mae o'n hardd. Pwyth satin. A 'dach chi 'di'i wneud o mor ddestlus.' Dyma fi'n petruso ac yna'n agor fy ngheg er mwyn dweud hanes y goban wrthi.

'Y fi ddaru frodio holl ddillad eich mam pan oedd hi'n fabi bach, wyddoch chi. A gwnïo pob ffrog fechan oedd ganddi. Roedd pobl yn arfer aros ar ben stryd i edmygu Joyce. Roedd hi'n bictiwr, diolch i fi.'

'Mi rydw innau'n gwnïo, Nain. Dwi'n reit dda, a deud y gwir. Dwi 'di gwnïo coban. Dwi. . .'

'Wrth gwrs, mi fyddai'n gwneud ei gora i wneud llanast o betha hyd yn oed bryd hynny. Mi fydda'n rhaid i mi wisgo dau bâr o sanau glân amdani bob dydd, tri weithiau. Mi fyddai hi'n arfer rhwbio ei sgidiau yn eu herbyn nhw. A phryda bwyd! Wyddoch chi, roedd yn rhaid iddi wisgo bìb nes iddi gael ei chwech?'

'Ddaru'r athrawes wnïo binio. . .'

'Ro'n i'n meddwl weithia mai ei wneud o o fwriad y bydda hi, i'm sbeitio i. Dyna sut un fuodd hi erioed. Wyddoch chi ei bod hi wedi methu yr *eleven plus*? Y ferch alluoca yn ei dosbarth, ar frig y dosbarth bob tro. Roeddan ni 'di deud a deud wrthi, does dim iws bod yn ail neu'n drydydd yn y byd hwn, y cynta biau hi bob tro. Ac eto ddaru hi ei fethu o pan ddylsai hi fod wedi pasio efo anrhydedd. Mae'n rhaid ei bod hi heb drio o gwbl. O, ddaru hi basio fo'r eildro, ac mi gawson ni le iddi mewn ysgol reit dda heb ormod o drafferth, ond doedd o ddim 'run fath. Roedden ni 'di addo beic newydd iddi pe bai hi'n pasio ac mi brynodd ei thad o iddi 'run fath oherwydd fedrai o ddim diodda meddwl ei bod hi 'di cael siom. Roedd ganddo fo feddwl y byd ohoni, wyddoch chi. A sbiwch ar y ffordd ddaru hi ei drin o. Mi dorrodd hi ei galon o—yn llythrennol felly—ac eto ddaru hi ddim trafferthu dod i'r angladd, hyd yn oed.'

'Wyddai hi ddim ei fod o wedi marw.'

'Wel, wrth gwrs mi fasach chi'n ei hamddiffyn hi,' medd Nain, gan syllu arna i'n ddig.

'Na. . .' Wn i ddim beth i'w ddweud.

Mae'r weinyddes yn sefyll uwch ein pennau ni'n ddisgwylgar. Dwi'n meddwl ei bod hi am inni fynd. Mae pobl yn syllu arnon ni. Mae llais Nain 'di tyfu'n uwch ac yn uwch.

Mae hi'n ochneidio'n ddiamynedd ac yn siglo'r plât nes i'r hanner sgonsen ddisgyn oddi arni.

'Am wastraff! Dewch yn eich blaen.'

Mae hi'n agor ei bag molchi, yn estyn ei phwrs ac yn rhoi'r sgon yno yn ei le. Yna mae hi'n ymbalfalu am ei harian. Dyma hi'n estyn darn punt ac yn ei osod o dan ei soser. Punt? Mi fydd o'n fwy o lawer na hynny. O Dduw, be wnawn ni? Does gen i ddim pres, bu'n rhaid i mi gael benthyg gan Lois i dalu am y trên i ddod yma. Mae'r weinyddes yn sbio ar y bunt. Ella'i bod hi'n meddwl mai tip ydi o. Mae Nain yn ceisio codi, yn pwyso ar y bwrdd ac yn gwneud i'r cwpanau grynu. Mae hi'n chwarae efo'i sgarff, ac mae ei dwylo, sydd fel crafangau bychain, yn crynu.

Mae'r weinyddes yn rhoi bìl iddi ac mae hi'n syllu arno'n ddiddeall, trwy gil ei llygaid. Yn y diwedd mae hi'n ei roi o i mi. 'Leiciech chi gadw hwn i gofio'ch bod chi 'di bod yma?'

Dwi'n sbio ar y cyfanswm. 'Mae'n ddrwg gen i, Nain, dwi'n meddwl eu bod nhw isio mwy o bres.'

'Be 'dach chi'n feddwl? Mi rydw i wedi talu.'

'Na, mae isio mwy.' Dyma fi'n sibrwd faint yn ei chlust.

Mae hi'n syllu'n ddig arna i fel pe bai'r bai i gyd arna i ac yn sbio yn ei phwrs. Mae ei dwylo'n ymbalfalu eto yn y lledr diraen. Mae'n wag. Mae pawb yn syllu arnon ni rŵan. Dwi'n llosgi gan gywilydd. Ac mae bochau Nain yn writgoch, ond wn i ddim ai embaras neu golur sy'n gyfrifol am hynny. Mae hi'n troi ymhlith cynnwys ei bag molchi rŵan. Mae hi'n tynnu ei hances les byglyd i'r golwg. Mae hi 'di clymu cwlwm ynddi; mae'r darnau arian yn clindarddach yn erbyn ei gilydd. Mae'n cymryd rhyw chwe awr iddi ddatod y cwlwm.

'Leiciech chi i mi drio?'

'Mi wna i o. Tydw i ddim wedi colli arna i'n llwyr.'

Mae hi'n tynnu'n chwyrn a dyma'r cwlwm yn llacio. Mae darnau arian yn disgyn i bob man. Nid darnau punt mohonyn nhw chwaith, ond arian cochion gan mwyaf. Dwi'n cropian ar hyd y llawr gan gasglu cynifer ohonyn nhw ag y medra i tra bod Nain yn cyfri'r union arian. Mae hi'n ei wneud o ddwywaith er mwyn bod yn siŵr. Dwi'n disgwyl clywed rhyw sylw coeg wrth iddi eu rhoi nhw i'r weinyddes ond mae honno'n trin Nain yn boenus o fonheddig. Rhywsut mae hyn yn gwneud pethau'n waeth fyth. Hyd yn oed pan rydan ni'n sefyll ar y palmant mae Nain yn dal i sbio yn ei bag molchi, gan dynnu mân ddarnau o arian allan a mwmial. Wrth iddi ymbalfalu mae hi'n dod ar draws llythyr, fy llythyr i ati hi.

'Ai ei syniad hi oedd hwn?'

Syllaf arni.

'Ei syniad hi oedd o, yntê? Hi ddaru'ch perswadio chi i'w sgwennu o.'

'Naci! Tydi hi ddim hyd yn oed yn gwybod 'mod i 'di dŵad i'ch cwarfod chi.'

Tydi Nain ddim yn edrych fel pe bai hi'n fy nghoelio i. Mae'r gwynt yn oer ac mae hi'n gwthio'i gên i blygion ei sgarff. Disgwyliaf, er mwyn clywed i ble'r ewn ni nesa. Dyma Nain yn estyn ei llaw i mi. Wn i ddim yn iawn be mae hi'n ddisgwyl i mi ei wneud efo hi.

'Da boch chi, Glesni.'

Fedr hi ddim mynd, nid rŵan!

'Fedren ni. . .' ond wn i ddim beth i'w awgrymu.

'Mi fydda i'n dal annwyd os safa i lawer hwy yma ar gornel stryd.' Mae hi'n arthio'n ddig ond yn rhynnu go iawn. Mae hi'n edrych mor fechan a chrynedig fel mai prin y medra i deimlo hanner cymaint o ofn ag yr o'n i'n ei deimlo ynghynt.

'Mi gerdda i adra efo chi, Nain,' dywedaf, a dal fy mraich fel y medr hi roi ei llaw amdani os bydd hi isio.

Tydi hi ddim isio. Mae hi'n edrych fel pe bai'r syniad wedi ei dychryn hi'n llwyr. 'O, na, 'merch i, na. Mae hynny'n gwbl amhosibl.'

'Tydw i ddim yn deud 'mod i isio dod i fyw efo chi — fel ddaru mi sgwennu yn y llythyr. Bod yn wirion o'n i. Mi wn i na fasa hynny'n gweithio. Dwi jest isio gwneud yn siŵr eich bod chi'n cyrraedd adra'n saff.'

'Ond does dim isio i chi wneud, dim isio o gwbl. Ffor' 'cw yr ewch chi, tuag at yr orsaf. Mi gewch chi drên adra wedyn.'

'Ond dwi isio'ch danfon chi, Nain.'

Mae hi'n sbio arna i, a'r gwynt yn tynnu dagrau i'w llygaid. 'Roedd hi'n hyfryd cael cwarfod â chi, Glesni.'

Does dim amheuaeth y tro hwn pam ei bod hi'n estyn ei llaw. Dyma fi'n ysgwyd llaw â hi'n llipa. Mae hi'n ffarwelio â mi, gystal â dweud, 'ffwrdd â chi rŵan,' ac yna, cyn i mi fedru ateb, mae hi 'di mynd. Dyma fi'n sefyll yn stond ac yn syllu ar ei hôl hi. Ys gwn i a oes yna gylch tywyllach byth ar ei siwt dywyll? Dwi'n ffieiddio fy hun am ofyn y fath gwestiwn. Dwi'n ei chasáu hitha wedyn, oherwydd sut all hi hercio allan o'm bywyd i fel hyn? Mae ei sgidiau'n siglo fel cychod efo pob cam. . . Mae'n rhaid eu bod nhw'n rhwbio'n ofnadwy yn erbyn ei thraed, a hitha heb sanau. Wel, waeth gen i am hynny. Tydi hi'n malio dim amdana i. Felly mi a' i ar fy nhaith.

Dim ond hanner awr wedi un ar ddeg ydi hi. Mi fedrwn i gael diwrnod i'r brenin yn Llandudno ar fy mhen fy hun. Does gen i ddim pres ond mi fedrwn i sbio yn ffenestri'r siopau. Mi fedrwn i fynd i adran wnïo siop Evans a gweld a oes ganddyn nhw unrhyw beth diddorol. Mi fedrwn i gynllunio rhywbeth newydd ar gyfer y stondin yn y farchnad—ond na, dwi 'di colli honna rŵan, ga i fyth le arall yno, oherwydd mae 'na restr aros hir a doedd y dyn ddim yn fodlon iawn 'mod i yno yn y lle cynta oherwydd 'mod i mor ifanc, a beth bynnag, yr unig wnïo fydda i'n ei wneud o hyn allan ydi dillad babanod.

Dydi'r peth dal ddim yn real. Cyn gynted ag y dechreua i feddwl amdano fo mae'r boen yn cychwyn yn fy stumog a dwi'n dechrau gobeithio, ond pan gyrhaeddaf le chwech y merched yn siop Evans, gwelaf 'mod i 'di codi 'ngobeithion eto. Dwi'm yn meddwl 'mod i isio crwydro ar hyd y lle ar fy mhen fy hun, dwi 'di ymlâdd yn barod. Felly mi a' i adre.

Pan gyrhaeddaf yno dwi ddim yn trafferthu i fwyta cinio. Dwi'n tynnu fy nillad ac yn fy llusgo fy hun i'r gwely. Mae angen newid dillad y gwely ond dwi'n poeni dim am hynny. Dwi'n eu tynnu nhw reit dros fy mhen.

Mae Jay yn fy neffro i pan ddaw hi adre o'r gwaith. Mae hi'n eistedd ar waelod gwely. 'Wel? Sut aeth hi?'

Mae hi'n edrych yn flerach nag arfer, hyd yn oed. Mi ddaru hi lifo'i gwallt ddoe a gwneud smonach go iawn ohono. Nid *highlights* lliw gwinau ydi'r rheina, ond llifoleuadau fflamgoch. Maen nhw'n gwneud i'w hwyneb hi edrych yn fwy gwelw nag erioed, ac yn clashio â'i chrys-T oren. A'r dyngarîs lliw llaid yna—o, Dduw, pam o pam mae'n rhaid iddi wisgo dillad mor hurt a hyll? Mae'r ddynes yn fam i mi, mae hi'n drideg a dwy oed, does bosib na fedr hi ei hun weld golwg mor wirion sydd arni? Os ydi hi isio gwisgo fel merch un ar bymtheg oed, does bosib na fedrai hi drio edrych yn ffasiynol? Does neb 'di gwisgo'r math yna o ddillad ers blynyddoedd. Does ganddi hi ddim pres, digon teg, ond does gen inna ddim pres chwaith ac mi rydw i'n llwyddo i gael dau ben llinyn ynghyd, a beth bynnag, arni hi'i hun mae'r bai. Pe bai hi 'di cael swydd go iawn flynyddoedd yn ôl fyddai dim rhaid i ni fyw fel hyn. Does ganddi hi ddim cymwysterau, ond arni hi mae'r bai am hynny hefyd, mi aeth hi i ysgol dda, mi gafodd hi bob cyfle, mi allai hi fod wedi aros ymlaen, cael ei lefel A, mynd i brifysgol. . . Ond be amdana i? Sut allai hi wneud hynny i gyd ac edrych ar f'ôl i?

'Glesni! O Dduw, dwyt ti'm yn dechra'r holl nonsens yma i gyd eto, wyt ti? Sbia arna i.'

Dwi'n sbio arni hi. 'Pam na chest ti wared arna i?'

'Be wyt ti'n ei feddwl?' mae Jay yn ochneidio. 'Sgwrs hunandosturiol arall ynglŷn â ti dy hun 'di hon am fod, ia? Oherwydd os mai dyna ydi hi, does gen i ddim o'r amynedd i wrando. Dwi 'di cael diwrnod diawledig, roedd y bara i gyd 'di llosgi ac mi ollyngais i ddwsin o wyau a ddaru rhyw hen ddyn gwirion efo barf 'run fath â barf Siôn Corn sefyll wrth y cownter ac arthio am awr gyfan am ectoplasm. Be wyt ti'n feddwl, pam na ches i wared arnat ti?'

'Pan ddaru ti ffeindio dy fod ti'n disgwyl.'

'Be mae hi 'di bod yn ddeud wrthat ti?'

'Dim.'

'Mi est ti i'w chwarfod hi felly, yn do?'

'Wyt ti 'di darllen fy llythyr i?'

'Naddo. Dydw i ddim yn hen drwyn, mi wyddost ti hynny. Roedd o'n amlwg, yn doedd? Rwyt ti 'di bod yn gorweddian yn y gwely 'na ers wythnosa ac yna'n sydyn reit rwyt ti 'di codi cyn pawb arall, wedi molchi ac yn dy ddillad gora. Mi faswn i'n ddwl fel mul taswn i ddim yn sylweddoli be oedd yn digwydd.'

'Dwi isio gwybod, Jay. Rwyt ti bob amser yn deud y medra i ofyn unrhyw beth i ti ac mi ddeudi di wrtha i.'

Dyma Jay'n tynnu ei bysedd yn aflonydd trwy ei gwallt fflamgoch.

'Pam wyt ti'n llifo dy wallt?'

'Ydi hwnnw'n gwestiwn o bwys tragwyddol hefyd?'

'Nac 'di.'

'Mae o'n codi fy nghalon i ryw gymaint. Ocê?'

'Ocê.'

'Ac amdanat ti. Wel, ro'n i dy isio di, yn do'n?'

'Paid â rwdlian. Un ar bymtheg oeddat ti. Roeddat ti'n dal i fod yn yr ysgol.'

'Ro'n i'n torri 'mol isio gadael beth bynnag. Mi wyddost ti 'mod i'n casáu'r ysgol. Faswn i byth 'di mynd i'r chweched.'

'Ond doedd gen ti ddim cariad go iawn, hyd yn oed. Fy nhad—doeddat ti ddim yn nabod fy nhad, nac oeddat?'

Mae Jay yn codi ei hysgwyddau. Dydi hi ddim yn sbio arna i.

'Sut fedret ti? Poetsian efo'r holl ddynion yna doeddat ti ddim hyd yn oed yn eu nabod nhw ?'

'Neno'r Tad, mae'n amlwg dy fod ti 'di bod yn siarad efo Mam, rwyt ti'n swnio 'run fath â hi'n union. "Yr holl ddynion yna." Rwyt ti'n swnio fel petawn i'n cysgu efo chwech bob nos, a saith ar y Sul. Nid hwren o'n i, Glesni. Do'n i'm hyd yn oed yn grŵpi mewn gwirionedd. Do'n i'm yn gwybod llawer am ryw. Grŵpi yn disgwyl—be nesa!'

'Ddaru ti ddim meddwl am gael erthyliad o gwbl?'

Mae'n gas gen i'r gair yna. Mae o'n crogi rhyngon ni yn yr awyr. Dwi'n meddwl am fachyn mawr yn crafangu darnau gwaedlyd, briwedig, o fabi.

'Doedd arna i ddim isio cael un o'r rheiny. Roedd hi'n gas gen i'r syniad bryd hynny.'

Mae ei llais yn isel. Mae'r ddwy ohonon ni'n cofio babi Cai'r Crochenydd.

'Ond pam na ddaru Nain a Taid wneud i ti gael un?'

'Roedd hi braidd yn hwyr erbyn iddyn nhw ddod i wybod 'mod i'n disgwyl.'

'Oeddan nhw'n ofnadwy o flin?'

Dyma Jay yn cuchio, heb ymboeni i ateb.

'Pam na ddaru ti gael gwared arna i wedyn, Jay? Pan ges i 'ngeni? Pam na ddaru ti fy rhoi i i gael fy mabwysiadu?'

'Dyna roeddan nhw am i mi'i wneud.'

'Dy rieni?'

'Nid dim ond y nhw. Y gwragedd yn y Cartra. "Meddyliwch am y babi. Os ydach chi'n wirioneddol yn ei charu hi yna mi fyddwch chi isio'r gora iddi. Rhowch yr anrheg ora yn y byd iddi: mam a thad cariadus a chartra da." Dyna oedd eu tiwn gron nhw. Roedd 'na un ddynes oedd yn debyg i athrawes Ymarfer Corff, yn siort iawn ac yn dipyn o hen fòs, ac un arall oedd yn ffeind ac yn annwyl ac yn dyner iawn. Y hi oedd waetha. Mi fyddai hi'n gneud i mi grio'n aml iawn. Ond mi wnes i wrthod arwyddo'r blydi ffurflenni.'

'Sut le oedd o 'ta, y Cartra yma? Oeddan nhw'n eich cadw chi dan glo neu fedrech chi fynd i ble bynnag oeddach chi isio?'

'Wrth gwrs y medrach chi. Nid carchar oedd o. Er ei fod o'n teimlo felly ar brydia. Y bwyd! Ac roeddan nhw'n arfer rhoi uwd i ni yn y borea, hefyd, rhyw lymru llwyd, lympiog wedi'i wneud trwy ddŵr. Wn i'm be oedd yn digwydd i'r llefrith roeddan ni i fod i'w gael. O, ydw, hefyd! Mi fyddan ni'n arfer yfed llond mẁg o lefrith poeth bob bora. A phob nos hefyd, ynte coco oedd hwnnw? Beth bynnag, roedd y ddau'n ffiaidd, roedd y croen yn nofio ar yr wyneb. Mi fyddwn i'n arfer llwgrwobrwyo un o'r genethod eraill i yfed fy llefrith i yn fy lle i. Roeddan nhw'n andros o griw neis. Ac roedd Mam yn deud petha mor gas amdanyn nhw. Mi ddaeth hi i 'ngweld i unwaith a sbio ar fy ffrind gora a sibrwd "dyna biti Ei Bod Hi Braidd yn Goman". Ych-a-fi! Be ddeudodd hi wrthat ti, Glesni? Mae'n siŵr gen i ei bod hi'n swnian ymlaen ac ymlaen amdana i, dyna fydd hi'n arfer ei wneud.'

'Naddo, ddaru hi ddim. Ddaru ni siarad amdana i, am fy ngwnïo i a be 'ron i'n ei wneud yn yr ysgol, y math yna o beth. Ac mi aeth hi â fi i'r lle crand yma efo gweinyddes a phob dim i gael sgons a choffi ac yna fe aethon ni i Oriel Morfa a sbio ar luniau Kyffin Williams.'

Roedd Jay wedi bod yn symud ar hyd y lle'n aflonydd, gan godi a sbio trwy'r ffenest wrth i mi ddweud hynny wrthi. 'Am fore braf,' meddai hi.

'Does dim isio bod yn sbeitlyd.'

'Dydw i ddim.'

Daw saib sydyn yn y sgwrs. Dwi'n gorwedd yma. Mae hitha'n sefyll ger y ffenest.

'O, wel. Te? Mi allet ti fod wedi'i baratoi o erbyn i mi ddod adre. Neu wyt ti'n llawn? Ddaru hi brynu cinio i ti hefyd? Aethoch chi'n ôl i'w fflat hi?'

'Mmm. Jay, oedd arnat ti wirioneddol fy isio fi?'

'Oedd.'

'Ond dwyt ti ddim yn leicio babis.'

'O'n i'n dy leicio di.'

Fedra i mo'i chredu hi. Er na fydd hi'n arfer dweud clwydda. 'Twt,' mwmialaf, gan deimlo'n hynod o annifyr.

'Roeddat ti'n fabi da, beth bynnag. Roeddat ti'n ddistaw y rhan fwyaf o'r adeg ac mi roeddat ti'n cysgu pan nad oeddat ti'n bwydo.' Dyma Jay yn chwerthin. 'Dwyt ti ddim 'di newid rhyw lawer.'

'Felly fy nghadw i am fy mod i'n fabi da ddaru ti?'

'Naci, mi gedwais i ti am mai fy mabi i oeddat ti.'

Dyma fi'n troi, gan feddwl am y peth. Gan feddwl amdanaf i fy hun.

'Mi rydw inna'n mynd i gael babi.'

'Wyt, wrth gwrs dy fod di. Fedra i dy weld di'n cael llawer ohonyn nhw. Ond taw â sôn am y peth rŵan. Dwi'm yn ffansïo bod yn nain am ychydig eto.'

'Wel, mi fyddi di cyn hir.'

'BE?'

'Dw i'n deud wrthat ti, dwi'n mynd i gael babi.'

Dyma Jay'n chwipio troi o'r ffenest. Mae hi'n dechrau chwerthin! Mae hi'n sefyll yno ac yn chwerthin dros bob man.

'Be sy'n ddigri?'

'O, Glesni. Ti sy'n ddigri. Wrth gwrs nad wyt ti'n disgwyl.'

'Ydw'n tad.'

'Ti'n meddwl mai ti 'di'r ail Forwyn Fair, wyt ti?'

'Wrth gwrs nad ydw i.'

'Wel, mi rwyt ti 'di bod braidd yn od yn ddiweddar, yn esgus mai lleian wyt ti, ac. . .'

'Ancres. Gwranda, rho'r gora i wneud hwyl am fy mhen i.'

'Wel taw â bod yn wirion 'ta. Be ar wyneb y ddaear sy'n gneud i ti feddwl dy fod ti'n disgwyl?'

'Dwi bum diwrnod yn hwyr.'

Dyma hi'n chwerthin yn goeglyd. 'Mi rydw inna'n aml yn . . .'

'Ond tydw i ddim. Mi wyddost ti nad ydw i. Ac ma'r holl arwyddion yna. Mae 'mronna i'n dyner a dwi'n cadw. . .'

'PMT 'di hwnna, yr hurten. Chei di ddim symptoma'n syth bìn. Be sy 'di dechra hyn i gyd? Ai y fi yn sôn am dy gael di?'

'Dydw i ddim yn cystadlu efo ti. Rho'r gora i droi dy drwyn arna i.'

'Wel wir! Paid â deud dy fod ti a'r hogyn rhyfadd 'na yn yr ysgol 'di cysgu efo'ch gilydd?'

'O, taw. Does arna i ddim isio deud wrthat ti rŵan.'

Dyma fi'n crio ac yn cuddio fy wyneb, ond daw hitha draw a thrio tynnu fy nwylo oddi ar fy llygaid.

'Mae'n ddrwg gen i. Do'n i'm yn meddwl dy ypsetio di. Do'n i'm yn meddwl dy fod ti o ddifri. Glesni, wyt ti wir yn meddwl ella bod Iestyn 'di rhoi babi i ti?'

Dwi'n tynnu fy nwylo oddi ar fy llygaid ac yn sbio arni. 'Does 'na ddim "ella" ynglŷn â'r peth. Nid efo fo ddaru mi gysgu. Efo'i frawd o.'

13

'Ty'd acw,' meddai Iestyn.

Ro'n i byth a beunydd yn mynd draw i'w dŷ o. Cyn bo hir ro'n i'n mynd yno bob dydd ar ôl yr ysgol. Roeddan ni'n arfer gwneud ein gwaith cartref efo'n gilydd. Wel, roeddan ni'n arfer agor ein gwerslyfrau a'n llyfrau gwaith cartra, a nôl ein beiros, ond doedd yr un ohonon ni'n gweithio. Mi fydden ni'n arfer eistedd a sgwrsio a sgwennu negeseuon gwirion a chwarae gêmau papur ac yfed paneidiau o goffi a bwyta siocled a chreision a phan fydda hi mor hwyr fel bod rhaid i mi, o ddifri, fynd adref mi fydden ni'n pacio ein llyfrau segur yn ôl yn ein bagiau plastig di-raen. Weithiau byddai Llawes yn rhoi ambell bregeth i ni:

'Peidiwch â deud nad ydach chi isio dod ymlaen yn y byd, 'ngeneth i? Sut gewch chi swydd heb gymwysterau? Mi rydach chi'n eneth alluog. Pam na ddechreuwch chi weithio o ddifri a dangos iddyn nhw be 'di be?'

'Wel ia, ond beth am Iestyn,' fyddai fy nadl inna. 'Mae o'n glyfrach na fi, ac mae petha'n waeth iddo fo oherwydd bod 'i deulu o i gyd yn glyfar hefyd, felly pam na wneiff o weithio'n galetach a dangos iddyn nhw be 'di be?'

'Yn union!' meddai Llawes, gan neidio i fyny ac i lawr. 'Dwi 'di meddwl erioed bod yr hen stori yma am ddyslecsia braidd yn amheus. Yn fy marn i, esgus dros ddiogi 'di'r holl beth. Dydi'r bachgen ddim yn trio. Ond am ei frawd. . . Mi fydd o'n cau ei hun bob nos yn ei stydi yn ei ysgol wych, ei wallt o'n disgleirio dan wawl y lamp, ei ysgrifbin Parker yn llifo ar hyd y dudalen. Y funud yma mae 'na draethawd chwe ochr, cyfieithiad perffaith ac ysgrif o bum cant o eiria ar y ddesg. Mae o 'run fath â phrosesydd geiriau: gwasgwch y botwm ac mi fydd o'n perfformio. Da iawn ti, 'machgen i, dwy ar bymtheg allan o ugain, pedair ar bymtheg allan o ugain, ugain allan o ugain. Y Gair-brosesydd Gwyrthiol. Mi all Gwilym ei wneud o, Iestyn.'

'Taw, Llawes,' meddai Iestyn.

Doedd arno fo ddim llawer o eisiau 'ngweld i yn ystod y gwyliau Dolig. Ar ôl ychydig ddaru mi sylweddoli pam. Roedd Gwil 'di dod adre o'r ysgol.

Ddaru mi ddisgwyl am oesoedd ac yna mi ges i garden bost. Roedd yna lun o ddafad fawr wlanog ar y tu blaen a neges gan Llawes ar y tu ôl.

'Gobeithio eich bod leicio'r darllun hwn o'r Ffatri Wlân. Henffych well! i'r Fendigaid Ddafad medd y bobl fach wlanog. Fedrwch chi dod acw ar ddydd Mercha? Mae'r hogyn yn weld eich isio chi gymaint, mae obron â mynd o'i go. Dydd Merrcher, unrhyw adeg ar ôl 10 y bore. Dewch, dewch. Yr eiddoch yn ddiffuant, Llawes. (Esgusodwch yr ysgrifen flêr a'r sillafu gwallus. Mae rhyw golled ar fy ysgrifennydd.)

Cyrhaeddais am funud union wedi deg o'r gloch. Roedd Iestyn wrth y drws yn fy nisgwyl. Gwridodd pan welodd fi'n dod a neidiodd Llawes i'r awyr gan chwifio fel peth gwirion, ond yna cafodd Iestyn reolaeth arno fo. Siaradodd â mi yn ei lais ei hun:

'Ty'd yn dy flaen, ty'd, rwyt ti'n hwyr.' Tynnodd fi i mewn i'r tŷ ac i fyny'r grisiau. 'Mae pawb allan,' eglurodd yn fuddugoliaethus. 'Mi fedri di aros drwy'r dydd, yn medri? Dwi 'di trefnu cinio arbennig, te arbennig, popeth yn arbennig.'

'Sbarion y twrci a'r deisan Nadolig?' holais. Roeddwn i wedi cael fy siomi ei fod o wedi fy anwybyddu i gyhyd.

Roedd Iestyn mor llawn o fywyd, ddaru o ddim sylwi 'mod i'n gwawdio. 'Rwyt ti'n iawn!' atebodd. 'Ac mae gen i sbarion anrheg Nadolig i ti hefyd.'

Collage oedd o. Roedd o 'di'i wneud o'n unswydd i mi. Roedd o wedi gorchuddio darn o bapur gwyn efo seloffén glas. Roedd rhannau ohono fo'n dywyll. Roedd patrymau bach manwl ar rannau eraill ohono fo. Roedd rhannau eraill yn dryloyw ac mi fedrech chi weld geneth yn sbio drwyddyn nhw. Gallech weld ei hwyneb, ei hysgwydd, ei llaw. Roedd yna greadur bach tywyll yn swatio yng nghwpan ei llaw. Ar y dechrau, do'n i ddim yn siŵr yn union beth oedd o. Roedd o'n hir ac roedd ganddo fo adenydd mawr. Roedd hi'n amlwg mai rhyw fath o bryfyn oedd o. Wrth gwrs. Pili-pala oedd o.

Syllais ar y *collage* glas.

'Wyt ti'n ei leicio fo?' gofynnodd Iestyn yn gyflym, gan ei fod o'n methu ag aros dim hwy.

'Dwi'n meddwl ei fod o'n. . .' Fedrwn i ddim dod o hyd i'r gair iawn ond mae'n rhaid bod fy mhleser yn dangos ar fy wyneb oherwydd mi ddaru o wenu.

'Coffi? Mae hwnnw'n arbennig hefyd, mi ddaru mi ddwyn eu Gold Blend nhw, ac mae gen i deisen Dolig i ti, mae 'na glamp o ddarn mawr ar ôl yn y tun. Mae'n llawn brandi, ac ar ôl dwy gegaid mi fyddi di wedi meddwi.'

'Dim ond yr eisin dwi'n ei leicio mewn gwirionedd.'

'Ocê, coffi a darn o eisin, unrhyw beth i blesio Madam,' meddai Iestyn gan foesymgrymu ar y llawr wrth fy nhraed.

'Be wyt ti'n neud?'

'Talu gwrogaeth.'

'Twmffat!' Ciciais o'n dyner ac ymbalfalu yn fy mag. 'Mae gen inna anrheg Dolig i ti hefyd.'

Rhoddais y parsel iddo fo. Daliai'r papur sgleiniog, patrymog, yn ansicr, gan fodio'r ruban sidan coch.

'Mae'n edrych yn ddel iawn. Mae'n ddrwg gen i 'mod i heb lapio d'un di.'

Ro'n i 'di cymryd y papur o lawr grisiau. Mi fyddan nhw bob tro'n lapio pethau mewn papur drud, hyd yn oed petha Naomi, ac yna mi fyddan nhw'n ei rwygo fo i ffwrdd ac yn gadael gwerth tua deg punt ohono fo'n domen yn y gongl. Mi es i drwyddo fo ac arbed y darnau gorau i gyd.

'Agor o,' meddwn i, a'm stumog yn dynn gan nerfau rhag ofn na fyddai o'n ei hoffi. Roedd hi 'di cymryd wythnosau i mi ei wau o ac mi roedd y gwlân yn andros o ddrud. Mi allwn i fod wedi ffeindio hen siwmper mewn ffair sborion, ei golchi a'i datod, ond ro'n i am i'r anrheg fod yn newydd sbon danlli.

Roedd y papur yn siffrwd wrth i Iestyn ei agor o'n ofalus a thynnu'r simwper o'r plygion, gan fwytho'r gwlân meddal fel pe bai o'n anifail anwes.

'Ydi hi'n dy ffitio di? Dalia hi i fyny yn erbyn dy frest. Ty'd, gad i mi dy helpu di.'

Daliais hi i fyny at ei ên a'i llyfnu hi. Ro'n i 'di'i chael hi'n anodd i gael syniad cywir o'r hyd. Ro'n i 'di ychwanegu cwpwl o resi o weu ac yna ychydig mwy gan gofio pa mor dal oedd o, nes ei bod hi'n edrych yn debycach i siwmper jiráff na dim arall. Ro'n i'n ofni 'mod i 'di'i gwneud hi'n rhy hir o lawer rŵan, ond roedd hi'n ffitio'n daclus, diolch byth. Glas tywyll oedd hi, efo gwddf siâp 'V' ac ro'n i 'di gweu patrwm Fair Isle cymhleth mewn glas, gwyrdd golau ac aur.

'O, Glesni. Mae hi'n hyfryd! Hei, nid siwmper geneth ydi hi, naci?'

'Naci, wrth gwrs! Ddaru mi ei gweu hi'n sbesial i ti.'

'Ro'n i jest yn meddwl—mae hi mor lliwgar ac mor ddel—wneiff hi ddim gwneud i mi edrych. . .?'

'Dwi'n meddwl y byddi di'n edrych yn grêt ynddi hi. Ond does dim rhaid i ti 'i gwisgo hi os nad wyt ti isio.'

'Ond mi rydw i isio. Mi rydw i isio'n ofnadwy. Mi'i gwisga i hi rŵan, ia?'

Codais f'ysgwyddau. Tynnodd Iestyn ei hen siwmper ddi-raen a rhoi fy siwmper i amdano. Gwthiodd un fraich hir denau trwodd, ac yna'r llall. Edrychodd ar ei freichiau yn y crys gwlanen llwyd.

'Dim llewys,' meddai.

Gwenais. A gwenodd yntau hefyd.

'Diolch,' dywedodd. 'Diolch yn ofnadwy.'

'Diolch am y *collage*.'

Dyma ni'n sefyll ac yn sbio ar ein gilydd, a'n gwenau'n aros fymryn yn rhy hir ar ein gwefusau. Dechreuais amau bod Iestyn am afael ynof fi efo'i freichiau hir a'm cusanu. Dwi'n meddwl bod Iestyn yn dechrau amau 'run peth.

'Diolch,' dywedodd eto. 'Felly, coffi ac eisin?'

Ddaru ni ddeintio talpiau mawr o eisin a marsipan drwy'r bore. Yn y diwedd edrychai'r deisen fel pe bai nythaid o lygod wedi bod ynddi ond mynnodd Iestyn na fasai neb yn sylwi. Ddaru mi gyfrannu rhywbeth i'r wledd hefyd: ro'n i 'di dŵad â dwy beren siwgwr mewn bag papur.

Un o'm hanrhegion i gan Jay oedden nhw. Roedden nhw 'di dod o'r siop gyfanfwyd. Roedd y bocs pren roedden nhw 'ynddo fo 'di torri felly prynodd Jay y ffrwythau y tu mewn yn rhad iawn. Ella 'i bod hi 'di'u cael nhw am ddim, wn i'm. Ro'n i 'di gofyn am nicars newydd ac ysgrifbin. Duw a ŵyr lle ddaeth hi o hyd i'r pethau neilon coch hynny. Roeddan nhw mor ansylweddol â'r gwynt. Yn bendant doedden nhw ddim byd tebyg i'r set o dri nicar bicini gwyn o Marks & Spencer ro'n i isio. Roedd y beiros Pentel gwyrdd yn iawn, ond ro'n i 'di gofyn am ysgrifbin Sheaffer oedd 'mond yn costio £1.50— cynnig arbennig yn Smiths. Fe roddodd Gordon ac Owenna ffrog i mi o Ogof Arthur. Hen ffrog Affganistani o'r saithdegau oedd hi, yn frodwaith ac yn ddrychau bychain i gyd, y math o ffrog y baswn i 'di meddwl oedd yn hardd yn nyddiau'r comiwn erstalwm. Roedd olion chwys yn y ceseiliau ac roedd y brodwaith o amgylch y godre'n breuo. Fe roddodd Lois fŵg hynod o anweddus i mi, 'run siâp â bron. Fe roddodd Meg lyfr cyfri calorïau i mi. Fe roddodd Naomi ddarlun o'r tŷ a'r teulu i gyd i mi. Do'n i'm yn siŵr pa un o'r sgwigls porffor o'n i i fod.

Yr unig anrheg Dolig ro'n i wrth fy modd efo hi oedd yr un ges i gan Defi. Fe ddanfonodd o Siôn Corn bach tun efo twll yn ei gapan coch. Roeddech chi i fod i'w roi o ar y goeden Dolig, ond mi roddais i ruban trwy f'un i a'i wisgo fo am fy ngwddf. Ond wedyn ddaru Meg gael yr un syniad. Doedd ei haddurn Dolig hi ddim 'run fath, coeden bin fechan o bren oedd o, ac eto fedrwn i ddim dioddef ei gwylio hi'n ei wisgo fo. Tynnais yr addurn Siôn Corn a'i daflu o i'm hen flwch hud. Doedd yna ddim hud am hwnnw bellach, chwaith; dim ond hen focs cardbord oedd o, yn syrthio'n deilchion ac yn llawn o ryw hen geriach gwirion.

Doedd dim gwahaniaeth rŵan bod anrheg Defi wedi colli ei holl bwynt. Roedd gen i fy *collage* Glesni a fedrai'r un anrheg arall fod mor berffaith.

Ro'n i'n methu rhoi'r gorau i sbio arno fo wrth imi sugno fy mheren siwgwr.

'Rwyt ti yn ei leicio fo, yn dwyt?' holodd Iestyn wrth iddo yntau sugno'i beren.

'Mm. Rwyt ti'n gwybod 'mod i'n ei leicio fo. Paid â gollwng siwgwr dros dy siwmper newydd.'

'Iawn, Mam. Ydi dy beren di'n llai o gwbl eto?'

Ddaru ni gymharu'r melysion pinc, meddal. Roedden nhw

jest iawn â ffitio efo'i gilydd i wneud calon felys, ryfedd yr olwg.

'Rydan ni'n pydru'n dannedd i gyd, gobeithio dy fod ti'n dallt hynny,' dywedais gan ddeintio fy mheren. 'Yr holl siwgwr yma, a meddylia am yr holl eisin yna hefyd.'

'Aha! Dwi wedi paratoi ar gyfer pob argyfwng,' meddai Iestyn, gan ymbalfalu mewn drôr.

Tynnodd allan focs cul oedd yn dal i fod wedi ei lapio mewn papur Nadolig. Tynnodd y papur lapio a dal y peth i fyny.

'O, Iestyn!'

Brws dannedd trydan oedd o.

'Anrheg oddi wrth Nain. Wir i ti! Am anrheg ryfadd i'w rhoi i'ch ŵyr. Mae hi'n amlwg yn meddwl bod gen i wynt drwg ar fy anadl.'

'Be roddodd hi i Gwilym?'

'O, dyna be gafodd o hefyd. Mi oedd yn rhaid i bobl roid yr un anrhegion yn union i ni pan oeddan ni'n fychan neu mi fyddwn i'n cwyno ac yn pwdu ac isio'i bresanta fo yn ogystal â'm rhai i. Ro'n i'n rêl cariad bach pan o'n i'n blentyn. Mi fasat ti wrth dy fodd yn rhoi hergwd i mi nes bod fy nannedd i'n canu. Sef y rhain y medra i rŵan eu glanhau. Wyt ti erioed 'di defnyddio un o'r tacla 'ma? Mae arna i 'i ofn o braidd. Dwi'n disgwyl fflachiada glas, fy ngena i'n troi fel melin wynt, a llond ceg o waed.'

'Paid â siarad lol. Mi leiciwn i gael brws dannedd trydan. Roedd ganddyn nhw un yn nhŷ Angharad Fflur. Mi welais i o pan es i i'r lle chwech.'

'Pwy. . .?'

'Wyddost ti, y tŷ lle brynais i'r gwely. Tydi o ddim yn bell o'r fan 'ma. Ac ro'n i'n meddwl ei fod o mor grand. Do'n i'm yn sylweddoli dy fod ti'n un o'r byddigions, Iest.'

'Wel wrth gwrs 'mod i. Mi ddangosa i'r man geni aristocrataidd sy gen i ar fy nhin i ti, os na fihafi di!'

'Be arall gest ti, ar wahân i'r brws dannedd?'

'Fawr o ddim.'

'Paid â thynnu 'nghoes i. Mae'n rhaid bod dy fam 'di rhoi rhwbath i ti.'

Ochneidiodd Iestyn a phrocio'r anrhegion oedd ar ôl yn y drôr. 'Wel sbia di, 'ta. Yndda i rwyt ti i fod i gymryd diddordeb, nid yn fy fflipin presanta.'

Ro'dd o 'di cael ysgrifbin gan ei fam. Nid Sheaffer rhad o Smiths. Ysgrifbin mawr du Mont Blanc godidog oedd o.

'Wyddost ti faint mae'r rhain yn gostio?' sibrydais, gan ei ddal o'n ddefosiynol.

Cododd Iestyn ei ysgwyddau. 'Mi fedrith hi ei fforddio fo.'

'Iestyn!'

'Wel, mi fedar hi. Tydi hi ddim hyd yn oed wedi gweithio am ei phres. Eu cael nhw ar ôl ei thad ddaru hi.'

'Ond mae o'n dal i fod yn bresant hyfryd.'

'Nac 'di wir, nid os wyt ti'n ei chael hi'n anodd i sgwennu dy blydi enw, hyd yn oed,' meddai Iestyn. Dyna'r tro cyntaf erioed i mi ei glywed o'n rhegi.

'Ella'i bod hi'n meddwl y basa fo o help i ti.'

'Ella.'

'Roedd hi'n siŵr o feddwl y basat ti'n sgwennu'n arbennig o ofalus efo ysgrifbin mor hardd. Wyt ti 'di rhoi cynnig arno fo eto?'

'Naddo.'

'O, Iestyn, neno'r Tad. Ty'd â darn o bapur i mi. Wyt ti'n malio os rhodda i dro arno fo?'

'Croeso i ti neud.'

Mi sgwennais i: 'Glesni ydw i ac ysgrifbin Iestyn ydi hwn ac mae o'n hardd eithriadol. Mae o'n gymaint o ffŵl. Mi faswn i wrth fy modd petai gen i bìn sgwennu fel hwn.'

'Felly cymra di o,' meddai Iestyn gan ddarllen dros fy ysgwydd.

'Na wnaf! O, na, do'n i'm yn trio deud 'mod i isio fo, nac

125

oeddwn wir. A fedri di ddim rhoi'r ysgrifbin gest ti gan dy fam i rywun arall, chwaith. Mi fasat ti'n brifo'i theimlada hi.'

'Wel dos â fo yn bendant felly.'

'Rwyt ti'n fab ofnadwy.'

'Ro'n i'n meddwl dy fod ditha am fod yn ferch ofnadwy?'

'Mae hynny'n wahanol. Mae Jay yn wahanol. Y hi sy'n ofnadwy, mae dy fam di'n neis.'

'Pam na gymri di hitha hefyd? Mi fasa hi wrth ei bodd. Mae hi'n meddwl y byd ohonat ti.'

'Ydi hi wir?'

'Fedar hi ddim credu bod ei mab is-normal hi 'di dod o hyd i gariad o'r diwedd.' Symudai Iestyn yn aflonydd o'r naill droed i'r llall, gan lyfu siwgwr y beren oddi ar ei arddwrn. 'Hynny ydi, ffrind. Merch. Ti'n gwbod be dwi'n ei feddwl.'

'Diolch i'r drefn 'mod i ddim wedi gwau llewys i ti, yr hen slob. Ddeudodd hi wir ei bod hi'n fy leicio i?'

'Do. . . ddeudais i 'te!'

'Wyt ti'n fy leicio i, Iestyn?'

'Mm. Ydw. Rwyt ti'n gwybod 'mod i.'

'Felly pam nad wyt ti isio deud mai fi ydi dy gariad di?'

'Be? O, mae o jest yn swnio ychydig yn. . . od.'

'Nac 'di tad.'

'Wel. Iawn 'ta. Ti 'di 'nghariad i. Ocê?'

'Be arall gest ti'n anrheg Dolig?'

'Dim.'

'Mae 'na betha eraill ar ôl yn y drôr 'na.'

'Petha *boring* ydyn nhw.'

Roedd o'n dweud y gwir hefyd—sanau a hancesi a jig-sos gan ryw hen fodrybedd oeddan nhw.

'Dydi'u hanner nhw ddim yn cofio pa mor hen ydw i,' meddai Iestyn, gan ddangos jig-sô Sam Tân i mi. 'Neu ella'u bod nhw 'di cael gair efo fy rhieni ac wedi penderfynu mai Sam Tân sy ora ar fy nghyfer i.'

'Mi fydda i'n eitha leicio gneud jig-sos,' meddwn i. 'Ro'n

i'n arfer gwnïo bagiau allan o glytwaith ac roedd y rheiny fath
â jig-sos enfawr, efo'r darna bychain yn ffitio i'w gilydd i gyd.
Ond mi roeddan nhw'n cymryd gormod o amser i'w gneud
felly doeddan nhw ddim yn economaidd.'

'Dynes fusnes fach ddiflas wyt ti yn y bôn, yntê? Tewch â
sôn am foddhad creadigol, jest dowch â'r ceinioga imi os
gwelwch yn dda.'

'Mae gan rai ohonon ni rieni cyfoethog. A rhai ohonon ni
ddim.'

'Aw. Ocê, ocê. Felly sut wyt ti'n medru fy ateb i'n ôl gystal
pan dwyt ti prin yn agor dy geg yn yr ysgol?'

'Wel, os wyt ti'n mynd i sôn am yr ysgol yna dwyt titha
ddim i dy weld yn gwbl ddedwydd yno chwaith, yn bihafio
'run fath â rhyw wyddonydd gwallgo drwy'r amser.'

'Na, nid dyna'r ateb ro'n i am ei glywed. Rwyt ti i fod i sbio
i fyw fy llygaid i a deud dy fod ti'n teimlo y medri di ddeud
unrhyw beth leici di wrtha i. Dy fod ti'n teimlo dy fod ti wedi
fy adnabod i erioed. Dy fod di. . .'

'Wyt ti 'di bod wrthi ar y slei yn sgwennu i Gyfres Seren
Serch?'

'Mi fedrwn i swyno arth o'i ffau heddiw 'ma. Oes gen ti
fwy o bêrs siwgwr. Roedd yr un ola 'na'n ffantastig.'

'Nac oes, ddim efo mi. Mi ddo i â mwy y tro nesa y do i.
Hynny ydi, os gofynni di i mi ddod draw eto.'

'Aha. Wyt ti 'di pwdu efo fi?'

'Wel, wnest ti ddim ffonio na dim. Dim hyd yn oed ar
ddiwrnod Dolig.'

'Ac roeddat titha 'di treulio'r gwylia'n hofran ger y ffôn, yn
gobeithio?'

'Naddo. Ond mi ddaru mi geisio dyfalu pam nad oedd y
mochyn bach Iestyn 'na ddim 'di gysylltu â mi.'

'Ro'dd y mochyn bach yn stỳc yn fan'ma yn y twlc efo'r
Baedd a'r Hwch a'r Mochyn Bach Arall, dyna pam. Ond
diolch byth eu bod nhw i gyd wedi mynd i'r Farchnad heddiw

fel y gall y mochyn bach yma wahodd ei ffrind bach draw. Cariad bach.'

'I ble'r aethon nhw?'

'I weld rhyw hen fodryb yn rhywle. Ac mae'r Athrylith 'di mynd i weld rhyw eneth. Dwi ddim isio gwastraffu amser yn siarad amdanyn nhw. A rho ditha lonydd i'r hen anrhegion diflas yna.'

'Tydan nhw ddim yn ddiflas,' meddwn, gan ddod ar draws un neu ddau o lyfrau plant. Llyfrau difyr gan T. Llew Jones. Edrychais ar y tudalennau blaen a chodi fy aeliau. 'Argraffiadau cynta! Mae'n rhaid bod y rhain 'di costio ceiniog neu ddwy. Gan bwy gest ti'r rhain?'

'Gan fy nhad. Ond y fo sy'n casglu llyfra plant, nid y fi. Ei hoff lyfra fo pan oedd o'n hogyn 'di'r rheina.'

'Felly mae o isio i ti eu leicio nhw hefyd. Tydi hynny ddim yn drosedd, nac 'di? Wel, mi faswn i wrth fy modd pe bai Jay yn rhoi. . . be bynnag roedd hi'n ei ddarllen pan oedd hi'n fechan—*Lady Chatterley's Lover*, fwy na thebyg. A be 'di'r rhain?'

Tynnais yr anrheg olaf allan, sef pâr o sanau, wedi'u gweu efo llaw, ac wyneb bach wedi'i frodio ar bob un o'r bodiau. Roedden nhw'n ddigon tebyg i'r math o bethau y byddwn i'n eu gwneud fy hun. Penderfynais y medrwn i ddefnyddio'r syniad ar gyfer fy stondin. Mi fedrwn i weld ar unwaith y basan nhw'n boblogaidd.

'Yn tydan nhw'n grêt?'

'Nac ydyn.'

'O, Iestyn, mi rwyt ti'n styfnig fel mul rŵan. Dyma'r anrheg berffaith i ti. Dwyt ti'm yn fodlon gwisgo slipars go iawn felly mae'r rhain yn gynnes fel toes, ac mi fedri di symud bodia dy draed yn ôl ac ymlaen a rhoi personoliaeth wahanol i bob un. Cwmni da i Llawes. Gan bwy gest ti'r rhain?'

'Dwn i'm,' meddai Iestyn yn bwdlyd.

Gwelais y labed ar y papur. 'I Iestyn oddi wrth Gwil' mewn llythrennau italaidd hardd.

'Be roddaist ti iddo fo?'

'Dim.'

'Paid â bod yn wirion.'

'Wel, dim rhyw lawar.'

'Oes rhaid i ti fod mor bryfoclyd?'

'Wel, mi rwyt ti'n dechra codi 'ngwrychyn i, os oes rhaid i ti gael gwybod, rwyt ti fel cnul am yr hen anrhegion diflas yma,' meddai Iestyn, gan eu taflu nhw i gyd yn ôl i'r drôr a'i gau o'n glep. 'Mi roddais i focs o siocledi yr un iddyn nhw. Doeddan nhw ddim yn siocledi neis iawn chwaith. Mi brynais i nhw'n rhad yn y farchnad. Ac os wyt ti isio 'nghyhuddo i o roi anrhegion gwael, yna mi gytuna i efo ti. Ocê?'

Taflodd ei hun ar y gwely. Syrthiodd ei ben yn ôl a tharo'n boenus yn erbyn y wal ond roedd o fel petai o'n benderfynol o fod yn ddi-hid. Eisteddais inna'n llonydd, gan syllu i'm côl. Distawrwydd llethol.

'Aw,' meddai Iestyn yn y diwedd, a rhwbio'i ben.

'Mi *rwyt* ti'n rhoi anrhegion hyfryd. I mi.'

Moesymgrymodd Iestyn. 'Mae'n ddrwg gen i 'mod i 'di colli 'nhymer.'

'Ac mae'n flin gen i os o'n inna braidd yn fusneslyd, yn mynd trwy dy betha di i gyd.'

'Helpa dy hun. Leiciet ti baned arall? Mae 'na fara brith hefyd. Bara brith i aderyn brith?'

'A be am yr holl eisin yna, a'r gellyg?'

'Diwrnod y Loddest Fawr 'di hwn, 'ngenath i. Be am ddod i weld rhai o'r danteithion dwi wedi eu rhoi o'r neilltu i ni? Gwranda, a llyfa dy wefusau. *Pâté* twrci. Sôs *cranberry*. Bisgedi o bob math. Satswmas. Paced cyfan o *Angel Delight* blas mefus a digon o lefrith i'w gymysgu o. Potel o sudd afal. Mi fedren ni hyd yn oed ddwyn peth o win Dad, er ei fod o'n dueddol o fod yn biwis ynglŷn â hynny. Ond tydi Mam prin yn sylwi os ydi'r ffridj yn edrych fel petai haid o locustiaid 'di bod trwyddi hi. Dwi 'di safio sbarion y mŵs siocled hefyd. Well i ni fwyta hwnnw'n o fuan, mae o'n edrych fel pe bai o ar droi.'

'Am fwyd nefolaidd.'

'A dwi 'di dewis fideo arbennig, rhag ofn i ni fethu meddwl am betha i'w deud wrth ein gilydd.'

'P'run?'

'Rhywbeth mor iasoer a syfrdanol fel na fyddi di fyth 'run fath eto.'

'Dwyt ti'm 'di cael *Driller Killer* neu *I Spit on Your Grave*, naddo?'

'Llawer, llawer gwaeth na hynny.' Chwifiodd Iestyn fideo o dan fy nhrwyn.

'One Hundred and One Dalmatians!'

'Mi fydd Cruella de Ville yn siŵr o wneud i ti grynu yn dy sgidia.'

'Pwy?'

'Dwyt ti ddim 'di'i gweld hi?'

Ysgydwais fy mhen.

'Grêt! Dyma fy hoff ffilm i. Mi fyddwn i'n arfer mynd i'w gweld hi ddwywaith yr wythnos bob gwylia Dolig. Mae gen ti drêt enfawr o dy flaen.'

Ond doedd hi ddim yn drêt o gwbl. A methiant fu'r wledd.

Daeth Gwilym adref.

14

Dyma ni'n clywed sŵn drws y ffrynt yn agor ac yn cau i lawr y grisiau. Yna sŵn rhywun yn chwibanu a sŵn traed ar y grisiau.

'O, Dduw,' sibrydodd Iestyn.

'Be?' dechreuais holi ond ysgydwodd ei ben yn wyllt a gosod blaen ei fys yn erbyn ei wefus.

Gwnaeth siâp 'Sh, sh, sh!' efo'i geg fel petai o mewn rhyw bantomeim gorffwyll.

Daeth sŵn y traed yn nes ac yn nes. Tyfodd sŵn y chwibanu llon yn uwch.

'Henffych, Frawd Bach,' galwodd Gwilym.

Atebodd Iestyn â thri gair swta, 'Dos o'ma.'

'Be sy?' holodd Gwilym. Roedd o'n swnio fel pe bai rhywbeth yn ei oglais o.

Roedd o reit y tu allan i'r drws.

'Paid â dod i mewn!'

Tynnodd Iestyn ei goesau hirion yn nes ato a dechrau cnoi ei figwrn mewn anobaith. Syllais arno. Ro'n i 'di dechrau laru ar ei giamocs.

'A! Dyna lle'r wyt ti yn chwarae efo ti dy hun, ia?' dywedodd Gwil.

'Paid â bod mor ffiaidd,' ysgyrnygodd Iestyn.

Pam oedd o'n gwneud y fath ffwdan wirion? Oedd arno fo gywilydd ohona i?

'Wel, rho dy ddwylo yn dy boced, dwi'n dod i mewn,' meddai Gwil ac agorodd y drws.

'Dos o 'ma,' sgrechiodd Iestyn.

Chymerodd Gwil ddim sylw. Roedd o'n syllu arna i. Ac mi syllais inna'n ôl. Am wn i 'mod i 'di meddwl y byddai o'n debyg i Iestyn o ran pryd a gwedd, yn fain ac yn chwithig, efo'r un math o wallt gwirion yr olwg. A sbectols, am ei fod o'n beniog. Ond mi roedd Gwil yn bishyn. Roedd Iestyn yn edrych fel pe bai o'n gwisgo corff oedd yn rhy fawr neu'n rhy fach iddo fo, heb sôn am ddillad nad oedd yn ei ffitio. Roedd Gwil yn bendant yn gyfforddus yn ei gorff ac roedd ei ddillad yn fendigedig. Roedd ganddo fo grys a throwsus Crolla, ond roedd o'n rhy glyfar i fod yn geiliog dandi llwyr. Gwisgai hen sgidiau tennis diraen a sanau llwyd trwchus. Gwisgai sgarff hir wen wedi'i thaflu'n ffwrdd-â-hi o amgylch ei wddf. Ond na, doedd dim byd ffwrdd â hi am Gwil. Mi wyddai o i'r blewyn sut effaith oedd i'r sgarff, y steil, y wên.

Gwên fwriadus, braidd yn gocg oedd hi. Prin bod ei wefusau'n lledu o gwbl. Roedd o 'di codi un ael rhyw fymryn. Mae'n rhaid ei fod o 'di ymarfer am oriau o flaen y drych. Roedd ei wallt hir, syth, sgleiniog yn syrthio i'w lygaid ac ysgydwodd o'n ôl fel bod golwg ddeniadol o aflêr arno. Roedd arogl persawr siafio drud arno.

Ro'n i isio'i gasáu o. Ac nid er mwyn Iestyn yn unig. Roedd hi'n amlwg bod gan Gwil gymaint o feddwl ohono fo'i hun, bron nad oedd o'n haeddu cael ei ddrwgleicio.

'Helô, Glesni,' meddai, fel petaen ni'n dau yn nabod ein gilydd ers oes pys.

'Helô, Gwil,' meddwn inna.

Ro'n i'n ceisio swnio'n ddi-hid ond mi wyddwn 'mod i'n gwrido. Edrychai Iestyn fel pe bawn i 'di rhoi hergwd iddo fo. Newidiodd gwên Gwil o'r coeg i'r rhywiol.

'Dwi 'di clywed gymaint o sôn amdanat ti.'

'Cau dy geg, Gwil,' crawciodd Iestyn.

'Hei, sbiwch ar yr holl fwyd 'ma. Grêt, dwi'n llwgu.'

'Ein bwyd *ni* 'di hwn.' Roedd hi fel pe bai'r blynyddoedd yn llithro oddi ar ysgwyddau Iestyn. Roedd o'n dechrau swnio fel plentyn cecrus, chwe blwydd oed. Anwybyddodd Gwil o. Dewisodd fisgïen a'i throchi hi yn y *pâté* twrci.

'Mae blas da ar hwn,' meddai, gan ei lowcio'n awchus.

'Dim mwy!' mynnodd Iestyn, pan estynnodd Gwil ei fraich eto. Tynnodd y twbyn *pâté* o afael Gwil, a'i amddiffyn o'n hurt yn ei erbyn.

Cododd Gwil ei aeliau. Edrychodd arna i. 'Pam nad ewn ni i gyd i lawr grisia a chael cinio gwâr, go iawn?'

'Dim blydi peryg,' meddai Iestyn.

'Beth amdanat ti, Glesni?' holodd Gwil yn dawel.

'Mi. . . mi rydw inna'n iawn yn y fan 'ma,' atebais yn ansicr.

'Reit, glywaist ti hynna? Mae hi am aros fan hyn efo fi. Felly dos o 'ma, Gwil. Dos, dos i ffwrdd.' Cododd Iestyn ar ei draed a cheisio, yn llythrennol, wthio ei frawd allan o'r stafell. Roedd o'n dalach na Gwil, ond roedd hi'n amlwg p'un ohonyn nhw oedd gryfa. Sefai Gwil yno'n gwenu. Trodd gwthio Iestyn yn ddyrnu.

'Paid, Iestyn,' mwmialais.

'Rwyt ti'n codi cywilydd ar Glesni,' meddai Gwil. 'Tyfa i fyny, Iestyn.'

'Wel dos o'm llofft i 'ta,' crefodd Iestyn. Roedd o bron â chrio.

'Ocê, paid â chynhyrfu gymaint. Wela i ti eto, Glesni.'

Ysgydwodd Gwil law â mi. Synnwyd fi gan yr ystum rhyfedd o ffurfiol hwn ac roedd arna i ofn bod cledr fy llaw yn damp. Daliodd Gwil afael yn fy llaw am eiliad, ac yna cerddodd yn dalog o'r stafell.

'A gwynt teg ar dy ôl di!' gwaeddodd Iestyn, fel pe bai o 'di ennill.

Rhwbiodd ei ddwylo yn erbyn ei gilydd, a'i ên ar osgo. Wrth i ni sbio ar ein gilydd sylweddolais bod golwg wedi dychryn arno fo. Dechreuodd ymystwyrian o amgylch ei stafell fel pe bai o wedi'i weindio, dan regi. Disgwyliais. Stopiodd o'r diwedd a syrthio ar y gwely. Tarodd ei ben eto a'i rwbio, gan wneud stumiau. Roedd o'n edrych fel babi mawr. Ro'n i isio rhoi hergwd iawn iddo fo. Ro'n i'n dallt, wrth gwrs. Ond doedd hynny fawr o help. Fedrwn i ddim diodda meddwl ei fod o wedi colli mor anobeithiol o lwyr. A fedra fo ddim diodda 'mod i'n dyst i'r peth.

Mi ddylswn i fod wedi mynd adre'n syth ond fel ffŵl, mi

arhosais. Pwdai Iestyn ar ei wely, prin y dywedodd o air. Mi siaradais i ddigon i ddau, gan daenu brawddegau dros y distawrwydd. Siaradais yn uchel, gan obeithio y byddai Gwil yn clywed. Pe bai Iestyn yn trio eto mi allen ni greu sgwrs, chwerthin, creu awyrgylch parti preifat, ac yna tro Gwil fyddai hi i deimlo ar y tu allan. Mi allen ni ei glywed o i lawr yn y gegin yn hel cinio. Roedd y radio ymlaen ganddo ac mi'r oedd o'n canu'n braf. Doedd o ddim yn medru cynnal y dôn yn llwyr, ond doedd dim gwahaniaeth. Roedd ei lais o'n ysgafn ac yn bersain. Parablais inna ymlaen ac ymlaen, yn chwysu gan yr ymdrech. Ond ni wnaeth Iestyn ymdrech o gwbl. Gorweddai ar ei hyd ar ei wely, ei siwmper newydd yn grychau i gyd dros ei stumog, a'i drywsus hanner ffordd i fyny ei fferau, gan ddangos coesau fel coesau madarch. Roedd drewdod ei draed yn llenwi'r stafell gyfan.

Fe drion ni fwyta ein cinio ein hunain ond doedd dim llawer o archwaeth ar yr un ohonon ni. Trodd y wledd yn llanast plentynnaidd o sbarion bwyd. Roedd y mŵs wedi troi'n hylif tywyll ac roedd y *pâté* fel pe bai o wedi gadael ei flas ar bopeth arall. Pigais yn anhapus tra llowciai Iestyn unrhyw beth y câi afael ynddo. Lawr yn y gegin mae'n debyg bod Gwil yn cynhesu cawl; doedd dim modd camgymryd arogl cawl tomato Heinz. Clywais o'n rhwygo bara crystiog. Yn sydyn roedd arna i isio bwyd eto, roedd arna i hiraeth am gawl a bara cartref. Mi fedren ni i gyd fod yn rhannu hwnnw rŵan, i lawr yn y gegin, pe bai Iestyn heb fod mor wirion. Mi fedren ni fynd rŵan, yn medren? Doedd dim rhaid i ni fod o dan warchae yn stafell wely Iestyn.

Aros yno ddaru ni. Ddaru ni roi'r gorau i fwyta. Ddaru ni roi'r gorau i sgwrsio. Felly ddaru ni wylio *One Hundred and One Dalmatians*. Pam oeddem ni'n ei gwylio hi? Roedd hi'n ffilm neis, neis. Hynod o ddiddorol pe baech chi'n ddeg oed neu'n iau. Ys gwn i beth fyddai Gwil yn ei feddwl ohonon ni? Syllai Iestyn fel delw ar y sgrin, a'i ên yn twrio i mewn i'w ddwylo. Roedd o'n cnoi ei wefus, yn brathu'r croen. Gwnâi hynny iddo fo edrych yn hyllach nag erioed. Daliodd i syllu ar y sgrin ar ôl i'r ffilm ddod i ben.

Penliniais wrth ei ochr ar y gwely. Doedden ni ddim 'di arfer ag eistedd mor agos at ein gilydd. Ddaru Iestyn ddim sbio arna i.

'Iestyn?'

Dim ond sibrydiad oedd o ond mi wnaeth iddo fo neidio.

'Mm?'

Do'n i ddim yn siŵr beth ro'n i isio'i ddweud. Doedd dim pwynt mewn gofyn beth oedd o'i le oherwydd gwyddai'r ddau ohonon ni'n iawn. Mewn anobaith, gafaelais yn ei law. Gorweddai'n llipa yn fy llaw i, a'r bysedd wedi'u crymu, fel pe bai o newydd farw.

'Ydi Llawes yn cysgu?'

Cododd Iestyn ei ysgwyddau.

'Deffra fo.'

'Does dim pwynt.'

'Oes, mae 'na bwynt. Ty'd, gwisga dy siwmper lwyd eto. Gwna i Llawes ddod yn ôl a siarad efo mi.'

'Ond mae'n gas gen ti Llawes.'

'Nac oes.'

'Oes.'

'Mae'n gas gen i pan 'dan ni'n ffraeo am ddim byd.'

'Felly, mae'n well i ni beidio.' Tynnodd Iestyn ei law o'm llaw i. 'Pam nad ei di adra?'

Felly mi es i. Welais i mo Iestyn am weddill y gwyliau. Mi driais i ei osgoi o ar y diwrnod cyntaf yn ôl yn yr ysgol. Fy nhro i oedd hi i bwdu. Daliodd Iestyn i fyny efo mi ar y ffordd adref.

'Pam nad wyt ti'n dod acw?'

Ddaru mi drio ei anwybyddu o ond roedd o'n llamu o'm hamgylch i, gan droi ei ddwylo yn gorn siarad er mwyn gweiddi fy enw i.

135

'Iestyn!'

'A! Mi fedr hi glywed eto! Gwyrth. Tafla ymaith dy gymorth clywed a'th gorn clustia, fy merch i.'

'Oes rhaid i ti fod yn gymaint o ffŵl?'

'Ffŵl ydw i, yntê?'

'Ia.'

'Ffŵl o'n i ychydig ddyddiau'n ôl.'

'Ychydig wythnosa'n ôl.'

'Ia. Wel, mae'n flin gen i am hynny. Felly ty'd adra efo mi rŵan, wnei di? Dwi wedi dyfeisio pwdin newydd er anrhydedd i ti. Treiffl Glesni. *Meringues* efo cyrans duon a thalp mawr o hufen iâ a Curaco glas am ben y cyfan. Mae 'na lond powlen enfawr ohono fo yn y ffridj, yn dy ddisgwyl di.'

'Mi ddeudaist ti wrtha i am fynd adra'r tro diwetha.'

'A dwi'n gofyn i ti ddod adra y tro hwn.'

'Iest. . .'

'Gwranda, dwi 'di deud ei bod hi'n flin gen i.' Neidiodd Llawes rhyngom ni. 'Leiciech chi i mi ymddiheuro dros yr hogyn, 'ngeneth i? Rhowch gyfle i'r glaslanc gwirion, rhowch wir. A gyda llaw, oes ganddoch chi damaid o'r gwlân ardderchog 'na ar ôl? Mi rydw i'n gorfod ymddangos ger eich bron chi yn noethlymun i gyd pan fydd yr hogyn yn gwisgo'i siwmper newydd.'

Chwarddais, a phenderfynu 'mod i 'di cael llond bol ar bwdu. Mi es i adre efo Iestyn a rhannu bowlen enfawr o'r Treiffl Glesni a siarad yn ddi-baid tan ddeg o'r gloch. Dim ond am un peth ddaru ni ddim siarad. Un person.

Cerddodd Iestyn yr holl ffordd adref efo mi ac wrth i mi roi fy allwedd yn y clo gafaelodd ynof a'm cusanu. Do'n i ddim wedi disgwyl iddo fo wneud y ffasiwn beth felly ddaru'n trwynau ni daro yn erbyn ei gilydd a'n dannedd ni hefyd. Gwenodd Iestyn mewn embaras. Chwerddais inna'n nerfus. Disgwyliodd y ddau ohonom, doedd y naill na'r llall yn siŵr a ddylen ni drio eto. Ddaru ni ddim yn y diwedd. Ddaru ni ddim cusanu'r noswaith ar ôl hynny nac unrhyw noswaith arall chwaith. Weithiau mi fyddwn i'n poeni mai arna i oedd y bai, nad oeddwn i'n ddigon del neu'n ddigon rhywiol, neu bod 'na oglau drwg ar fy ngheg i neu ryw glefyd arall yr un mor wrthun. Bryd arall mi fyddwn i'n meddwl mai ar Iestyn oedd y bai.

Wyddai o ddim sut i fynd ymhellach ac roedd arno fo ormod o ofn trio.

Yna un prynhawn roedd Iestyn yn aflonydd ac yn dawel ac am bedwar o'r gloch ddaru o balu rhyw esgus ynglŷn â mynd i weld y deintydd. Y prynhawn wedyn roedd rhyw hen fodryb yn ymweld â nhw. A'r prynhawn wedyn gofynnais iddo'n syth.

'Pa esgus sy gen ti'r tro yma, Iest?'

'Be wyt ti'n feddwl? Pa esgus?' dwndrodd Iestyn.

'O, ty'd yn dy flaen. Does arna i ddim isio clywed mwy o hen rwtsh am ddeintyddion a modrybedd.'

'Reit, reit. Er mae'n rhaid i mi ddeud bod yr esgus oedd gen i heddiw yn un reit ddychmygus. Gwersi nofio? Mae'n siŵr dy fod ti'n meddwl 'mod i'n ymddwyn fath â penci llwyr. Ac mi rydw i hefyd, dwi'n cyfadda. Ty'd adra efo mi, Glesni.'

Roedd Gwil yno. Roedd o 'di dod adref o'r ysgol am benwythnos hir ac wedi dal ffliw gastrig. Fedrai Gwil, hyd yn oed, ddim edrych yn ddel o dan y fath amgylchiadau. Ges i gipolwg arno fo'n rhuthro am y lle chwech, a'i wyneb yn welw a blewog, ei wallt yn seimllyd, hen siwmper wlân hynafol dros ei byjamas lliw hufen. Dwi'm yn meddwl iddo fo sylwi arna i hyd yn oed.

Rydan ni'n mynd i roi cloch fechan iddo fo. 'Run fath â'r gwahangleifion,' meddai Iestyn yn llawen.

Ond y dydd Llun canlynol doedd Iestyn ddim yn yr ysgol, na'r dydd Mawrth chwaith. Felly mi fenthycais i bres gan Lois a phrynu pinafal, llond bocs o hancesi papur mawr a photaid o Vicks Vaporub a cherdded draw i'w dŷ o. Ro'n i'n betrusgar, yn ansicr a fyddai o am fy ngweld i ai peidio.

Daeth mam Iestyn at y drws. Roedd hi'n gwisgo ffrog Laura Ashley fel pabell a chlustdlysau ethnig. Cododd ei dwylo mewn syndod, a'i breichledau arian yn codi hyd ei phenelinoedd.

'Glesni! Dyna braf eich gweld chi! Dewch i mewn.'

'Dwi 'di dod i weld sut mae Iestyn. Dwi'n cymryd bod y ffliw arno ynta rŵan.'

'Oes, mae coblyn o ffliw arno fo, druan. Mae o 'di bod yn reit symol a deud y gwir, ond mae'n siŵr y byddwch chi'n codi ei galon o. Mi wna i jest bicio i fyny yna i dwtio rhyw fymryn arno fo. Mi wyddoch chi gymaint o slobs 'di dynion pan fyddan nhw'n sâl.'

Yn y cyfamser, rhoddodd fi i eistedd yn y stafell fyw. Roedd tad Iestyn yno, yn gwisgo smoc pysgotwr a throwsus rib, yn eistedd ar glustog ar y llawr yn darllen llyfr Penguin. Er mawr chwithdod i mi, caeodd y drws yn glep a dechrau tynnu sgwrs â mi. Gwnaeth llwyth o jôcs gwirion heb newid yr olwg ar ei wyneb o gwbl ac roedd fy ngên i'n brifo efo'r ymdrech o wenu'n neis ar y foment iawn.

Doedd dim golwg o'r claf arall.

Daeth mam Iestyn yn ei hôl. Roedd hi'n gwrido fymryn.

'I fyny â chi, 'ta, Glesni. Chwarae teg ichi am ddŵad. Wyddoch chi ddim be mae o'n ei feddwl i Iestyn, eich bod chi'n ffrindia efo fo. Dydi o ddim wedi ei chael hi'n hawdd i wneud ffrindia, wyddoch chi.'

Roedd fy ngên yn dal i frifo. Byddai Iestyn druan yn gwingo pe bai o'n ei chlywed hi.

'Cymerwch ofal na ddaliwch chi'r hen ffliw 'na,' meddai tad Iestyn. 'Peidiwch â'i gusanu o heno.'

Chwerddais yn anniddig a brysio i fyny'r grisiau efo fy mhinafal, hancesi papur a Vicks. Cnociais ar ddrws Iestyn. Dim ateb. Cnociais eto a galw ei enw. Clywais o'n ochneidio y tu mewn.

'O, ty'd yn dy flaen 'ta,' mwmialodd yn llawn annwyd.

Wn i'm sut olwg oedd arno fo cyn i'w fam ei dwtio fo. Roedd o'n gorweddian ar ei wely efo un llaw a dwy droed yn y golwg o dan y gorchudd. Roedd ei wyneb yn welw, ond roedd y croen o amgylch ei drwyn o'n goch ac yn gramennog. Roedd hyd yn oed ei wallt o 'di colli ei fywiogrwydd arferol. Gorweddai'n llipa ar y gobennydd fel tamaid o waith gweu wedi i rywun ei ddatod o.

'Sut wyt ti 'ta?' holais yn wirion.

'Ar ben fy nigon,' meddai Iestyn.

'Mae'n ddrwg gen i. Roedd o'n gwestiwn hurt. Hwda, dwi 'di dod â'r rhain i ti.'

Dangosais y pinafal, yr hancesi papur a'r Vicks iddo fo. Ro'n i'n falch ohonyn nhw ond doedd Iestyn ddim mewn cyflwr i'w gwerthfawrogi nhw.

'Ro'n i'n darllen erthygl ychydig ddyddia'n ôl am yr enseims sydd mewn pinafala,' dywedodd. 'Maen nhw'n eithriadol o bwerus. Roedd 'na gatrawd o filwyr yn ystod y rhyfel dwytha'n llwgu ac mi ddaethon nhw ar draws planhigfa binafala yn y jyngl a gwledda arnyn nhw ac ychydig ddyddia'n ddiweddarach mi gollon nhw eu dannedd i gyd.'

'Mae 'na lawer o Fitamin C ynddyn nhw,' meddwn innau'n benderfynol, 'sy'n arbennig o dda at annwyd.'

'Nid annwyd sydd arna i, ond ffliw gastrig. Felly ro'n i'n chwydu drwy'r dydd ddoe, a'r rhan fwyaf o neithiwr hefyd.'

'Mi brynais i hancesi papur i ti a pheth o'r Vicks yma. Rwyt ti i fod i'w rwbio fo ar dy frest. Neu mi fedrat ti drio'i anadlu o.'

'O, grêt. Mae o'n swnio'n well nag aromatherapi.'

'Pam wyt ti mor gas? Dim ond trio helpu ydw i.'

'Mi wn i. Rwyt ti'n ffeind ofnadwy. Ond isio bod ar fy mhen fy hun ydw i mewn gwirionedd. Mi *ddeudais* i wrth Mam am beidio â gadael i ti ddod 'ma.'

'Ocê, mi a' i.'

'Paid â digio,' cwynodd Iestyn. Cronnodd baw yn ei drwyn a thynnodd hances boced byglyd o rywle a chwythu'i drwyn ynddi'n swnllyd.

'Pam na ddefnyddi di dy hancesi papur? Mae gen i drueni dros dy fam yn gorfod golchi honna.'

'Mae hancesi papur yn gneud i 'nhrwyn i frifo.'

'Grêt. Pam na ddefnyddi di bapur tywod?' meddwn i, gan daflu'r anrhegion digroeso ar y gwely.

'Paid, wnci di, gwranda, dwi'n sâl. Fy nyrsio i'n dyner wyt ti i fod i'w wneud, nid taflu pinafala ata i.'

Cododd ar ei eistedd i symud yr anrhegion, ac ochneidio eto. 'O, Dduw. Dwi'n dal i deimlo mor sâl. Dwi'n meddwl mai ar ogla hwnna mae'r bai.'

'Mae'n flin gen i. Mi fydda i wrth fy modd efo hoglau pinafal.'

'Fedri di fynd ag o adra efo ti? Well i ti fynd rŵan, wir, Glesni,' dywedodd Iestyn, gan ymbalfalu o dan ei wely am fowlen golchi llestri. 'Oni bai dy fod ti am aros i 'ngweld i'n chwydu.'

'Nac 'dw, mi...'

'O, dos o 'ma.'

Dechreuodd gyfogi cyn i mi adael y stafell. Do'n i'm yn siŵr a ddylwn i nôl ei fam o ond roedd o fel petai o'n benderfynol o gael bod ar ei ben ei hun. Daliais fy mhinafal yn chwithig, heb fod yn siŵr iawn beth i'w wneud efo fo. Clywais ddrws y stafell molchi'n agor ar ochr draw'r landin. Dechreuais wrido cyn gynted ag y gwelais mai Gwil oedd yno.

'Helô, Glesni.'

'Helô. Wyt ti'n — wyt ti'n well rŵan?'

Yn sicr mi roedd o'n edrych yn well. Roedd o'n dal i wisgo pyjamas, rhai duon y tro hwn, efo gŵn nos Siapaneaidd lliw du a hufen drostyn nhw. Roedd o newydd olchi ei wallt ac roedd o'n sgleinio ac roedd oglau sebon ac Eau Savage arno fo.

'Llawer yn well rŵan,' meddai Gwil. Roedd ei wên o'n gweithio'n berffaith eto. 'Diolch i ti am ddod i weld sut ydw i. Ac mi rwyt ti 'di dod â phinafal i mi hefyd!'

Petrusais. Ro'n i'n teimlo'n wirion.

'Gei di o,' dywedais, gan estyn y pinafal iddo.

'Diolch.' Daliodd o fel gwobr.

Ro'n i'n gobeithio na fedrai o weld fy mochau'n fflamio'n sgarlad yn nhywyllwch y landin.

Roedd Iestyn yn dal i wneud synau ffiaidd y tu ôl i ddrws ei stafell wely.

'Ty'd—gad i ni roi llonydd i'r creadur,' meddai Gwil. Estynnodd ei law i mi a phetrusais yn wirion ac yna gafaelais ynddi. Ro'n i'n meddwl y bydda fo'n fy arwain i lawr i'r stafell fyw. Yn lle hynny, aethom i fyny'r grisiau.

'I ble 'dan ni'n mynd?'

'Fy stafell i. Fi sy biau'r atig. Dwi bron â marw isio gwybod be fyddi di'n ei feddwl ohoni hi. Mi ddaru mi'i pheintio hi i gyd dros y gwyliau Dolig a dwi'n reit falch o'r gwaith a deud y gwir.'

Ro'n i'n teimlo y byddai o'n beth rhy blentynnaidd o'r hanner i wrthod, felly mi es i efo fo—dim ond i edmygu'i stafell o. Ac mi roeddwn i'n ei hedmygu hi. Ddaru o 'ngadael i yno ar fy mhen fy hun am sawl munud tra oedd o'n mynd i nôl diod i ni'n dau. Crwydrais o amgylch y lle, ar flaenau fy nhraed bron. Roedd hi'n stafell soffistigedig iawn o feddwl mai hogyn ysgol chweched dosbarth oedd ei pherchennog hi: y waliau a'r carped a'r nenfwd yn ddu, efo clustogau a rŷg sidan lliw hufen. Roedd ganddo fo lamp Art Deco a chloc a ffigwr tsieini o ddynes efo dau filgi, ond doedd dim llanast personol i'w weld o gwbl. Mentrais agor cwpwrdd bychan sgleiniog du ac ro'n i'n falch i weld llwyth o hen gylchgronau a thapiau a hen lyfrau wedi'u stwffio yno. Ro'n i'n meddwl 'mod i wedi'u cau nhw i mewn yn iawn, ond pan ddaeth Gwil yn ôl i'r stafell agorodd drws y cwpwrdd yn araf, gan dywallt *Llyfr Mawr y Plant* ar y llawr.

'Rwyt ti 'di bod yn sbecian ar fy mhethau i, yn do,' meddai Gwil, gan eu gwthio nhw'n ôl i mewn i'r cwpwrdd efo'i droed noeth.

'Naddo ddim,' meddwn inna'n rhy gyflym.

'Dwi'n falch dy fod ti am wybod y cyfan amdana i,' meddai Gwil. Roedd o 'di rhoi'r pinafal yn rhywle ac roedd ganddo fo hambwrdd efo dau wydr coctêl du arno fo yn lle hynny. Ro'n i'n meddwl mai coffi roedd o'n ei feddwl pan ofynnodd o a oeddwn i isio diod.

'*Piña colada*,' cyhoeddodd. 'Efo tafell o binafal ffres.'

Fedrwn i ddim gweld sut y medrwn i wrthod. Dwi'n meddwl imi ei yfed o'n rhy gyflym. Ond do'n i ddim yn feddw pan eisteddodd Gwil ar fraich y gadair lliw hufen a chusanu fy ngwar. Do'n i'm 'di meddwl am y posibilrwydd o gael fy nghusanu yn y fan honno erioed o'r blaen. Feddyliais i erioed y gallai o deimlo gystal. Yna cyffyrddodd ei law â'm bron ac roedd hynny'n teimlo mor dda hefyd nes gwneud imi grynu. Gwelais wên Gwilym a cheisiais symud i ffwrdd. Bron i mi dywallt *piña colada* dros y soffa lliw hufen i gyd. Gafaelodd Gwil yn fy ngwydr tywyll a'i gymryd o oddi arna i.

'Mae popeth yn gweddu i'w gilydd yn y stafell yma,' meddwn yn grynedig. 'Y ti, hyd yn oed, yn dy ŵn nos Siapaneaidd.'

Ddaru o ddim gwisgo ei ŵn nos lawer yn hwy. Yn fy mhen ro'n i'n dal i'w gasáu o ond roedd fy nghorff yn ufuddhau iddo mewn ffordd oedd yn fy synnu i. Ro'n i 'di meddwl y byddai'r cyfan mor chwithig ac anghysurus. Doedd gen i ddim syniad y byddai o fel ton enfawr yn sgubo trosta i. Roedd Gwil yn codi llawer llai o arswyd arna i pan nad oedd o'n gwisgo ei byjamas duon. Doedd ei gorff o ddim mor berffaith ag ro'n i 'di'i feddwl. Roedd o braidd yn rhy denau ac roedd ganddo fo blorod ar ei gefn, ond doedd dim bwys o gwbl gen i. Roedd y peth yn gysur i mi, a dweud y gwir. Ro'n i'n poeni mwy o lawer am fy mrychau fy hun, ond roedd Gwil fel petai o'n fy ngweld i'n gyffrous. Do'n i'm wir yn medru credu be roeddan ni'n ei wneud. Roedd o'n brifo i ddechrau ond yna mi ddechreuodd pethau wella lot, er ei fod o'n dal i frifo, braidd. Ro'n i newydd ddechrau isio iddo fo fynd ymlaen am byth pan stopiodd o'n sydyn. Yn sydyn roedd Gwil yn drymach o lawer, a'i frest yn gwasgu'n anghyfforddus ar fy mronnau. Roedd o'n ochneidio.

'Wnest ti fwynhau, Glesni?' sibrydodd.

Doedd o ddim cystal ag ro'n i wedi'i obeithio ond mi ddywedais ei fod o'n hyfryd. Chwarddodd Gwil yn fuddugoliaethus. Yna agorodd drws ei stafell. Safai Iestyn yno. Roedd o'n edrych yn welwach fyth, ac roedd o'n syllu arnom ni.

15

Mae Jay yn gofyn pob math o gwestiynau ofnadwy i mi.

'Wn i ddim. Fedra i ddim cofio. A beth bynnag, tydi o'n ddim busnes i ti.'

'Nid busnesu yr ydw i, yr hen hurten, mae arna i isio gwybod oes 'na bosibilrwydd go iawn dy fod di'n disgwyl,' dywed Jay yn flin.'Wyt ti'n siŵr nad oedd o'n defnyddio condom?'

'Ydw.'

'Ddaru o ddim gafael ynddo fo'i hun, rhyw gwpl o eiliadau cyn. . . O, Dduw, rwyt ti'n 'y ngwneud i'n swil,' medd Jay gan chwerthin yn nerfus.

Dwi'n sbio arni'n filain ond wedyn mae fy ngwefusau'n crynu a chyn bo hir mi rydw inna'n chwerthin hefyd. Rydan ni'n dwy'n chwerthin yn aflywodraethus.

'Mae hyn yn hurt,' medd Jay gan ddal ei hanadl.

'Ti ddechreuodd.'

'Wel, ddaru o?' hola o'r diwedd, gan gymryd anadl ddofn.
'Naddo.'

'A ddaru o ddim tynnu allan? Wyddost ti, cyn iddo fo. . .'

'Dwi'n siŵr na ddaru Nain ofyn yr holl gwestiynau yma i ti pan ddeudis di wrthi hi dy fod ti'n mynd i gael babi.'

'Gwir,' medd Jay. 'Y cyfan wnaeth hi oedd galw hwren fach front arna i. Drosodd a throsodd. Fasa hi'n well gen ti taswn i'n gneud hynny?'

'Na fasa.'

'Wel rho'r gora i gecru 'ta. Rwyt ti'n gwybod be mae tynnu allan yn ei feddwl, wyt ti?'

'Ydw, ond. . .'

'Nid rhyw stori dylwyth teg ydi hyn i gyd, naci?'

'Naci!'

'Mae o jest mor anodd i'w goelio. Efo *brawd* yr hogyn 'na. Pam y fo ac nid Iestyn?'

'Fel 'na digwyddodd petha,' mwmialaf.

'Pa mor hen ydi'r brawd yma?'

'Deunaw. Dwy ar bymtheg, ella. Wn i'm.'

'Oeddat ti'n gwbod be roedd o'n ei wneud?'

'Wrth gwrs y gwyddwn i, tydw i ddim yn ddwl.'

'Fo ddaru dy berswadio di?'

'Ddaru o ddim fy nhreisio i. *Plîs* wnei di roi'r gora i sôn am y peth, Jay.'

'Dwi'n cymryd bod y peth ddim wedi bod yn llwyddiant mawr? Fydd o byth yn bleserus y tro cynta. Ond paid â gadael i hynny dy gamarwain di. Efo digon o ymarfer, mae o'n grêt.'

'Rwyt ti 'di cael hen ddigon o ymarfer.'

'Rwyt ti'n swnio'n union fath â Mam.'

Crychaf fy wyneb nes ei fod o'n edrych rhywbeth yn debyg i wyneb Nain. 'Y slwten fach front,' meddaf, gan ddynwared acen ffroenuchel Nain.

Mae Jay yn gwenu. 'Hei, reit dda. Rwyt ti'n swnio'n hynod

o debyg iddi. A deud y gwir, tydi ymarfer ddim yn gwneud petha'n berffaith bob tro. Gad i mi ddeud wrthat ti. . .'

Ac mae hi yn deud wrtha i, pob manylyn. Mae hyn yn hurt. Dydw i ddim isio sôn am ei bywyd rhywiol gwirion hi. Pam bod rhaid i ni siarad amdani hi o hyd? Y fi sy'n mynd i gael babi!

'Be wna i?'

'Wn i'm.'

'Y ti sydd i fod i ddeud wrtha i.'

Mae hi'n chwerthin eto, er dwi'n credu mai ffugio chwerthin mae hi'r tro hwn. 'Dydan ni ddim 'di cael llawer o lwc, yn nac ydan? Y fi gynta a rŵan ti.'

Tynnaf fy nghoesau at fy mrest a phwyso fy mhen arnyn nhw. 'Dwi'n teimlo'n ofnadwy.'

Dyma Jay yn estyn ei braich a 'nghofleidio i. 'Mi fydd popeth yn iawn. Weithiwn ni rywbath allan.'

'Nid dim ond am y babi dwi'n teimlo'n ofnadwy, ond am Iestyn, hefyd.'

'O. Felly mae o'n gwybod amdanat ti a'i frawd o?'

Aflonyddaf. Does arna i ddim isio'i braich hi. Cofiaf wyneb Iestyn a dechreuaf grio.

'Paid,' medd Jay. 'O, Glesni, tydi hi ddim yn ddiwedd y byd.' Dyma'i braich yn gafael yn dynnach ynof i. 'Os oes rhaid i ti gael gwybod, dwi'n reit falch mewn ffordd.'

'Wel mae'n rhaid dy fod ti o dy go, 'ta,' meddaf innau, gan ei gwthio hi i'r naill ochr.

'Ro'n i'n meddwl mai dyna oeddat ti. O dy go. Ro'n i wir yn meddwl dy fod ti wedi mynd yn ddwlál.'

'Ti 'di'r unig un ddwlál yn y teulu hwn.'

'Ro'n i'n siŵr mai dyna oedd arnat ti. Ddaru mi ddim breuddwydio mai disgwyl yr oeddat ti. Na, ro'n i 'di gweithio'r holl beth allan. Schizophrenia. Ddaru mi hyd yn oed ddechra chwilio am wybodaeth am ysbytai seiciatryddol, rhai modern lle maen nhw'n cynnig cyngor yn lle pwmpio cleifion yn llawn cyffuria. Ond mae'r rhai gora i gyd yn rhai preifat ac maen nhw'n costio ffortiwn.'

'Wnest ti ddim!' Do'n i ddim 'di sylweddoli ei bod hi 'di cymryd y peth gymaint o ddifri.

'Mi wnes i. Ro'n i'n poeni gymaint, ddaru mi sgwennu at Defi hyd yn oed.'

'Amdana i?'

'Yn gofyn os y dôi o.'

'Pam?'

'Oherwydd mai y fo ydi'r unig un rwyt ti 'di bod yn agos ato fo erioed. Ro'n i'n meddwl ella—wn i'm—y gallai o dy berswadio di i ddod at dy goed.'

'Ac ydi o'n dŵad? Sut wyddost ti lle mae o? Dwi'n siŵr nad ydi o wedi sgwennu'n ôl.'

'Do, mae o,' medd Jay.

Wrth gwrs. Cofiaf y llythyr post awyr ddaeth y diwrnod ddaru Nain ateb fy llythyr i.

'Ga i 'i weld o?'

'Na chei. Wn i ddim be dwi 'di'i wneud efo fo beth bynnag. Mae o'n dod i Gymru cyn bo hir, ella'r wythnos nesa. Mae o yn Amsterdam ar hyn o bryd felly dydi o ddim mor bell â hynny i ffwrdd.' Mae hi 'di dechrau gwrido a dwi'n synhwyro rhyw fath o gynllwyn.

'Pam na fedra i weld y llythyr? Amdana i mae o,' meddaf, ac yna daw syniad i 'mhen a dechrau dyrnu yno fel cnocell-y-coed. Mae o'n syniad rhy fawr a rhy amlwg i mi fedru ei anwybyddu o. 'Jay, ai Defi ydi 'nhad i?'

Syllaf arni a does dim iws gobeithio. Mi fedra i weld bod y syniad yn ei syfrdanu.

'Defi? Naci, wrth gwrs nad y fo ydi o. Be ar wyneb y ddaear wnaeth i ti feddwl hynny? Gwranda, rwyt ti'n gwybod y cyfan am dy dad.'

'Ydw, ond mae'r stori yna wastad yn swnio mor . . .'

'Dyna'r gwir.'

146

Dwi'm isio i bethau fod felly. Mi roddwn i'r byd i gael Defi yn dad i mi.

Dwi'n breuddwydio mai dyna sy'n wir pan af i gysgu o'r diwedd. Mae Jay a finna'n siarad yn ddiddiwedd trwy'r nos ond heb ddod i unrhyw gasgliad pendant. Crefaf arni am ddweud wrtha i beth i'w wneud, ond mae hi'n anobeithiol.

'Y ti sy i benderfynu, Glesni. Dy fabi di ydi o.'

Y fi ydi'r babi yn fy mreuddwyd am Defi. Nid babi bach ond geneth fechan, rhyw ddwy neu dair, yr un oedran ag yr oeddwn i pan es i i'r comiwn gyntaf. Mae Defi yno yn ei siaced ddu a phorffor, yn canu ei chwisl dun. Dydi'r plant eraill ddim yn bodoli. Rydan ni'n byw yn y tŷ ar ein pennau'n hunain bach. Gwrandawaf ar ei gerddoriaeth o a dwi mor agos ato fo fel y medra i deimlo grym y gân wrth iddi nofio allan o geg ei bib, ac yna mae o'n gorffen ac yn gafael ynof i a'm cofleidio. Swatiaf yno wrth iddo fwytho 'ngwallt a chwarae efo fy nghlustiau a'm trwyn a'm gên. Dwi'n teimlo'n gysglyd ac mae o'n cusanu fy llygaid ynghau. Gorweddaf yno'n ddiogel yn ei freichiau, yn cysgu jest iawn, yn cysgu o fewn y cwsg sydd yn y freuddwyd, ond mae rhywbeth yn fy atal i, rhywbeth yn goglais fy nhroed.

Nid Defi ydi o oherwydd mi fedra i deimlo ei ddwylo yn fy nal i. Mae'r peth yn tynnu rŵan, nid goglais, ac ysgydwaf fy nghoes i'w stopio, ond mae o'n dal ei afael yn dynn. Dydw i ddim isio agor fy llygaid. Dwi isio iddyn nhw ddal i fod ynghau ar ôl cusan Defi, felly dyma fi'n cicio'n wyllt ond mae beth bynnag sydd yno wedi gafael yn y goes arall hefyd rŵan. Rhoddaf fy llaw i lawr a chyffwrdd â llaw arall, hogyn bychan efo bysedd sy'n ymbalfalu am fy nghoes. Mae'n rhaid i mi sbio wedyn. Babi noeth sydd yno. Mae o'n dechrau dringo i fyny fy nghorff i. Mae ei freichiau a'i goesau bychain o'n gweithio'n syndod o effeithiol. Dwi'n trio ei wthio fo i ffwrdd ond mae o'r un mor gryf â mi. Mae o'n dringo i fyny nes bod ei wyneb yn sbio arna i a phoer yn glafoerio o'i geg wag.

Dyma fi'n crefu ar Defi i'm hachub i ond rhywsut dwi 'di llithro o'i afael o a dydi o ddim yna bellach. Mae'r babi yn glafoerio. Mae ei lygaid yn wag, yn ogystal â'i geg. Mae ei ben o fath â phwmpen Nos Galan Gaea ac mae o'n tyfu trwy'r amser.

Mae o'n fy ngwasgu i'n ddim, dros fy wyneb, yn fy mygu i. Gwaeddaf nes i Jay fy ysgwyd i'n effro. Am eiliad fer, gan gymysgu efallai rhyngddi hi a Defi, daliaf fy ngafael arni'r un mor dynn ag yr oedd y babi'n gafael ynof i, ond yna dwi'n ffroeni ei hen bersawr hi ac yn ei gwthio hi o'r neilltu, gan esgus 'mod i'n dal i gysgu.

Does arna i mo'i hisio hi. Does arna i ddim isio neb, dim hyd yn oed Defi. Ddaw o ddim, beth bynnag. A pham ddyla fo? Nid ei broblem o ydw i.

Ond dyma fo'n cyrraedd y dydd Llun wedyn, pan dwi ar fy mhen fy hun. Mae Jay yn y gwaith, mae'r Jamesiaid i gyd allan. Mi rydw inna yma yn aros amdano fo ac mi fedrwn ni fod efo'n gilydd.

Prin 'mod i'n ei nabod o o gwbl i ddechrau!

Mae o'n edrych yn rhy hen ac yn rhy sâl. A tydi o ddim yn gwisgo ei siaced ddu a phorffor a'r het enfawr. Wrth gwrs nad ydi o, mi fyddai golwg od iawn arno fo pe bai o'n dal i grwydro ar hyd y lle mewn gwisg ffansi hynafol o'r saithdegau. Mi fedrai o wneud hynny'n iawn heb i ormod o bobl sylwi yn y Gelli ond ddim yn y fan hyn, ac eto mae o'n edrych mor hynod o normal yn ei jîns a'i siaced fer. Ac mae o 'di torri ei wallt. Mae ei wyneb o'n edrych yn anghysurus o noeth ac mae ei glustiau o'n llawer rhy fawr. Mae angen siafio arno fo ac mae ymylon coch i'w lygaid; mae o'n edrych fel pe bai o 'di bod ar ei draed trwy'r nos. Ella 'i fod o, wrth ddod ar gwch a thrên o Amsterdam. Wrth ddod draw yn arbennig i'm gweld i.

'Helô, Glesni,' medda fo, ac mae o'n fy nghofleidio i. Mae 'i oglau jest yr un fath. Hoglau gwlân cynnes a thost, a'r un un ydi o, Defi, o hyd hefyd. Er 'mod i'n dal i deimlo'n swil dyma fy mreichiau'n gafael yn ei wddf o a dwi'n ei gofleidio fo. Yna mae o'n gollwng ei afael er mwyn sbio arna i'n iawn.

'Rwyt ti'n dal i fod yn llond dy groen, hyd yn oed yng nghanol y *nervous breakdown* dramatig 'ma rwyt ti'n ei gael.'

'Dwi'm yn cael un rŵan. Ro'n i jest yn bihafio'n wirion ac mi aeth Jay i banig. Mae'n flin gen i, Defi, ddylsa hi ddim fod wedi sgwennu atat ti.'

'Dwi'n falch ei bod hi wedi sgwennu ata i. Roedd hi'n hen bryd i mi gael gwylia,' medd Defi, gan ddylyfu gên ac ymestyn ei freichiau. Mae o'n sbio ar y tŷ ac yn codi ei aeliau. 'Mae Gordon 'di codi yn y byd ers i mi ei weld o ddwytha. Ble'r wyt ti'n byw, Glesni?'

'I fyny yn y topia. Ty'd i weld.' Dwi isio gafael yn ei law o fel ro'n i'n arfer gwneud ond does gen i ddim cweit digon o hyder. Dwi'n dangos y ffordd iddo fo.

'Pa waith wyt ti'n ei wneud, Defi?'

'Hwn a'r llall ac arall. Mwy o'r llall na'r arall,' ateba Defi'n dywyll. 'Ella y dylswn i fod wedi gneud gyrfa i mi fy hun ym myd hysbysebu.'

Mae o'n chwibanu pan wêl o'r darlun gan Mary Lloyd Jones ar y wal ac yn crymu ei ben er mwyn osgoi'r golau Tiffany isel ar y landin.

'Dyma'n stafell ni,' meddaf, gan ei dynnu i mewn iddi, ac mae o'n edrych o'i amgylch ac yn chwerthin,

'Dyma'n union sut ddaru mi ddychmygu y byddai hi. Mae'r hen fatras 'na gan Jay o hyd.'

'Ddaru ti 'i dychmygu hi? Ein stafell ni?' holaf, yn falch. Fedra i ddim dychmygu stafell Defi o gwbl. Wnes i erioed feddwl am ei fywyd cartref o. Mae o wastad 'di bod yn gymeriad mewn stori dylwyth teg i mi, yn byw mewn arall fyd. 'Debyg i be 'di dy stafell di, Defi?'

'Does gen i'r un, a deud y gwir. Mi fydda i'n rhannu efo gwahanol ffrindia.' Mae o'n sbio yn ei sach. 'Hwde, Glesni.'

Mae o'n rhoi bag papur bychan i mi, efo edefyn o ruban o'i amgylch. Ar ôl ei ddatod o mi welaf flodyn bychan wedi ei wneud o farsipan, mewn bocs cŵyr. Mae ganddo betalau marsipan coch a melyn a choes farsipan denau werdd. Tiwlip o Amsterdam.

'Mae d'anrhegion di wastad yn berffaith.'

'Llowcia fo, 'ta.'

'Na wnaf, mae'n llawar rhy werthfawr i'w fwyta.'

Dyma Defi'n gwenu ac yn eistedd ar erchwyn fy ngwely. Mae o'n mwytho fy hen gwilt ag edmygedd. 'Ti wnaeth hwn? Mae o'n andros o hardd. Mi fydda i wastad yn cofio amdanat ti'n gwnïo, hyd yn oed pan oeddat ti'n fechan fach. Roedd gen ti bâr o hen gyrtens cotwm unwaith ac mi ddeudaist ti dy fod ti am wneud crys i mi.'

'Doedd gen i ddim syniad sut i fynd o'i chwmpas hi bryd hynny. Roedd y llewys yn gwrthod bihafio'n iawn. Mi driais i'u gwneud nhw rhyw bedair neu bump o weithia. A doedd gen i ddim digon o ddeunydd beth bynnag, dim ond llwyth o hen ddarna wedi'u gwnïo at ei gilydd rywsut rywsut, felly mi rwygais i'r cyfan i fyny.'

'Mi ddylset ti fod wedi'i roi o i mi. Mi faswn i wedi'i drysori o,' medd Defi gan ymestyn ac yna gorwedd ar y gwely. Mae o'n cicio'i sgidiau i ffwrdd yn ofalus oherwydd y cwilt, cyn ochneidio'n werthfawrogol wrth iddo fo ymestyn. Mae 'na dyllau mawrion yn y ddwy hosan.

'Mi fedrwn i wnïo crys go iawn i ti rŵan,' awgrymaf. 'Neu siaced. Be bynnag leiciet ti. Be fyddat ti'n ei leicio, Defi?'

'Leicien i . . . gysgu am hanner awr.'

'Reit 'ta. Wyt ti isio—isio i mi fynd i lawr y grisia neu. . .'

'Tydw i ddim o ddifri,' medd Defi, gan wneud ymdrech a chodi ar ei eistedd. 'Wedi dod yma i dy weld di ydw i, Glesni, nid i syrthio i gysgu. Wyt ti'n rhydd heddiw? Leiciet ti fynd allan i rywle?'

'Leicien!'

'Fydd Jay yn dod adra i gael cinio?'

Mi ddywedodd hi y byddai'n rhuthro adre yn ystod ei hawr ginio i weld a oedd Defi wedi cyrraedd, ond dyma fi'n ysgwyd fy mhen yn bendant.

'Mi wela i Jay heno, felly. Rŵan 'te. I ble'r awn ni?' Dyma fo'n gweld y *Mabinogi* ger y gwely. 'Wyt ti'n dal i leicio siopa llyfra?'

'Ydw, yn arw. Ti brynodd y llyfr yna i mi, Defi. Wyt ti'n cofio?'

'Wrth gwrs fy mod i.' Dyma fo'n bodio trwy'r tudalennau. 'Rwyt ti'n edrych yn debycach fyth i Branwen rŵan.'

Mae o yn cofio, yn cofio go iawn. Dwi'n ei garu o, yn ei garu o gymaint, er ei fod o'n dylyfu gên eto ac er nad ydi'r croen sydd i'w weld drwy'r tyllau yn ei sanau yn rhyw lân iawn. Mae o'n gweld 'mod i'n sbio arno fo ac yn symud bodiau'i draed yn ôl ac ymlaen, gan wneud stumiau efo'i wyneb.

'Llyfr newydd i ti. Sana newydd i mi,' dywed.

Dyma ni'n dal y trên i Gaer a mynd yn syth i Marks & Spencers i brynu'r sanau. Maen nhw i gyd braidd yn ddiflas yr olwg, sanau duon a brown ar gyfer dynion busnes. Traed bychain sydd gan Defi, felly dyma ni'n trio'r adran sanau merched ac mae Defi'n prynu pâr nefi del efo streipiau coch. Hoffwn i pe bai gen i'r pres i'w prynu nhw iddo fo. Mae'n biti imi fod yn ffŵl a chadw draw o'r farchnad. Dwi 'di colli cyfle i wneud pres — a thydi cadw draw ddim 'di gwneud gwahaniaeth. Dwi'n dal 'di bradychu Iestyn. A dwi'n disgwyl babi. Na. Dwi ddim am feddwl am hynny heddiw. Dydw i ddim am adael i'r un dim ddifetha'r amser sydd gen i efo Defi.

'Ty'd i ni gael picnic i ginio,' medd Defi, wrth i ni hofran ger yr adran fwyd.

'O, ia! Mi fydda i wrth fy modd efo picnics.'

Nid picnics Jay, rhai bara *pitta* llipa, sydd gen i mewn golwg, ond picnic henffasiwn, Siôn-a-Siân-aidd, efo lliain

151

sgwariau glas a gwyn a brechdanau sgwâr ac wyau wedi'u berwi a theisennau bychain a diod oren mewn cwpanau plastig coch a melyn.

'Pa fath o bicnic gewn ni?' hola Defi wrth i ni sbio ar y cypyrddau oer yn llawn bwydydd.

Mae Marks yn fwy modern o'r hanner na byd Siôn a Siân. *Pâté. . . prawns. . . pizzas. . .* dwi'n sefyll yno fel delw, gan fethu dewis dim. Yna dwi'n gweld teisen gaws gyrens duon ymhlith y bwydydd rhew. 'Biti na fasan nhw'n gneud rhai llai.' Dwi'n estyn at y paced rhewllyd a chyffwrdd ag o'n hiraethus.

'Hon ydi dy ffefryn di?' hola Defi, fel pe bai hynny'n ddigri.

'Dim ond unwaith ges i hi o'r blaen, pan es i i brynu fy ngwely.'

Dyma fi'n dweud yr hanes wrtho fo ac mae o'n dallt. Dwi hyd yn oed yn dweud wrtho fo am yr Angharad Fflur ddychmygol. Dwi'n gwneud hwyl ar fy mhen fy hun ac yn dweud ella bod Jay yn iawn, mae'n rhaid fy mod i'n hurtio os ydw i'n chwarae gêmau dychmygol a finna bron â bod yn un ar bymtheg, ond mae Defi'n dweud ei fod o'n dal i wneud hynny rŵan.

'Wir? Pa fath o gêmau dychmygol? Deuda wrtha i,' crefaf.

Mae o'n ysgwyd ei ben ac yn gwenu. 'Beth am gael y deisen gaws at y picnic?' Mae'n gwenu'n haelionus. 'Ty'd i ni gael gweld fedrwn ni fwyta'r cyfan.'

Am syniad bendigedig o ddrwg. Dyma ni'n sbio ar y rhai efo ceirios arnyn nhw a'r rhai efo gwsberis, ond yn penderfynu yn y pen draw i gadw at y deisen gyrens duon.

'Bydd rhaid i ni ddisgwyl rhyw gwpl o oria iddi ddadmer,' medd Defi.

'Felly awn ni am dro gynta.'

Dyma ni'n mynd i siop Browns ac yn chwarae'r gêm 'Pe bai gen i'r holl bres yn y byd' ac yn y diwedd mae gen i fodrwy aur ar fy mys a sanau sidan go iawn ar fy nghoesau, a dwi wedi fy lapio mewn chwe llathen o bob defnydd sydd yn y siop. Tydi Defi ddim yn un da am chwarae'r gêm hon; mae'n amlwg nad oes isio pethau arno fo yn yr un ffordd ag sydd arna i isio pethau. Mae'n rhaid i mi ei orfodi o i ddewis ac yna dewis anrhegion ychwanegol i mi mae o—coban hir, wen; Fictorianaidd *broderie anglaise*, talpyn o sebon ag arogl eirlysiau, llond bocs o siocledi gwyn.

'Dwi'n meddwl y gallwn i jest fforddio cwpwl o'r siocledi yma,' medd Defi. 'Ty'd i ni gael eu blasu nhw.'

Dwi bron â marw isio'u trio nhw, ond tydw i ddim yn siŵr ydyn nhw'n eu gwerthu bob yn ddwy. Wrth i Defi holi'r ferch y tu ôl i'r cownter dwi'n poeni ac am eiliad sylwaf ar ei siaced front a'i siwmper, sy'n breuo o amgylch y gwddf, ond mae'r ferch yn gwisgo maneg blastig dryloyw'n gwbl ddi-lol ac yn dewis dwy siocleden.

'Dyma'r siocleden fwya pechadurus o ddrud dwi wedi'i byta yn fy myw,' meddaf, gan ei llyfu mewn llesmair.

'Ty'd i ni gael gorffen eu byta nhw yn rhywle pechadurus, 'te,' medd Defi a dyma ni'n cerdded allan trwy gefn Browns i ganol y dre.

Dyma ni'n cerdded heibio i'r holl siopau drud—siopau tlysau, siopau dillad isa sidan—ac o'r diwedd dwi'n gweld y Bistro ac yn sbio ar y teisennau gwych yn y ffenest.

'Wyt ti isio mynd i mewn?' hola Defi. 'Mi allen ni gael paned yno. A theisan.'

'Mae ganddon ni deisen gaws gyrens duon yn barod,' meddaf i, gan dapio'r pecyn oer. 'Ro'n i jest isio gweld sut le oedd o. Mi fydd Lois yn dod yma weithia.'

Mae Defi'n nodio'i ben. Dyma fi'n rhincial fy nannedd, gan ddisgwyl iddo holi hanes Lois ond does ganddo fo ddim diddordeb ac mae o'n siarad am deisennau yn lle hynny. Dwi'n ei garu o'n fwy fyth. Rydan ni'n crwydro ar hyd y strydoedd cefn gan esgus ein bod ni'n gwybod y cyfan am deisennau, gan ffansïo *gâteaux* a *brioches* a thartenni, teisennau siocled a *strudels* siwgwrllyd a theisennau mefus yn gyforiog o hufen. Dyma fi'n dweud hanes y teisennau yn *Maison Saigne* wrth Defi, a sut ddaru mi fodloni ar sgon am fy mod i yn y fath gyflwr. Dwi hyd yn oed yn dweud hanes Nain yn rhoi rhy ychydig o bres i'r weinyddes wrtho fo.

'Wyt ti'n meddwl ella'i bod hi'n dechrau colli arni, Defi?'

'Ella'i bod hi. Ond mae'n swnio fel pe bai hi'n brin o swllt neu ddau i mi.'

'Dydi hi ddim yn dlawd. Mae hi'n byw mewn fflat hynod o swanc yn Llandudno ac mae ganddi hi lwyth o bres. Mi anfonodd hi Jay i ysgol breifat ac mi'r oedd yna ddynes yn dod i wneud y gwaith glanhau i gyd a...'

'Oedd, bryd hynny. Ond sut mae petha rŵan?'

'Wel, mae hi'n dal i fod yn gyfoethog. Mae'n rhaid ei bod hi.' Ond dydw i ddim cweit mor siŵr rŵan. Dwi'n meddwl amdani ac yn gwgu wrth feddwl.

''Sgen ti nain, Defi?'

'Nac oes.'

'Be am dy fam? Deuda hanes dy deulu wrtha i.'

Dyma Defi'n ysgwyd ei ben. 'Does yna ddim hanes i'w ddeud.'

'Ti sy ddim yn fodlon ei ddeud o, rwyt ti'n feddwl.'

'Ella.'

'Rwyt ti fel... wyt ti 'di darllen *The Hobbit* erioed? Rwyt ti'n debyg iawn i Gandalph. Rwyt ti'n ymddangos o nunlla fel petait ti 'di dod o wlad hud a lledrith ac yna rwyt ti'n diflannu eto. Dwyt ti'm yn teimlo awydd i aros yn dy unfan weithia?'

'Weithia.' Mae ei fraich yn dal i fod o'm hamgylch i. 'Mi arhosa i efo ti, Glesni, ocê?'

Ocê, ocê, ocê. Dim ond jôc ydi o; ond o! petai o'n wir...

16

Mae Defi'n awgrymu ein bod ni'n mynd i chwilio am y siopau llyfrau ail-law ond pan gyrhaeddwn ni'r strydoedd o amgylch yr eglwys gadeiriol rydan ni'n gweld bod y rhan fwyaf o'r siopau wedi diflannu. Mae hanner y strydoedd wedi diflannu hefyd ac wedi troi'n un safle adeiladu enfawr.

'Dwi 'di bod i ffwrdd yn hirach nag ro'n i'n 'i feddwl,' medd Defi, ac mae o'n swnio ar goll. Ond dim ond am funud. 'Mi fetia i bod siop Llywelyn yn dal i fod yno,' medd o, gan afael yn fy llaw.

Mewn lôn gefn gul wrth ymyl yr eglwys gadeiriol down ar draws y siop lyfrau ail-law. Mae Defi'n gwasgu fy llaw yn falch pan wêl o'r siop, fel pe bai o yn bersonol wedi ei chreu hi ar fy nghyfer i.

'Ty'd yn d'laen. Mae'n rhaid i ti ddewis un llyfr arbennig.'

'Mae'n rhaid i ti stopio prynu petha i mi, Defi,' meddaf, gan obeithio y bydd o'n mynnu fel arall.

Mae'r prisiau'n synnu'r ddau ohonon ni. Does dim bargeinion deg ceiniog i'w cael yn y fan hyn. Mae'r rhan fwyaf o'r llyfrau ymhell dros ddecpunt.

'Paid â phoeni. Mae gen i un llyfr arbennig dwi 'di gael gennach ti'n barod—y *Mabinogi*,' dywedaf yn gyflym, ond dyma fo'n camu draw at un o'r siopau eraill.

'Mae llyfrau plant yn y fan 'ma, ty'd i weld,' medd Defi.

Tydw i ddim yn blentyn, ond af draw yno i sbio'r un fath. Mae'r olygfa yn ffenest y siop yn hudolus, yn drefniant cymhleth o lyfrau darluniadol a doliau bach papur.

'Ty'd i ni gael mynd i mewn,' medd Defi.

Dyma ni'n sydyn at ein ceseiliau mewn llyfrau ac yn gorfod straffaglu drwyddyn nhw, ond maen nhw i gyd wedi'u trefnu mor ddel â llond tudalen o luniau sgrap o Oes Fictoria. Mae'r perchennog yn sefyll ar ryw fath o lwyfan yng nghefn y siop, yn syllu arnom ni dros ei sbectol, ond mae o'n sobr o addfwyn yr olwg a does dim ots ganddo fo o gwbl ein gweld ni'n bodio trwy hanner ei stoc. Daw Defi ar draws argraffiad mawr coch o *Robinson Crusoe* efo cannoedd o ddarluniau manwl ynddo. Mae o'n troi'r tudalennau'n araf iawn, gan nodio'i ben. Dof inna ar draws llyfr anrheg i enethod, sydd dros gan mlwydd oed, ac ynddi stori gyfres o'r enw 'Mari Fach Pantyffynnon'. Mae Mari Fach yn cynnal ei theulu didoreth trwy wnïo'n ddeheuig. Dyma fi'n bodio trwy'r gwahanol rannau o'r stori hyd y diwedd, heibio i ddarluniau sepia a cherddi sentimental a thudalennau o atebion hallt o ddi-gydymdeimlad i broblemau'r darllenwyr—'Ni ddylech wastraffu ein hamser efo problem mor bitw. Rydych yn ferch hunanol dros ben. Teimlwn nad oes dyfodol disglair o'ch blaen '—a gweld bod Mari Fach yn cael ei mabwysiadu gan Weinidog Caredig sy'n ei hanfon i Ysgol i Ferched ac mae'r teulu di-feind yn llithro allan o'r stori ac mae Mari Fach yn tyfu i fyny ac yn priodi'r Gweinidog Caredig.

Dwi bron â marw isio'r llyfr hwn ond mae o'n ugain punt, ac mae *Robinson Crusoe* Defi yn ddeg ar hugain, felly mi fydd yn rhaid i ni eu rhoi nhw yn ôl ar eu silffoedd. Ond mae 'na lyfrau bychain, hefyd, rhai hen a rhai newydd, ac rydan ni'n sbio trwy'r rheiny. Deuaf ar draws ail argraffiad o lyfr nodwedd bychan Fictorianaidd am fabanod. Mae o ar siâp babi, ac mae babi gwahanol ar bob tudalen, babanod yn gwenu, babanod yn pwdu, babanod yn cysgu. Edrychaf trwy'r llyfr eto ac eto; dwi wedi fy nghyfareddu.

'Leiciet ti i mi brynu hwnna i ti?' hola Defi, gan sbio dros fy ysgwydd. '£1.95. Mi fedra i fforddio hynny. Mae o'n ddigon rhad—rhyw ugain ceiniog yr un am bob babi.'

Fedra i ddim gwenu. Dwi'n syllu ar y babanod. Mae'r un del sy'n gwenu yn nofio oddi ar y dudalen ac yn estyn ei freichiau bach tew ata i. Dwi'n estyn amdano, ond mae wedi mynd wrth i mi droi'r dudalen ac rŵan dyma un tew, blin, rêl mochyn bach o blentyn efo llygaid bach culion a cheg sgwâr yn syllu'n ôl arna i. Mae o'n sgrechian a dyma fi'n ei guddio fo'n frysiog ac yn dod ar draws yr un sy'n cysgu ac mae o mor dawel ac mor llonydd, pwy a ŵyr nad ydi o wedi marw.

'Wn i'm,' sibrydaf, 'wn i'm, wn i'm, wn i'm.'

Dyma Defi'n syllu arna i ac yn cau'r llyfr. Does bosib ei fod o'n gwybod pam 'mod i mewn gymaint o stad ond mae o fel petai o'n dallt. Mae o'n gwthio'r llyfr y tu ôl i rai o'r llyfrau eraill ac yn dangos llond silff o lyfrau barddoniaeth bychain bach i mi. Mae o'n tynnu fy sylw atyn nhw, gan ddarllen llinell fan hyn a llinell fan acw, nes i mi anghofio am y babanod.

> 'Cochion afalau
> Melyn lemonau
> Melys orenau
> A phêr bomgranadau;
> Y mefus a'r mafon
> A'r mwyar bach duon,
> Y ceirios bach cochion
> Y deisen gaws gyrens duon . . .

'Dydi o ddim yn deud hynna!'

'Wrth gwrs 'di o ddim.'

'Ond dwi'n ei leicio fo. Yn leicio'r ffrwythau.'

'*Marchnad y Corachod* ydi o. Cyfieithiad o *Goblin Market* gan Christina Rossetti. Paid â deud nad wyt ti 'di clywed y darn o'r blaen?'

'Naddo, dwi ddim yn meddwl. Darllena fwy.'

> 'A thorrodd Lowri gyrlyn hardd,
> A chollodd ddeigryn bychan, crwn,
> Glanach na glanaf berl y byd.
> Ac yna sugnodd ffrwythau'r pren,
> Melysach fil na'r mêl i gyd,

Cryfach na'r gwinoedd a lonna'r gwledydd;
Fel grisial ddyfroedd rhedai'r sudd
Na phrofodd hi erioed ei fath,
Pa fodd y blinai arno fyth?
Sugnai, sugnai, sugnai fwy
O ffrwythau'r berllan hudol hon;
Sugnai nes bod ei gwefusau'n glwy,
Ac yna taflu'r croen i ffwrdd,
Ond cadwodd garreg eirin gron;
Ac ni wyddai ai nos ai dydd
Oedd hi, pan drodd hi adre'n llon.'

Dyma fi'n gafael yn y llyfr ac yn sbio ar y darlun ar y clawr. Mae 'na ferch efo'i gwallt yn byrlymu i lawr ei chefn, a chadwyni o geirios o amgylch ei gwddf a'i breichiau a'i fferau, a gwahanol ffrwythau wedi'u brodio ar ei ffrog hi. Mae dynion bach corachaidd yr olwg yn dawnsio o'i hamgylch hi, gan ddal ei sgertiau trymion a mwytho ei gwallt, ac mae mwy o gorachod eto yn twrio mewn basgedi gwiail enfawr ac yn ei themtio hi efo ffrwythau mawr crwn. Corachod bach hyll, garw yr olwg ydyn nhw, ond mae 'na rywbeth cyfarwydd ac annwyl am eu gwallt aflêr a'u clustiau mawr pigog.

'Maen nhw'n edrych ychydig yn debyg i ti, Defi. Plîs fedra i'i gael o? Mae hwn yn llyfr arbennig, mae o'n well na'r lleill i gyd.'

Tri deg pump ceiniog yw ei bris o, y llyfr rhata yn y siop am wn i, ond rŵan dyma'r unig un sydd arna'i isio. Mae Defi yn ei brynu o i mi ac mae'r dyn yn ei roi o mewn bag ac yn rhoi llyfrnodwr papur del i mi efo llun o ferch gan Frank Brangwyn arno fo.

Dyma ni'n cerdded i lawr y stryd fawr law yn llaw a phryd bynnag y byddwn ni'n mynd heibio i ffenest dwi'n syllu ar ein hadlewyrchiad ac yn gweld geneth fawr efo'i gwallt golau'n cyhwfan yn y gwynt, a dyn bychan efo clustiau corrach. Mae'r ferch dipyn go lew yn dalach na'r dyn. Dydw i ddim yn credu tystiolaeth yr adlewyrchiad. Mae Defi ben ac ysgwydd yn dalach na mi, ac wedi bod felly erioed.

Rydan ni'n mynd i mewn i oriel gelf sy'n cynnal arddangosfa o luniau crefyddol a dyma fi'n sbio arnyn nhw ac yn trio rhoi trefn ar yr olwg ar fy wyneb er mwyn cael edrych yn sanctaidd. Dwi'n sylweddoli wedyn bod yr holl Forwynion Mair yn ifanc, mae rhai ohonyn nhw'r un oed â mi, a dwi'n sbio ar yr holl fabanod Iesu ac maen nhw'n ysgwyd eu pennau bychain a'u heurgylchau arna i.

'Ty'd i ni gael dod o hyd i dirlun neu ddau,' medd Defi, 'ac mi gawn ni ddewis ym mha wlad rydan ni am fyw.'

Rydan ni'n sleifio i mewn ac allan o ddinasoedd lledrithiol yn yr Eidal a choedwigoedd trofannol a chaeau ŷd ac yn y diwedd yn dod o hyd i baentiad bychan o fynydd glas. Mae 'na lwybr yn ling-di-longian hyd y copa ac ogof glyd rhyw hanner ffordd i fyny'r llethrau. Mae 'na ddyn bach yn byw yno'n barod, ond am wn i y byddai o'n fodlon rhannu.

'Fan 'ma,' meddaf i.

Mae Defi'n nodio hefyd. 'Fan 'ma.'

Dyma ni'n sefyll o flaen y darlun, gan ddychmygu ein dychmygion, ond yna dyma ddosbarth cyfan o blant ysgol yn martsio i mewn i'r oriel ac yn eistedd â'u coesau ynghroes ar y llawr i glywed darlith ac mae'n rhaid i ni droedio llwybr yn ofalus rhyngddyn nhw.

'Ty'd,' medd Defi, gan fyseddu'r cwdyn papur damp, 'mae hi'n amser cinio. Dydw i ddim yn siŵr ydi hi 'di dadmer eto, ond mi drïwn ni'i byta hi ac mi gawn ni weld be ddigwyddith.'

Rydan ni'n agor y pecyn yn y parc. Mae Defi'n torri llond cegaid i mi. Dwi'n ei ddeintio fo'n araf ac yn werthfawrogol, gan ymhyfrydu ym mlas siarp y cyrens a blas melys y caws. Mae hi'n dal i fod mor oer fel ei bod hi'n rhoi sioc i'm ceg ond mae hi'n rhy dda i mi aros dim hirach amdani.

'Mae hi'n wych. Gad i ni gael ei byta hi rŵan.'

Mae'r colomennod yn ein poeni ni, felly rydan ni'n cerdded ymlaen i ran arall, llai prysur o'r parc. Rydan ni'n cerdded ar hyd llwybr bychan, efo glaswellt gwyrdd a dŵr llwyd y naill ochr a'r llall i ni. Mae hi mor dawel a llonydd fel ein bod ni bron yn teimlo ein bod yn ein darlun preifat ein hunain. Rydan ni'n eistedd ar fainc ac mae Defi yn gorffwys y deisen gaws ar ben y pecyn cardbord.

'Mae hi'n dal i fod wedi rhewi,' dywed, gan ei tharo hi â'i fys.

'Ond mae blas nefolaidd arni, wir rŵan. Cymra damaid.'

'Mae hi fwy fel hufen iâ na theisen,' dywed, gan frathu'n ofalus.

'Ond mae hi'n hyfryd, yn tydi? Ty'd i ni gael ei byta hi rŵan, Defi; fedra i ddim aros dim hwy, dwi ar lwgu.'

'Rwyt ti fel Branwen yn y darlun,' medd Defi. 'Wyt ti'n mynd i dorri un o dy dresi aur i mi?' Mae o'n chwarae efo modrwy laes o wallt ac yna'n gwneud siâp siswrn yn torri efo'i fysedd. Dyma fi'n neidio; dwi bron â chredu iddo fo'i dorri o, ac mae o'n neidio hefyd.

'Teisen gaws,' mynnaf.

Mae o'n torri telpyn enfawr o deisen gaws i mi ac un arall, llai iddo fo'i hun.

Mae fy nwylo i'n las yn barod oherwydd nad oes gen i fenig ac rŵan maen nhw'n dechrau colli pob teimlad. Mae hi'n andros o oer, a ninna'n eistedd yma ar y fainc yn dal y deisen rewllyd ac mae'r gwynt yn dod â dŵr i'm llygaid. Dwi'n dal i fwyta'n benderfynol ond ella nad ydi'r deisen cweit gystal rŵan 'mod i 'di cychwyn ar yr ail ddarn, efo'r gyntaf yn ddwrn oer yn fy stumog.

'Does dim rhaid i ti ei gorffen hi,' medd Defi. Mae o'n gafael yn fy nwylo rhewllyd a'u rhwbio nhw nes eu bod nhw'n canu. Mae un bys yn dal i fod yn styfnig o wyn; mae'r gwaed i gyd wedi mynd ohono fo. Dyma fo'n codi fy llaw ac yn rhoi'r bys yn ei geg ac yn ei sugno fo. Mae ei wefusau a'i

160

dafod yn gynnes ac yn wlyb ac mae'r gwaed yn dechrau curo unwaith eto yn fy mys. Mae ein llygaid yn cyfarfod ac mi fedra i deimlo'r gwaed sydd wedi dadmer yn curo tros fy nghorff i gyd ac mi wn i ei fod o'n curo yn Defi hefyd oherwydd mi fedra i weld y pyls yn ei wddf o. Ys gwn i a ydi hi'n iawn i ferch gusanu gwddf dyn? Mae o'n gollwng fy llaw yn sydyn ac yn neidio i'w draed.

'Ty'd. Gad i ni roi gwledd i adar y to,' dywed, gan daenu briwsion y deisen gaws dros y glaswellt.

Dyma fi'n ei ddilyn o, gan sychu fy llaw wleb ar fy siaced. 'Mi fedran ni fwydo'r chwyaid,' awgrymaf. 'Mi geiff adar y to boen yn eu bolia fel arall.'

Felly dyma ni'n cerdded at lan y dŵr, gan daflu teisen gaws at yr hwyaid. Maen nhw'n edrych yn syn ond yn pigo'n eiddgar ddigon ac yna'n nofio ar ein holau. Mae'n amlwg bod arnyn nhw isio mwy. Mae sŵn eu cwacio'n denu ieir bach yr hesg a gwyddau Canada a dyma nhw'n dechrau creu sŵn. Fydd 'na'm digon o deisen gaws i bawb.

'Dwi'n teimlo 'run fath â Iesu'n trio porthi'r pum mil,' meddaf, gan daenu briwsion i bob man. 'A dwi'n siŵr y byddai'n well ganddyn nhw fara a physgod. Dwyt ti'm yn meddwl y bydd teisen gaws yn codi cyfog arnyn nhw, wyt ti?'

'Nac 'dw, wrth gwrs. Adar Seisnig 'di'r rhain, mae ganddyn nhw chwaeth soffistigedig,' medd Defi, ond yn y fan down at rybudd difrifol yr olwg:

Peidiwch â bwydo'r pelicanod.
Gall bwyd anaddas eu lladd.

'O, Defi! Mae'n siŵr ein bod ni wedi'u gwenwyno nhw! Dwi'n siŵr nad ydi teisen gaws ddim yn addas.'

'Nid pelicanod ydan nhw. Chwyaid ydan nhw, heblaw am ryw ŵydd neu ddwy.'

'Ella mai pelicanod 'di rhai ohonyn nhw.'

'Fedri di ddim cymysgu rhwng chwaden a phelican, y twmffat. Mae gan belican big enfawr a phwrs.' Mae Defi'n gwneud stumiau er mwyn dangos i mi.

'Be, yr adar hynny sy'n edrych fel petaen nhw'n cario bagia yn eu pigau?'

'Ia, y rheiny.'

'Fedra i ddim gweld 'run,' cytunaf. 'Ond well i ni roi'r gora i'w bwydo nhw 'run fath.'

'Ella. Mae 'na dŷ bychan draw fan 'cw a dwi'n meddwl ella bod y dyn sy'n gofalu am yr adar yn byw yno.'

'O! Na,' gwthiaf deisen gaws i'm ceg fy hun ac yna taflu'r pecyn gwag i mewn i fasged sbwriel. Dwi'n cnoi ac yna'n tagu.

'Glesni!' Mae Defi yn fy nharo i ar fy nghefn, ac yna'n rhwbio wrth i mi besychu a phoeri. Ei hogan fach o ydw i rŵan, nid yr hogan fawr roedd o wedi synnu gymaint ei gweld. 'Poera.'

'Na!' protestiaf trwy geg yn llawn slwdj piws. 'Gwastraff pur fyddai hynny.'

Dwi'n dal i beswch yn ddramatig.

'Wyt ti'n gwbl siŵr nad oes gwaed pelican ynat ti o gwbl?'

Dyma fi'n chwerthin ac yna'n tagu eto.

'Cno fo.'

Dwi'n cnoi nes bod fy safnau i'n brifo ac o'r diwedd mae o'n diflannu. Dwi'n dechrau teimlo'n aruthrol o lawn.

'Dwi 'di bwyta hanner teisen gaws gyfan. Mwy na hanner, oherwydd chest ti ddim darn mawr iawn a ddaru ni ddim rhoi gymaint â hynny i'r adar. Dwi 'di bwyta dwy ran o dair ohoni,' dywedaf yn syn.

'Mi gofi di'r diwrnod hwn am byth. Y diwrnod ddaru ti fwyta'r deisen gaws gyrens duon,' medd Defi.

Mi gofia i'r diwrnod hwn am weddill fy mywyd, ond does gan hynny ddim byd i'w wneud efo'r deisen gaws. O, pam na fuaswn i'n ddigon hy i'w ddweud o. Dweud 'Dwi'n dy garu di'. Mi fydda Jay yn ei ddweud o. A Lois hefyd, yn bendant. Byddai Meg, hyd yn oed, yn ei sibrwd o. Ond mi rydw i'n dal i fod yn stỳc y tu mewn i mi fy hun a tydi'r geiriau ddim yn fodlon dod allan. Rydan ni'n cerdded heibio i'r tŷ bychan ger y dŵr. Mae o 'run fath â bwthyn bychan o'r Swistir, yn lliw hufen efo teils brown, yn gerfiadau ac yn gyrls i gyd. Mae o'n dŷ mor annhebygol, bron fel 'mod i'n disgwyl i'r to godi er mwyn i'r holl belicanod fedru clywed sŵn y gerddoriaeth sy'n tincial o'r tu mewn iddo fo.

'Tŷ go iawn ydi o?'

'Ia. Sbia, mae 'na gyrtans ar y ffenestri.'

Dwi am fynd yn nes, er mwyn medru sefyll ar y bont fechan a sbio drwy'r llenni, ond mae 'na arwydd arall: PREIFAT. DIM MYNEDIAD.

'Wyt ti'n ei leicio fo?'

'Mi faswn i wrth fy modd yn byw yn y fan 'ma.'

'Felly be am roi'r gora i'r syniad o ogof unig ar ben mynydd heb ddŵr a thrydan, a dod i fyw i fwthyn ar lan yr afon?'

'Ia, plîs.' Edrychaf arno fo'n gyflym. Dwi'n llyncu 'mhoer ddwywaith neu dair. Dwi'n teimlo fel pe bai'r deisen gaws yn dal fel glud yn fy ngheg. 'Efo ti.'

Ydi o 'di clywed?

'Fasat ti'n leicio hynny?' mwmialaf.

'Wrth gwrs y baswn i,' medd Defi, a dyma fo'n gafael yn fy llaw i.

Rydan ni'n dal i gerdded drwy'r parc. Tydan ni ddim yn siarad. Dwi'n meddwl bod ar y ddau ohonon ni ofn amharu ar yr awyrgylch. Rydan ni'n llithro dros y glaswellt ac yn nofio heibio i'r coed. Parc hud-a-lledrith ydi o a ninnau dan yr hudlath. Mae'n dechrau oeri ond does dim gwahaniaeth. Mae fy nghoesau i'n brifo ac mae fy sgidiau 'di dechrau rhwbio ond be 'di'r ots am rywbeth mor wirion â thraed poenus? Mae'r deisen gaws yn troi yn fy stumog ond dydw i ddim am adael i mi fy hun deimlo'n sâl.

'Wyt ti'n iawn, Glesni?'

'Ydw, dwi'n iawn.'

'Ty'd i ni gael hoe fach.'

Rydan ni'n mynd yn ôl at ein mainc ond newydd eistedd rydyn ni pan sleifia trempyn mewn cot law seimllyd i fyny aton ni a dechrau mwmial rhywbeth. Mae o'n sbio arnom yn wyllt. 'Dan ni ddim yn siŵr ai mwmial wrthon ni neu amdanon ni y mae o.

'Diwrnod braf, yn tydi?' medd Defi.

Mae'r trempyn yn anghytuno. Mae o'n dweud wrth Defi lle i fynd.

'Ocê,' medd Defi'n siriol. 'Ty'd yn dy flaen, Glesni.'

Do'n i'm hyd yn oed yn meddwl am y babi. Mae'r gwynt yn tynnu dŵr i'm llygaid. Dwi'n eu hagor a'u cau nhw ddwywaith neu dair ac yna'n sydyn dwi'n dechrau crio.

'Glesni.' Mae Defi'n sibrwd.

Mae o'n rhoi ei fraich o'm hamgylch i ac yn fy nal i'n dynn. Medraf glywed sŵn ei galon o'n curo. Mae 'nghalon inna'n curo hefyd. Mi fedra i deimlo'r pwyntiau pyls yn fy nghorff. Dwi'n teimlo fel pe bawn i ar fin ffrwydro a thasgu ffrydiau o waed i bob man. Does arna i ddim isio crio, ond mae arna i ofn y bydd o'n gollwng ei afael ynof i os rhodda i'r gorau iddi.

'Glesni,' sibryda, 'mae pob dim yn iawn. Paid â chrio. Mi fydd popeth yn iawn, dwi'n addo. Mi fedri di gael y babi.'

'Na fedraf. Wn i ddim sut,' llefaf.

Dydi o ddim yn chwerthin ar fy mhen i nac yn cynddeiriogi. 'Does dim isio i ti deimlo mor ofnus. Meddylia am yr holl bobl sydd yna, yng Nghymru, ym Mhrydain, yn y byd i gyd. Mi gawson nhw i gyd eu geni. Dyna'r peth mwya naturiol yn y byd. Does dim isio i ti wybod sut, mae o jest yn digwydd. Elli di fynd i ddosbarthiada ar sut i eni babi os wyt ti isio. Does dim bwys os na wnei di. Mi fydd dy gorff yn cymryd drosodd ac yn gneud y gwaith i gyd.'

'Ond mi fydd o'n brifo gymaint.' Nid jest y boen sy'n fy

164

mhoeni i. Fedra i ddim dioddef meddwl am y ffordd y bydd fy nghorff i'n edrych, y diffyg urddas, yr holl berfformans. Does arna i ddim isio rhochian a sgrechian.

'Bydd, wrth gwrs mi fydd o'n brifo. Ond mi fydd o werth o. Wyddost ti ddim sut fyddi di'n teimlo pan fydd gen ti dy fabi dy hun yn dy freichia.'

'Mae arna i ofn.' Dydw i ddim isio iddyn nhw roi'r babi yn syth yn fy mreichiau i, yn llithrig i gyd ar ôl bod y tu mewn i 'nghorff i. Dydw i ddim hyd yn oed isio fo pan fydd o wedi'i olchi a'i bowdro'n lân fel yr eira.

'Dydw i ddim yn leicio babis,' mwmialaf yn erbyn siwmper Defi.

'Mi fyddi di'n leicio dy fabi dy hun. Ac mi fydda i'n ei leicio fo hefyd, yn arbennig os ydi o unrhyw beth yn debyg i ti. Merch fach ddigri efo cyrls fath â blew dant-y-llew,' medd Defi. Mae o'n cribo fy ngwallt yn dyner efo'i fysedd.

'Fyddi di ddim yma,' dywedaf. Dwi'n sefyll yn llonydd iawn.

'Mi allwn i fod,' medd Defi.

'Fyddi di ddim. Mi fyddi di'n ôl yn Amsterdam.'

'Mi fedrwn i ddod draw. Neu mi fedrwn i aros yma rŵan. Ella ei bod hi'n hen bryd i mi newid fy mywyd. Mi fedrwn i aros yma efo ti, Glesni.'

'Sut fedrat ti? Efo Jay?'

'Nid yn nhŷ Gordon. Mi fedran ni ddŵad o hyd i stafell i ni'n hunain yn rhywle. Mewn sgwat. Mi fedran ni fyw yno efo'n gilydd ac mi fedrat ti gael y babi.'

'Efo Jay?' holaf eto. 'Neu jest ni'n dau?'

'Jest ni'n dau.'

Ai gêm ydi hyn o hyd? Mae'n rhaid mai dyna ydi hi. Mi roddwn i'r byd i gyd yn grwn i'r peth gael bod yn real. Pam bod rhaid iddo fo chwarae gêmau efo fi? Dyma fi'n symud i ffwrdd oddi wrtho.

'Be sy?' hola. 'Fasat ti'n leicio byw efo mi, yn basat, Glesni?'

'Paid. Fedrwn ni ddim. Paid â bod yn wirion.'

'Medrwn, mi fedrwn. Os wyt ti isio.' Os ydw i isio. Dwi'n ein gweld ni'n dau'n eistedd yn glyd ar y soffa, Defi yn un pen yn darllen yn uchel, a finna'r pen arall, yn gwnïo. Mae'r babi'n saff yn ei grud, yn cysgu'n braf.

Dwi'n dechrau crynu. Mae Defi'n rhwbio fy mreichiau trwy lewys tenau fy siaced. 'Y beth bach! Rwyt ti'n rhewi,' dyweda.

Dwi wrth fy modd efo'r ffordd y bydd yn galw 'bach' arna i, er 'mod i'n fwy na fo. Ac yn dewach hefyd. Mae ei arddyrnau'n edrych mor eiddil, bron na fedren nhw dorri ac mae ei ddillad yn hongian amdano. Bydd yn rhaid i mi fod yn ofalus wrth roi sws iddo fo pan fydd y babi'n tyfu'n beth mawr yn fy mol i. Pe bawn i'n pwyso arno fo mi fedrwn i ei daro fo i'r llawr.

'Ty'd, mi awn ni am banad i gynhesu,' medd Defi, gan fyseddu'r newid yn ei boced. 'Mae gen i hen ddigon o bres.'

Sut fedr o ofalu amdana i a'r babi ac ynta'n gorfod cyfri pob ceiniog i weld a fedr o ffordдio dwy baned o goffi?

'Mi fedrwn i gael joban,' medd Defi, fel pe bai o wedi 'nghlywed i. 'Swydd gyffredin, naw tan bump, efo cyflog bob dydd Gwener. Mae hi'n hen bryd i mi ddod at fy nghoed. Sbia ar Gordon. Mae'n bryd i minna setlo, hefyd.'

Ond mae o'n dal i fod â'i ben yn y cymylau. Sut fedr o gael swydd naw tan bump? Dwi'm yn meddwl bod ganddo fo unrhyw gymwysterau, ac yn bendant 'di o ddim 'di cael unrhyw hyfforddiant. Mi fedrai o weithio mewn siop, 'run fath â Jay. Ella y gallai o weithio mewn tafarn, ond nid sôn am y math yna o job mae o. Mae o'n siarad rŵan am fynd i'r byd hysbysebu, 'run fath â Gordon, sydd yn nonsens, neu sgwennu nofel neu lyfr taith hyd yn oed. Mae o jest fel plentyn yn chwarae be mae o am fod pan dyfith o i fyny.

Dyma ni'n cerdded heibio i'r tŷ bychan eto, yn chwilio am belicanod. Efallai'u bod nhw'n cuddio yn y tŷ. Mae'r hwyaid yn cyffroi ac yn chwifio'i hadenydd ac yn cwacio. Dwi'n sbio i weld a oes olion cyrens duon ar eu pigau, ond maen nhw'n edrych fel petaen nhw wedi treulio eu pryd bwyd anaddas heb ormod o drafferth. Maen nhw wedi gwneud yn well na fi, felly. Mae 'na boen go iawn yn fy stumog i rŵan. Dwi'n llithro fy llaw o dan fy siaced ac yn ei rwbio fo'n dawel bach. Dyma ni'n dod allan ar y stryd fawr a Defi'n pwyntio at ganolfan gelfyddydau gyferbyn.

'Mi gawn ni banad o goffi yn fan'na. Ro'n i'n arfer mynd yno'n aml.' Ar ôl i ni gerdded i mewn yno mae o'n sbio o'i amgylch ac yn edrych yn falch. 'Dydi hwn ddim 'di newid rhyw lawer, beth bynnag.'

Ond rhywsut tydi Defi ddim yn edrych yn iawn yn y fan hyn. Does 'na neb o'r saithdegau i'w weld yma. Mae'r bobl yn y fan hyn yn edrych yn siarp ac yn smart, fel tasan nhw'n gwbod be 'di be.

Rydan ni'n eistedd wrth fwrdd ac yn sipian coffi. Mae Defi'n gafael yn fy llaw o dan y lliain bwrdd lliwgar.

'Be sy?' sibryda.

Dwi'n ysgwyd fy mhen.

'Wyt ti'n dal i boeni am y babi, Glesni?'

'Ydw, rhyw gymaint.'

'Mi fydd popeth yn iawn, dwi'n addo. Mi edrycha i ar dy ôl di.'

Dyma fi'n nodio ac yn gwasgu ei law yn dynnach. Mae arna i ofn deud mwy rhag ofn i mi ddechrau crio a gwneud ffŵl o'r ddau ohonon ni. Wn i ddim pam 'mod i bron â chrio. Dyma ddiwrnod hapusa fy mywyd. Fi sy biau Defi, o'r diwedd.

Dwi'n dal i grynu. Dwi'n yfed fy nghoffi hyd y gwaddodion chwerw. Mae dau ddyn mewn dillad lledr du yn bwyta teisennau. Ar ôl iddyn nhw godi i fynd, gwelaf bod un ohonyn nhw wedi gadael y rhan fwya o'i deisen siocled. Mae Defi'n fy ngweld i'n syllu arni a chyn i'r dynion adael y caffi hyd yn oed mae o wedi sleifio draw i'w bwrdd nhw ac wedi gafael yn y deisen. Dyma fo'n dod â hi'n ôl ata i'n fuddugoliaethus. Does arna i ddim isio'r deisen o gwbl. Dwi'n cofio gwefusau meddal a dannedd claerwyn y dyn. Dwi'n siŵr y medra i weld poer yn disgleirio ar yr eisin brown. Dydw i ddim yn hoffi teisen siocled rhyw lawer, beth bynnag, a dwi'n dal i fod yn anhygoel o lawn ar ôl y deisen gaws. Mae fy stumog yn boeth ac yn galed efo'r boen, yn gwasgu yn erbyn gwasg fy sgert, gan wneud i mi symud yn anniddig yn fy nghadair. Ond mi wn i y bydda i'n brifo Defi os na flasaf i'r deisen. Dwi'n llwyddo i fwyta dau lond ceg ac yna bron i mi dagu. Mae arna i ofn go iawn 'mod i ar fin chwydu.

'Wyt ti'n gwybod ble mae'r lle chwech?'

Mae Defi'n dweud wrtha i lle mae o. Dwi'n rhuthro yno, a diolch i'r drefn does yna neb arall yno. Dwi'n cloi fy hun mewn ciwbicl ac yn siglo uwchben y fowlen fudr. Dwi'n ceisio dal fy anadl a chlirio fy llwnc yn ddiymadferth ond eto tydw i ddim yn chwydu chwaith. Dyma fi'n aros am ychydig ac yna'n eistedd ar y tŷ bach, a'r boen yn fy stumog yn fy hollti i'n ddwy. Eisteddaf yno gan ysgwyd fy mhen, yn gwaedu i mewn i'r fowlen.

17

Dwi'n troi dyrnaid o bapur lle chwech yn gadach dros-dro. Mae o'n pigo ac yn teimlo'n anghysurus. A finna hefyd. Dwi'n rêl ffŵl. Jay oedd yn iawn wedi'r cyfan. Dwi 'di bod yn gwneud andros o ffŷs am ddim byd. A dim byd ydi o hefyd. Mae o'n brifo ac eto yr un teimlad yn union ydi o ag arfer. Mae'r gwaed yn llifo ac eto dim ond gwaed ydi o, does dim babi. Bron na fasa'n well gen i taswn i'n colli'r babi go iawn. Mi faswn i yn fy nybla rŵan, a'r gwaed yn llifo dros y llawr fel llyn coch, ac mi fasa 'na ambiwlans yn cyrraedd ac yn fy rhuthro i'r ysbyty. Mi fasa pawb yn rhuthro at erchwyn fy ngwely ac yn hofran uwch fy mhen i ac yn dweud wrtha i gymaint maen nhw'n fy ngharu i ac yn ymbil arna i i beidio â marw. Y nhw? Defi? Mae o 'di dweud wrtha i'n barod ei fod o'n fy ngharu i. Mae o am ofalu amdana i. Ond does dim angen iddo fo wneud rŵan. Mae'n rhaid i mi ddweud wrtho fo.

Dydw i ddim yn cyhoeddi'r peth yn syth ar ôl i mi gerdded yn chwithig allan o le chwech y merched. Dwi'n aros nes i ni ailddechrau crwydro. Rydan ni'n mynd i mewn i'r oriel ddarluniau eto am ei bod hi'n gynnes a thydi hi'n costio dim i fynd i mewn. Rydan ni'n cychwyn efo'r lluniau Tuduraidd ar y llawr uchaf ac yn cerdded i lawr, trwy'n hanes. Dwi'n teimlo fel pe bai holl lygaid peintiedig y bobl sy yn y lluniau yn syllu arna i, ac nid fel arall.

'Glesni?' medd Defi. 'Mi rwyt ti'n edrych fel petait ti am ddechra crio eto. Dwi'n addo y bydd petha'n ocê. Dwi 'di bod yn meddwl, yn gweithio petha allan. Mi rydw i'n mynd i ofalu amdanat ti a'r babi a. . .'

'Does 'na'm babi.'

Dyma fo'n syllu arna i. 'Be?'

'*Does 'na'm babi!*' Bron nad ydw i'n gweiddi.

Mae un o geidwaid yr oriel yn sbio arna i'n bryderus. Mae wyneb Defi'n grychau i gyd ac mae'n amlwg nad ydi o'n rhyw siŵr iawn be i'w ddweud nesa. Wn i ddim be dwi am ddweud chwaith. Dwi'n teimlo fel pe bai rhywun wedi fy ngwnïo i'n dynn dynn a rŵan mae rhywun arall wedi llacio'r pwythau ac wedi fy nhynnu i'n rhydd ac mae o'n brifo. Geiriau, dagrau, gwaed. Fedra i ddim atal yr un ohonyn nhw rhag llifo.

Mae Defi'n mynd â fi o'r oriel ac yn trio fy nhawelu i. Dwi'n crio'r holl ffordd adref. Druan o Defi ar y trên, a phawb yn syllu'n gyhuddgar arno fo. Daw dynes ganol oed efo *perm* brith draw aton ni, plygu ei hwyneb nes ei fod o reit yn ymyl fy wyneb gwlyb a sibrwd, 'Fasach chi'n leicio dod i eista efo fi, 'nghariad i?'

Does arna i ddim isio eistedd efo neb. Pan rydan ni'n cyrraedd adre dwi'n fy nghloi fy hun yn y stafell 'molchi am amser hir, hir. Mae Defi'n cnocio ar y drws ac yn holi a ydw i'n iawn. Dwi'n gadael iddo fo fy arwain i fyny'r grisiau. Dwi'n gorwedd ar y gwely ac mae o'n tynnu fy sgidiau'n ofalus ac yn tynnu'r blancedi i fyny drosta i.

'Mae'n ddrwg gen i. Mae'n ddrwg gen i,' wylaf.

'Paid â phoeni. Paid â phoeni, Glesni, dwi'n dallt,' medd Defi, gan eistedd ar fy mhwys i.

'Mae'r holl beth mor wirion. Mi ddylwn i fod yn falch ond fedra i ddim peidio â chrio.'

'Paid â thrio.'

'Ro'n i wir yn meddwl 'mod i'n mynd i gael babi.'

'Mi wn i hynny.'

'Mi ddeudodd Jay mai jest. . .'

'Hidia befo am Jay.'

'O, Defi, be wna i?'

'Cyrlio i fyny fel pelen. Crio mwy os oes arnat ti isio. A mynd i gysgu. Mi arhosa i yma efo ti.'

Dyma fo'n dal fy llaw a finna'n dal gafael yn dynn yn ei law o.

'Be wna i ynglŷn â Iestyn?' llefaf.

Dyma fi'n dweud hanes Iestyn wrtho fo o'r dechrau i'r diwedd ac mae o'n gwrando ar bob gair.

'Rwyt titha mor dda efo mi ac eto, weli di, dwi'n ddrwg. Mi wnes i'r peth gwaetha yn y byd i Iestyn.'

'Wnest ti ddim mohono fo o fwriad.'

'Do, mi wnes i.'

'Roeddat ti'n meddwl ei fod o'n sâl yn y gwely yn 'i stafell ei hun.'

'Oeddwn. Felly sut allwn i fynd efo Gwil fel yna? Ddaru ni ddim cloi'r drws, hyd yn oed.'

'Felly be ddeudaist ti wrth Iestyn, druan?'

'Roedd yr holl beth yn ofnadwy. Ddeudais i ddim byd. Na fynta chwaith. Ddaru ni jest sbio ar ein gilydd. Roedd o 'run fath â diwedd ffilm pan fydd hi'n sydyn yn rhewi'n llun llonydd. Ac yna dwi'n meddwl i Gwil ddeud rhywbath. Fedra i ddim cofio be ddeudodd o, hyd yn oed, a ddaru Iestyn droi ar 'i sawdl a cherdded o'r stafell. Ac mi godais i a mynd adra. Roedd ar Gwil isio dod efo mi ond ro'n i isio bod ar fy mhen fy hun. Mi es i'n syth i 'ngwely pan gyrhaeddis i ac yna'r bora wedyn fedrwn i ddim meddwl am godi.'

'A dwyt ti ddim wedi gweld y naill na'r llall ohonyn nhw ers hynny?'

'Naddo.'

'A dwi'n cymryd nad wyt ti isio gweld Gwil eto?'

Dyma fi'n ysgwyd fy mhen yn ffyrnig.

'Be am Iestyn?'

'Wn i ddim. Am wn i y bydd yn rhaid i mi'i weld o ac eto fedra i ddim.'

'Wyt ti'n dal i'w leicio fo?'

'Ydw, wrth gwrs fy mod i. Ond mi fydd o'n fy nghasáu i rŵan.'

'Ella.'

'Sut oeddan nhw'n dygymod yn y comiwn? Roedd pobl yn cysgu efo'i gilydd blith draphlith yno, on'd oeddan?'

'Roedd pobl yn dal i gael eu brifo. Er nad oeddan nhw'n ei ddangos o,' meddai Defi'n dawel.

'Roeddat ti wastad yn llwyddo i fod yn ffrindia â phawb.'

Dyma Defi'n gwenu. Mae o'n lapio'r blancedi o'm hamgylch i'n dadol.

'Mae gen i boen yn fy stumog,' cwynaf.

'Tria fynd i gysgu.'

'Biti na fasa dy bib di gen ti o hyd. Mi fedrat ti chwarae si hei lwli i mi wedyn.'

'Chwarae'r ffŵl o'n i, dyna'r cyfan. Fedra i ddim chwarae go iawn.'

'Medri, mi fedri. Mi fedra i dy gofio di'n chwarae, cofio'r holl donau.'

Mi fedra i eu clywed nhw yn fy mhen rŵan, hyd yn oed. Dwi'n meddwl amdanyn nhw ac yn cau fy llygaid ac yn syrthio i gysgu gan ddal i wrando ar alawon Defi.

Pan dwi'n deffro mae hi'n dywyll. Mi wn i bod Defi yno o hyd er na fedra i ei weld o. Mae o'n fy nghlywed i'n ymystwyrian ac yn plygu drosta i ac yn fy nghusanu i'n dyner iawn. Mae o isio i bob dim fod yn debyg i'r hen chwedl.

'Mae rhywun newydd ddŵad drwy ddrws y ffrynt,' sibryda Defi. 'Tybed ai Jay sy 'na?'

Owenna a Naomi sydd yno. Mae o'n cynnau'r golau ac yn galw arnyn nhw. Dyma Lois a Meg yn dod adref wedyn—a Jay. Rydan ni i gyd wedi'n gwasgu i mewn i'r stafell hon, fy stafell i. Chwe dynes yn fflyrtian ac yn cyboli ac yn gwneud llygaid llo bach ar Defi; mae hyd yn oed Naomi wrthi. Mae hi'n dringo ar arffed Defi ac yn ymnyddu yn ei gôl o, gan daflu ei phen reit yn ôl i syllu arno fo, a chwerthin yn bryfoclyd a gafael yn dynn yno fo pan fydd Owenna'n ceisio llacio'i gafael hi ar Defi. Mae Naomi yn blentyn solet ac mae Defi'n edrych fel tasa fo 'di blino'n lân ond mae o'n ei chofleidio hi ac yn ei chadw hi'n ddiddig trwy chwarae rhyw gêm gymhleth â'i fysedd efo hi. Mae o'n gwenu'n gellweirus ar Owenna dros ben Naomi er mwyn dangos (a) pa mor hyfryd o ddeallus yw ei phlentyn ond (b) iesgyrn Dafydd, mae hi'n dipyn o lond llaw a sbia arnat ti, yn gorfod ymdopi efo hi bob dydd, yn dwyt ti'n fam wych. Mae Owenna'n syllu ar Defi fel tasa hi'n hannar ei addoli fo ac yn sbio'n filain ar Lois bob yn hyn a hyn am ei bod hi'n gneud ei gorau i dynnu ei holl sylw, gan sefyll a siarad mor uchel ag y medr hi a rhuo chwerthin am ben ei jôcs hi'i hun.

Mae Defi'n chwerthin hefyd, gan ei hannog hitha i

172

chwerthin, ac eto mae o'n gwneud ei orau i dynnu Meg i'r sgwrs. Mae ei lais o'n meirioli wrth iddo fo siarad efo hi; mae'n rhoi rhyw hyder tawel iddi ac mae hi'n sibrwd sawl ateb, y tro cyntaf erioed iddi gyfrannu i sgwrs pan fydd Lois yn mynd trwy'i phethau. Mae Jay yn rhyfeddol o ddistaw. Mae hi'n gorwedd rywsut-rywsut ar ei matras, a'i chefn yn grwm. Mae'n debyg ei bod hi 'di cael llond bol pan ddaeth hi adref amser cinio a gweld ein bod ni 'di mynd. Mae hi'n bywiogi i gyd pan fydd Defi'n troi i sgwrsio efo hi, gan ysgwyd ei chyrls prin, lliw copr, 'run fath â rhyw Shirley Temple ganol oed. Tŷ Owenna ydi o, ac eto Jay ddaru wahodd Defi, ei gwestai hi ydi o, ac er nad ydi'r lleill yn gwybod hynny, yma ar fy rhan i mae o. Mae Defi'n gwneud yn siŵr 'mod i'n ei gofio fo, mae o'n sbio arna i ac yn dweud pethau fel, 'Mi aeth Glesni a fi am dro bendigedig yn y parc', er mwyn gwneud yn siŵr 'mod i'n dal i gofio am hud y prynhawn.

Gafodd o'i hudo, mewn gwirionedd? Fasa fo'n gofalu amdana i taswn i 'di cael babi? Wn i'm. Y cyfan dwi'n ei wybod ydi nad ydi o'n mynd i aros rŵan. Dyma Owenna'n gofyn iddo fo pa mor hir fydd o yng Nghymru, ac yn dweud bod ganddyn nhw bob amser le iddo fo; gallai Lois a Meg rannu stafell, mi fasan nhw'n leicio hynny, a myn brain i, mae Lois a Meg yn nodio'u pennau, a Defi'n diolch i bawb ond yn dweud mai dim ond am ddiwrnod neu ddau mae o draw yma. Mae o'n sbio arna i wrth iddo fo ddweud hynny, ac yn swnio'n hiraethus, fel pe bai o isio bod yma am byth. Wn i'm a ddylwn i ei gredu o ai peidio. Mi wn i be mae o'n ei wneud, dwi'n ymwybodol o'i driciau tyner o, ac eto maen nhw'n dal i weithio. Biti na fasen ni ar ein pennau'n hunain eto. Biti 'mod i 'di gwastraffu gymaint o'r dydd yn ymddwyn fel ffŵl.

Mae Jay yn syllu arna i. Mae Owenna'n ein gwahodd ni i lawr i gael swper (diolch i'r drefn—mae'r *quiche* brocoli llwyd a'r ffa coch oer mae Jay 'di dod adref efo hi o'r siop gyfanfwyd yn edrych yn annigonol ym mhob ffordd posibl). Dwi'n codi o 'ngwely ac yn gwisgo fy sgidia.

'Wyt ti'n iawn? ' sibryda Jay.

'Mm.'

'Pam oeddat ti yn y gwely?'

'Ro'n i jest wedi blino.'

'Rwyt ti 'di bod yn crio. Ddeudaist ti wrth Defi am y babi?'

'Jay! Mae Lois yn gwrando. Taw, da ti.'

Dydw i ddim isio dweud wrthi na fydd yna fabi. Mae'n debyg y gwneiff hi jôc o'r holl beth, gan ddweud wrth bawb, fy nhroi i'n destun gwawd a sbort. Mi rydw i'n teimlo fel taswn i'n destun sbort yn barod. Mae fy nillad yn flêr ofnadwy ar ôl yr holl orwedd o dan y blancedi ac mae fy stumog wedi chwyddo gymaint fel na alla i gau sip fy sgert. Mi fasa'n well gen i aros yn y fan yma ar fy mhen fy hun, ond dyma fi'n dilyn Defi i lawr y grisiau.

Daw Gordon adref pan rydan ni hanner ffordd trwy'n swper (mae hwnnw'n wych—cyw iâr efo mêl ac india corn a phupur gwyrdd ac mae mwy na digon i bawb, er does bosib bod Owenna'n gwybod y byddai hi'n porthi'r pum mil). Mae digon dros ben i Gordon ond mae o braidd yn bwdlyd i ddechrau, yn flin ein bod ni heb aros amdano fo. Ond mi ŵyr Defi sut mae 'i drin o, hefyd. Dyma fo'n ei holi o am ei swydd hysbysebu ddiflas, ac yn ymddwyn fel tasa ganddo fo wir ddiddordeb, ei fforc hanner ffordd at ei geg, a'i lygaid yn pefrio, ac mae Gordon yn ymlacio ac yn bwyta'i gyw iâr ac yn dweud yr hanes i gyd wrth Defi, yn sôn am yr ymgyrchoedd diweddaraf, ac yn actio'r hysbysebion ei hunan wrth i Defi chwerthin yn werthfawrogol. Mae'n rhaid mai esgus mae o rŵan, does bosib ei fod o'n gweld Gordon mor ddiddorol â hynny. Dwi yn y canol yn sownd rhwng Lois a Jay, ac yn ystyried gwneud rhyw sylw ynglŷn â dawn actio Defi, ond dwi'm yn meddwl y basa ganddyn nhw rithyn o syniad am be dwi'n sôn. Fe fyddai Iestyn yn gwybod. Fedra i ddim meddwl amdano fo, heb ddechrau crynu. Fedra i mo'i gau o allan mwyach. Mae o fel petai o'n sefyll wrth fy ymyl i drwy'r adeg, yn sbio arna i. Dyma fi'n cau fy llygaid ac yn ysgwyd fy mhen er mwyn trio lliniaru rhyw gymaint ar y teimlad, a dwi'n teimlo Jay yn mynd yn llonydd drwyddi wrth fy ochr i.

'Be wyt ti'n ei wneud?'

'Dim byd.'

'Wel tria. . .' mae hi'n stopio mewn anobaith. Yna mae hi'n plygu nes bod ei phen hi wrth ymyl fy mhen i. 'Be ddeudodd Defi amdano. . . fo? Be mae o'n feddwl ddylsat ti ei wneud?'

Dwi'n ei hanwybyddu hi ac yn dal i gnoi llond ceg o gyw iâr.

'Glesni!'

'Mi ddeuda i wrthat ti wedyn,'ysgyrnygaf.

Mi fydd yn rhaid i mi wneud. Ar ôl swper dyma fi'n mynd i'r stafell molchi er mwyn cael trefn arnaf i fy hun ac mae Jay yn disgwyl amdana i pan ddof i drwy'r drws.

'Wyt ti 'di bod yn sâl?' hola'n bryderus. 'Mi ro'n i'n sâl drwy'r adeg, i gychwyn, nid jest yn y boreua ac mi roedd o'n uffernol.'

'Tydw i ddim 'di bod yn sâl.'

'Wyt ti'n siŵr? Mae golwg fel sbrych arnat ti.'

Dwi'n teimlo 'run fath â sbrych. Dwi'n brwydro yn erbyn fy ewyllys fy hun am eiliad. 'Dydw i ddim yn mynd i gael babi wedi'r cyfan.'

'Glesni!' Mae ei breichiau am f'ysgwydda i ac mae hi'n fy nghofleidio i. 'O, Glesni, dwi mor falch!' Mae hi'n cydio yndda i'n dynn. Mae hi mor hurt o fechan a main, ddim fel mam o gwbl. Ond faswn inna ddim cystal mam â hynny chwaith, erbyn meddwl.

'Jay.' Dwi'n ei gwthio hi o'r neilltu.

'Wnest ti ddim. . .?'

Dyma fi'n syllu arni.

'Gest ti wared arno fo?' mae hi'n sibrwd.

'Naddo!'

'Mi fasat ti'n deud tasat ti. . .'

'Baswn.'

'Felly camgymeriad oedd y cyfan?'

'Ia. Ti oedd yn iawn. Ti ddeudodd mai hwyr o'n i, yntê?'

'Ia?' hola Jay'n niwlog. 'O, Glesni, dwi mor falch! Ro'n i'n poeni gymaint. Ond dwyt ti ddim yn disgwyl, dwyt ti ddim yn mynd o dy go, does 'na'm byd o'i le arnat ti o gwbl. Ac mi fedri di fynd yn d'ôl i'r ysgol fory, yn medri?'

'Dwi'm yn mynd yn ôl. Dwi fwy neu lai 'di gadael yr ysgol yn barod.'

Mae hi'n bosib y basa Jay wedi gadael i mi gael fy ffordd. Dydi hi ddim y math o ddynes i wneud ffŷs am oedran gadael ysgol a'r awdurdodau lleol. Ond mae Defi'n mynnu fel arall. Mae o'n dod i fyny i'n stafell ni yn y bore ac yn sibrwd rhywbeth wrth Jay. Mae hitha'n mynd i lawr i'r lle chwech neu i rywle. Daw draw at fy ngwely a finna'n esgus 'mod i'n cysgu. Mae o'n eistedd ar fy mhwys i ac yn aros. Dwi'n cadw fy llygaid ynghau.

'Wyt ti isio i mi fynd drwy'r rwtîn *Sleeping Beauty* eto?' sibryda Defi.

Dwi'n agor fy llygaid ac yn chwerthin yn wirion.

'Helô, Glesni.'

'Helô.'

'Sut wyt ti'n teimlo?'

'Yn well.'

'Da iawn. Yn ôl i'r ysgol felly?'

Dyma fi'n cau fy llygaid eto.

'Glesni.'

Dwi'n eu cadw nhw ynghau. Tydi Defi ddim yn gwylltio. Mae o jest yn chwerthin am fy mhen i. Fedra i ddim peidio â chwerthin hefyd. Dyma fi'n sbio arno fo.

'Defi. Ydi hi'n wir dy fod ti 'di dŵad yr holl ffordd o Amsterdam er fy mwyn i?'

'Jest er dy fwyn di,' medd Defi, ond mae o'n dal i chwerthin. 'Ac oherwydd bod 'na bobl mae arna i isio'u gweld nhw. Ond y ti yn bennaf.'

'Be ddeudodd Jay amdana i yn ei llythyr?'

'Gofyn iddi.'

'Pan 'dan ni'n siarad efo'n gilydd, mae o fel gêm a ti sy'n ennill bob tro,' meddaf, gan godi ar fy eistedd. Dwi'n rhwbio fy llygaid ac yn tynnu 'mysedd trwy 'ngwallt, gan obeithio nad oes golwg rhy flêr arna i. Mae oglau awyr iach ar Defi ac mae ei law o'n oer wrth iddo afael yn fy llaw i.

'Wyt ti 'di bod allan am dro?'

'Do, am dro hir i fyny i'r parc. Mi ddaru mi ddringo dros y relings a mynd trwy'r coed. Dwi 'rioed 'di gweld gymaint o adar. Sgrech y coed, piod, cnocell y coed. A phelicanod. Rŵan, wyt ti am godi?'

'Nac 'dw. Mae'n rhaid dy fod ti wedi codi ers oesoedd. Oeddat ti'n methu cysgu?'

'Nac o'n, ddim yn iawn.'

'Pam?'

'Meddwl o'n i.'

Dwi'n gwingo'n obeithiol.

Mae o'n chwerthin. 'Amdanat ti.'

'Amdana i?'

'Yn rhannol. Meddwl bod rhaid i ti fynd i'r ysgol.'

Dyma fi'n tynnu fy llaw o'i law o. Dwi 'di digio.

'Sbia arna i, mi adewais i'r ysgol yn bymtheg oed. A sbia lle rydw i erbyn hyn.'

'Rwyt ti'n rhydd i neud be fynni di. Mi fedri di godi efo'r wawr a mynd am dro yn y parc a chwilio am belicanod.'

'Mi fedra Gordon fynd i sw Harrods ac archebu ei belican personol ei hun. Mi fedrai o osod plât aur ar big y pelican.'

'Mi fasa'n well gen i fod 'run fath â ti na Gordon. A titha hefyd.'

'Wyt ti isio bod 'run fath â Jay?'

Dwi'n sbio'n flin arno fo.

'Dwi'm yn trio'i dilorni hi. Ond mi rwyt ti. Does arnat ti'm isio bywyd fath â bywyd Jay, yn nac oes?'

'Nac oes, ond—gwranda, dwi'm yn gweld faint o wahaniaeth wneiff mynd i'r ysgol yn y pen draw. Dwi byth yn mynd i ddal i fyny rŵan. Dwi'm yn meddwl y ca i'r un TGAU o gwbl. Ella 'mod i jest yn rhy dwp.'

'Mi roeddat ti'n meddwl dy fod ti'n rhy dwp i ddarllen unwaith, wyt ti'n cofio?'

'Wrth gwrs 'mod i'n cofio. Mi ro'n i wrth fy modd efo'r storïau yna roeddat ti'n eu sgwennu i mi, a'r llunia.'

Maen nhw'n dal i fod gen i, wedi eu plygu yn fy mocs cardbord o flwch hud. Mae'r papur yn frau fel papur sidan rŵan, a dwi 'di gorfod atgyfnerthu pob plyg efo selotêp.

'Fedrwn i ddim tynnu llun dros fy nghrogi,' medd Defi. 'Nid artist ydw i. Ond mi rwyt ti. Sbia.' Mae o'n gafael yn fy ngobennydd ac yn bodio'r brodwaith, ac yn chwifio'i law i gyfeiriad fy nghwrlid clytwaith. 'Sbia ar hyn i gyd.'

'Nid yn yr ysgol ddaru mi ddysgu gwnïo. Mi fedra i werthu fy mhetha yn y farchnad grefftau beth bynnag.'

'Faint wyt ti'n ei wneud? Digon i dalu'r rhent ar fflat? Digon i brynu bwyd a dillad ac i dretio dy hun weithia?'

Dwi'n codi f'ysgwyddau. Mae o'n ennill eto.

'Dos yn dy ôl i'r ysgol a sefyll pob arholiad fedri di. Arbeniga mewn gwnïo. Dos i goleg celf. Mynna hyfforddiant go iawn. Bryd hynny mi fyddi di'n rhydd. Yn rhydd i fyw yn union fel y leici di.'

Dyma fi'n ochneidio.

'Dwi'n siarad sens, yn tydw?'

'Wyt ti wir yn meddwl y medrwn i fynd i goleg celf? I wnïo?'

'Dwi'n siŵr y medret ti.'

'Do'n i'm 'di meddwl am hynny.' Dwi'n meddwl amdano

fo rŵan. Dwi isio'i wneud o. Ond fedra i dal ddim wynebu meddwl am yr ysgol.

'Iestyn 'di'r drwg,' egluraf.

'Mi wn i hynny.'

'Rwyt ti'n gwybod popeth.'

'Ydw. Mi wn yr ei di'n ôl i'r ysgol heddiw. Mi wn y bydd o'n ofnadwy ei weld o am y tro cynta. Mi wn i y daw pethau i drefn. Ac mi wn yr ei di i goleg celf.'

'Dos yn dy flaen. Be arall wyt ti'n ei wybod?'

'Mi wn i 'mod i'n mynd i weld dy isio di'n ofnadwy,' medd Defi.

Dwi'n codi ar fy mhenliniau ac yn estyn amdano fo ac yn ei gofleidio fo'n dynn. Daw Jay yn ei hôl y funud honno ac ebychu pan wêl hi ni. Mae o'n un o'r pethau mwyaf diniwed yn y byd. Mae o 'run fath â Naomi'n cofleidio Gordon—ac eto mae Jay yn sbio arnon ni, wedi ei dychryn yn llwyr.

'Glesni, dwi 'di gorffen yn y stafell 'molchi. Mae'r lle'n wag i ti rŵan,' medd hithau'n siort.

Fedra i ddim credu'r peth. Ac eto wrth i mi gerdded heibio iddi yn fy nghoban mae hi'n ysgyrnygu: 'A lapia siôl neu rwbath amdanat ti dy hun. Rwyt ti'n rhy hen i ddangos dy hun fel yna.'

Jay 'di hon, fy mam, y grŵpi a fethodd. Be ddaru Cai'r Crochenydd ei galw hi un tro? Y Polo Mint Dosbarth Canol.

Dwi'n dweud dim. Does dim angen i mi ddweud dim. Dwi'n sbio ar ei hwyneb sur, crebachlyd, a dyma fi'n sylweddoli rhywbeth anhygoel. Mae hi'n cenfigennu wrtha i.

Dwi'n cerdded i mewn i'r stafell ddosbarth. Dwi'n teimlo fel taswn i 'di neidio oddi ar ben clogwyn. Mae'r waliau'n chwyrlïo o'm hamgylch i, mae'r llawr yn goleddu. Dwi'n gafael mewn cadair, gan fethu â dal fy anadl. Mae Iestyn yn eistedd wrth ei ddesg ac yn troi tudalennau rhyw lyfr. Tydi o ddim yn sbio arna i. Dyma fi'n disgwyl. Does neb yn sbio arna i. Dwi'n eistedd wrth fy nesg fy hun ac yn tynnu pen, pensil a phren mesur o'r bag ac yn eu gosod nhw'n ofalus ar y ddesg, fel taswn i'n gosod bwrdd. Mae fy llaw'n crynu a dyma'r pren mesur yn taro'n swnllyd yn erbyn y ddesg. Mae trwyn Iestyn yn dal i fod yn ddwfn yn ei lyfr.

'Glesni. Draw fan 'ma.'

Dim ond un o'r merched sy yno, Delyth. Daw draw ata i.

'Roeddan ni'n meddwl dy fod ti 'di gadael neu rwbath. Ble wyt ti 'di bod 'ta?'

Dwi'n codi f'ysgwyddau ac yn cydio yn fy mhîn sgrifennu a'm pensil a'm pren mesur, a'u gosod nhw eto ar batrwm newydd.

'Nunlla,' mwmialaf.

'Felly be wyt ti 'di bod yn 'i neud?'

'Dwi di bod yn. . . sâl.'

'Be oedd o'i le arnat ti?' Julie sy wrthi rŵan. Dyma hi'n dod draw ac yn eistedd ar fy nesg. 'Wyt, mi rwyt ti'n edrych yn deneuach. Rwyt ti 'di colli pwysa, yn do? Rwyt ti'n dal i fod braidd yn flonegog o ran dy wynab ond tydi dy gorff di ddim yn ddrwg rŵan.'

Mae dau o'r bechgyn sy'n eistedd y tu ôl i ni yn crechwenu. Tydi Iestyn ddim yn cymryd dim sylw ohonyn nhw.

'Be oedd yn bod arnat ti 'ta?'

'Yr hen ffliw 'na sy 'di bod ar hyd y lle.'

'Ond mi rwyt ti 'di bod i ffwrdd ers oes pys!'

'Wel, mi ges i ddos reit ddrwg.'

Dydw i ddim yn ei ddeud o'n ddigon pendant. Dyma Delyth a Julie yn sbio ar ei gilydd ac yn codi eu haeliau.

'Be wyt ti'n feddwl mae hi 'di bod yn 'i wneud, Del?'

'Rhywbath amheus y diawl os wyt ti'n gofyn i mi. Mae hi lawer teneuach, yn arbennig o amgylch ei bol. Ella 'i bod hi 'di bod yn cael Glesni fechan fach.'

Does dim isio i mi gael panics. Dim ond gwneud hwyl am fy mhen i maen nhw, yn dweud petha gwirion jest er mwyn gwneud. Tydyn nhw ddim yn golygu 'run iot ohono fo. Dwi'n trio eu hanwybyddu nhw. Mae Iestyn yn ein hanwybyddu ni i gyd. Mae o'n troi tudalennau ei lyfr. Does dim posib ei fod o'n ei ddarllen o, ac yntau'n troi'r tudalennau mor gyflym. Dwi'n rhoi'r gorau i wrando ar gomedi sefyllfa Delyth a Julie ac yn sbio arno fo'n iawn.

Mae o 'di torri 'i wallt ond tydi hynny 'di helpu dim. Mae o'n gwisgo siwmper lwyd Llawes a thrywsus duon tynn sy'n dangos gormod ar ei fferau. Mae o'n edrych fel petai o 'di tyfu'n dalach fyth, ac mae bodiau 'i draed o'n rhwbio twll yn ei hen drênyrs. Dwi'n syllu arno fo ac mae o'n fy nheimlo i'n gwneud. Mae o'n codi ei ben o'i lyfr. O, Dduw. Fedra i ddim gwenu. Fedra i ddim dweud ei bod hi'n flin gen i. Fedra i ddim hyd yn oed sbio i'w lygaid o. Dyma fi'n aildrefnu fy mhensil a'm pren mesur fel pe bai gan y patrwm ryw arwyddocâd cyfrin. Maen nhw'n pwyntio ata i, yn fy nghyhuddo i. Sut fedra i gael Iestyn i faddau i mi? Fedra i ddim o'i gyfareddu o, 'run fath â Defi. Mi all o wneud i ni gyd godi a siglo i'w alaw o. Ond nid y pibydd ydw i. Y fi 'di'r neidr.

Mae gen i syniad. Dwi'n chwilio yn fy nesg, yn dod o hyd i'm siswrn ac yn torri o amgylch ymyl fy oferôl gwyrdd Gwyddoniaeth Gyffredinol. Mi fedra i roi hem arall arno fo'n hwyrach, ac mi wneiff o'r tro yn fyrrach beth bynnag. Mae Delyth a Julie'n holi be dwi'n ei wneud ond tydw i ddim yn fodlon dweud. Dwi'n gwnïo'n dawel fach trwy'r gwersi. Mae'n ddigon hawdd gwneud hynny ar fy arffed a thydi'r un o'r athrawon yn talu rhyw lawer o sylw i mi. Tydi Iestyn ddim yn talu unrhyw sylw i mi chwaith. Tydi o ddim 'di sbio arna i eto. Mae o i'w weld yn dawelach o lawer er bod Llawes yn mynd trwy'i bethau sawl tro mewn rhyw ffordd braidd yn ddi-fflach.

Dydi o ddim yn disgwyl amdana i amser cinio. Dwi'n dal i eistedd yn y stafell ddosbarth, yn gwnïo. Mae angen stwff llenwi arna i felly dwi'n sbio yn y cwpwrdd crefftau i weld a oes *kapok* yno. Daw'r athrawes wnïo i'r stafell wrth i mi adael, a'r *kapok* wedi'i guddio yn fy siwmper. Dyma fi'n dychryn, ond mae hi mor falch i 'ngweld i fel nad ydi hi'n sylwi ar fy mronnau mawr newydd, maint 40 modfedd.

'Wyddwn i ddim be oedd yn bod arnat ti, a wyddai neb arall chwaith. Mi wyddwn i nad oeddet ti'r math o eneth i aros gartra o'r ysgol yn hir a mi ddeudodd rhywun ei fod o'n meddwl eich bod chi wedi symud. Mi ges i gymaint o siom wrth feddwl am golli fy nisgybl gorau.'

Disgybl gorau! Fedra i ddim credu mai amdana i mae hi'n sôn. Tydi hi 'rioed 'di bod fel hyn yn y gwersi. Ond rŵan mae hi 'di dechrau rhygnu 'mlaen am raddau A a gwobrau gwnïo arbennig a dw innau'n dechrau pefrio fel seren.

Dyma fi'n dweud y celwydd am y ffliw wrthi ac mae hitha'n cydymdeimlo gymaint nes 'mod i'n teimlo'n euog. Mi rydw i isio dianc, mae'r *kapok* yn dechra llithro, ond mae'n rhaid i mi ofyn rhywbeth iddi cyn gwneud.

'Ydach chi'n meddwl bod gen i unrhyw obaith i fynd i goleg celf i studio gwnïo?'

Mae arna i ofn y bydd hi'n chwerthin am fy mhen i ond tydi hi ddim fel tasa hi'n meddwl ei fod o'n syniad mor hurt â hynny.

'Wrth gwrs bod gen ti obaith, Glesni.'

'Ond ro'n i'n meddwl bod isio lefel A i wneud. Dwi'm yn meddwl y bydda i'n llwyddo i gael mwy na dau TGAU.'

'Fyddai dim angen i ti neud dim ond chwifio'r gŵn nos

yna o dan drwyn prifathro unrhyw goleg celf a dwi'n siŵr y derbynien nhw ti fel siot,' medd yr athrawes. 'Ac mae 'na Goleg Gwniadwaith Brenhinol yn Llundain, ac Urdd y Brodwyr i gael. Well i mi ddechrau chwilio am rai o'r manylion i ti.'

Dyma fi'n diolch iddi ac yna'n dawnsio i ffwrdd i lawr y coridor. Roedd Defi'n iawn. Mi wna i rywbeth iddo fo rŵan. Siaced glytwaith newydd, porffor a du, ella. Na, mi fyddai hynny'n edrych yn ofnadwy erbyn hyn. Siaced *blouson* plaen mewn cord du. Bydd yn rhaid i mi fynd yn ôl i'r farchnad grefftau—mi fydd y defnydd yn costio cryn dipyn. Ella y medrwn i frodio un neu ddau o luniau digri ar y leinin lle na fasan nhw'n dangos. Pelicanod bychain.

Ond tro Iestyn ydi hi rŵan. Dwi 'di gorffen y stwffin erbyn i wersi'r pnawn gychwyn ac yna rwy'n ei wnïo fo yn ei le fel ei fod o'n barod ymhell cyn i'r gloch ganu am bedwar o'r gloch. Mae Iestyn yn codi'n frysiog, yn taflu ei lyfr i hen fag plastig di-sut ac yn cerdded yn dalog tuag at y drws. Mi fedrwn i ei roid o yn ei ddesg lle y doi o o hyd iddo fo fory. Ond na, mae arna i isio i'r cwbl fod drosodd rŵan. Ac yna pan a' i adref o leia mi fedra i ddweud wrth Defi 'mod i 'di trio. Felly dyma fi'n ei ddilyn o, i lawr y coridor ac allan i'r iard. Dwi'n estyn fy llaw er mwyn dal gafael yno fo, i'w wthio fo i'w ddwylo, ond mae pobl yn gwasgu arnon ni o bob cyfeiriad a does arna i ddim isio i neb arall weld. Felly dyma fi'n disgwyl ac yn gwylio ac yn dilyn Iestyn, yr holl ffordd i fyny'r lôn a rownd y gornel. Mae hyn yn hurt, mi fydda i 'di'i ddilyn o'r holl ffordd adra cyn y bydd o wedi troi rownd.

'Iestyn!'

Dyma fo'n oedi ar hanner cam ond mae ei sgidiau yn dal i gerdded. Ella na chlywodd o fi.

'Iestyn!'

Dydi o ddim am stopio. Am wn i nad ydw i'n gweld bai arno fo. Felly dyma fi'n rhedeg ato fo a gwthio fy ngwaith gwnïo i mewn i'w fag plastig o. Dydw i ddim yn aros. Dwi'n rhedeg i ffwrdd eto, ond wrth i mi gyrraedd y gornel dyma fi'n sbio'n ôl tros fy ysgwydd. Mae Iestyn yn dal ei anrheg yn ei ddwylo. Neidr werdd ydi hi, a chen lliw aur wedi'u brodio efo pwythau plu, llygaid bach du treiddgar, cwlwm Ffrengig, a thafod fforchiog. Ddaru mi ei phlethu hi allan o sidan brodio sgarlad. Coch ddefnyddiais i ar gyfer y marc ar y pen hefyd. Llythyren G lliw sgarlad. G am Gwiber. G am Godineb. G am Gwilym. Gall Iestyn ddewis fel y gwêl o orau. Mae corff y neidr yn ymgordeddu mewn torchau cymhleth. Maen nhw'n dynodi gair. 'Sori.'

Mae Iestyn yn syllu ar y neidr. Mae o 'di plygu'i ben a fedra i ddim gweld yr olwg ar ei wyneb o. Mae'n rhaid i mi gael gwybod a fydd pob dim yn iawn ai peidio. Dyma fi'n cerdded yn ôl ato fo'n araf. Dwi'm yn meddwl ei fod o'n fy ngweld i'n dŵad. Dwi'n teimlo fel taswn i'n chwarae'r gêm honno, 'Faint o'r Gloch, Mistar Blaidd?' Mae fy nghamau'n arafu ac yn arafu eto wrth i mi ddod yn nes.

'Iestyn?'

Dyma fo'n edrych i fyny'n syn. Dydi o'n dweud dim. Y fi sy'n gorfod siarad.

'Mi wn i nad oes yna ddim pwynt i mi ymddiheuro. Ond *mae* hi'n ddrwg gen i. Wir yr.'

Mae o'n sbio ar y neidr, nid arna i. Dyma gwpwl o blant blwyddyn un ar ddeg yn mynd heibio i ni ac yn troi a syllu.

'Wn i'm pam es i efo fo,' sibrydaf. 'Tydw i ddim hyd yn oed yn ei leicio fo, Iestyn. Mi wn i bod hynny'n swnio'n wirion.'

'Ydi, mae o.'

'Do'n i'm o'i isio fo—ond roedd arna i isio iddo fo fy isio i.'

'Wel, tydi o ddim,' medd Iestyn. 'Dim ond oherwydd dy fod ti'n ffrind i mi y gwnaeth o fo. Jôc oedd yr holl beth iddo fo.'

Dwi'n gwingo. Mae'r geiriau 'run fath â gwydr miniog. Wn i'm ydi o'n wir ai peidio. Neu ai jest dweud hynny er mwyn fy mrifo i mae o?

'Does gen i'm bwys am hynny,' dywedaf yn gelwyddog. 'Y cyfan sy'n bwysig i mi ydi ti a fi.'

'O?'

'Ia. Fedrwn ni fod yn ffrindia eto?'

'Paid â bod mor hurt.'

'Pam bod hynny'n hurt? Gwranda, tasat ti 'di gwneud yr un peth i mi mi faswn i'n wirioneddol flin ac wedi 'mrifo, wrth gwrs y baswn i, ond faswn i ddim yn dy gasáu di am byth.'

'Dwi'm yn dy gasáu di, Glesni, paid â bod mor blentynnaidd,' medd Iestyn. 'Ond does 'na'm pwynt dal ati efo'n perthynas ni.'

Mae o'n swnio mor nawddoglyd bron na allwn i ei gicio fo. 'Gwranda, nid arna i mae'r bai i gyd bod y peth 'di digwydd.'

'Wyt ti'n deud ei fod o wedi dy dreisio di?'

'Nac 'dw. Deud ydw i bod peth o'r bai arnat ti.'

'O, wela i. Dyna lle'r o'n i'n gorwedd yn y gwely, yn sâl. Mi est titha efo 'mrawd i ac ymhen pum munud dyna lle roeddach chi'n. . . ac arna i mae'r bai?'

'Mi wnest ti o'n gwbl blaen i mi nad oedd arnat ti fy isio i. Rydan ni 'di bod yn ffrindia ers misoedd, ac ar wahân i'r un sws yna dwyt ti ddim wedi gosod blaen dy fys bach arna i.'

'Ond be am y tair rheol euraid?'

'Pwy sy'n blentynnaidd rŵan? Rwtsh ydi rhamant, rybish 'di rhyw, mae cariadon o'u coeau? Mae o'n swnio fath â rhigwm i blant. Dim ond ei ddeud o am bod ofn arnon ni'n dau oeddan ni.'

'Wela i. Felly mi roedd hi'n weithred ddewr ofnadwy, oedd hi, gollwng dy nicars o flaen fy mrawd?'

'Nac oedd. Mi roedd o'n beth gwirion, gwrthun i'r ddau ohonan ni. Ac yn ddi-bwynt hefyd. Oherwydd doedd o ddim hyd yn oed yn llawer o beth.'

'Eithriadol o wirion. A gwrthun,' medd Iestyn, ond mae yna grac yn y mwgwd. Mae o'n troi'r neidr sy'n dweud 'Sori' rhwng ei ddwylo. 'Ond di-bwynt? Ydw i'n cymryd bod pencampwr y *Kama Sutra* yn dechrau colli'i afael? Nad oedd ei berfformiad o cweit yn cyrraedd ei binacl arferol o berffeithrwydd? Ddaru'r ddaear ddim symud? Ai dim ond rhyw esgus o ddaeargryn gest ti?'

'Rwyt ti'n codi cyfog arna i. Dyna'r cyfan sy'n dy ddiddori di. Dy blydi brawd. Rwyt ti'n *obsessed* efo fo. A dwn i'm pam. Dydi o ddim mor sbesial â hynny. Mae o'n olygus ac yn glyfar, ond be am hynny?'

'Felly mi rydw i'n hyll ac yn ddwl.'

'O Dduw mawr! Wyt. Pam ddylwn i drio dy gysuro di drwy'r amser? Dwyt titha ddim yn fodlon fy nghysuro i. Rwyt ti jest 'di gwneud i mi deimlo'n hyll ac yn ddiwerth drwy'r adeg. A dwi 'di cael llond bol ar y peth. Dwi 'di cael llond bol arnat ti. Wn i'm pam ddaru mi wastraffu fy amser yn gwnïo'r neidr wirion yna drwy'r dydd heddiw wir. Mi gei di'i stwffio hi i fyny dy siwmper—'di o'r ots gen i.'

Dyma fi'n martsio i lawr y lôn. Mae 'na dorf o blant blwyddyn wyth yn syllu arnon ni ac yn chwerthin. Dwi'n sbio'n filain arnyn nhw ac yn stelcio heibio iddynt.

'*Young lady! Young lady!*'

Llais Llawes, yn uchel a thrahaus.

'Y fi 'di'r unig berson sy'n byw yn siwmper yr hogyn 'ma. Fedra i ddim tros fy nghrogi rannu fy hafan efo'r sarff orstwffiog hon.'

Dyma fi'n troi. Dwi'n sbio ar Iestyn a Llawes a'r neidr fechan. Mae plant blwyddyn wyth yn wylo chwerthin. Dyma fi'n ochneidio. Ac yna'n gwenu.

'Wyt ti isio dod yn ôl efo fi?' hola Iestyn yn ei lais ei hun.

'Fedra i ddim heno. Ond fory, ella.'

Dyma Iestyn yn nodio. Mae o'n cerdded i ffwrdd, gan ddal y neidr. A dyma finna'n brysio adref, a'r wên ar fy wyneb yn araf ymledu o glust i glust. Fedra i ddim aros i gael dweud yr hanes wrth Defi.

Ond dim ond Jay sydd yno. Ddaru hi ddim mynd i'r gwaith heddiw. Arhosodd hi gartra i gael bod efo Defi.

'Ble mae o?'

''Di mynd.'

Mae hi'n eistedd ar ei matras a'i choesau o dan ei gên a'i phen yn pwyso ar ei phenliniau. Mae hi'n gwisgo ei dyngarîs melyn llachar. Mae hi 'di clymu ei gwallt yn blethi bychain llipa. Dwi'n meddwl ei bod hi'n trio edrych yn giwt.

'Ydi o 'di mynd allan efo Owenna a'r merched?'

'Naddo. 'Di mynd i weld ffrindia iddo fo yng Nghaernarfon mae o.'

'Ond mi ddaw o'n 'i ôl yma?'

'Na ddaw.'

Fedra i ddim ei chlywed hi'n iawn pan mae hi ar osgo fel yna.

'Pam lai? Be sy 'di digwydd?'

'Wn i'm. Mae o am fynd i Iwerddon am ychydig ddyddia hefyd. Mi wyddost ti sut un 'di Defi. Dydi o byth yn setlo'n hir yn unman.'

'Ro'n i'n siŵr ei fod o am aros y tro hwn.' Roedd arna i gymaint o isio dweud wrtho fo am Iestyn. Sut fedrai o adael heb aros i weld a oedd pethau'n iawn ai peidio?

'Bydd ddistaw, wir,' medd Jay, 'mae gen i glamp o gur pen.' Ac mae hi'n rhwbio'i phen yn erbyn ei phenliniau.

'Rwyt ti 'di bod yn yfed,' meddaf inna'n oeraidd. Mae hi'n dal i yfed. Mae 'na botel o sieri Gordon wrth ei hymyl hi. Tydi hi ddim hyd yn oed yn leicio sieri.

'Mi aethon ni i'r Swan i gael cinio,' mwmiala Jay.

'Ti a Defi?'

'Ia, fi a Defi.'

Ai dim ond y ddau ohonyn nhw aeth? Mae'r Swan yn ddrud. Does gan Defi ddim gymaint â hynny o bres ac yn bendant does gan Jay ddim pres. Felly mae'n debyg bod Gordon 'di cymryd diwrnod yn rhydd o'r gwaith, hefyd.

Tydw i ddim am ofyn rhag ofn 'mod i'n camgymryd. Tydw i ddim isio meddwl am Jay a Defi ar eu pennau'u hunain efo'i gilydd trwy'r dydd. Mae'n amlwg mai am hynny mae Jay yn meddwl rŵan. Dyma hi'n llowcio llond ceg arall o sieri, heb dywallt y ddiod i wydr hyd yn oed. Mae hi'n ei slotian o'n syth o'r botel. Mae oglau diod yn llenwi'r stafell gyfan. Mi roddwn i unrhyw beth yn y byd am gael fy stafell fy hun. Dwi'n cerdded heibio i'w matras hi ac yn mynd at fy ngwely fy hun. Dyma fi'n gorwedd arno fo, heb boeni am roi plygion yn fy nillad. Dyma fi'n cau fy llygaid ac yn gorwedd yn llonydd. Fedra i ddim *teimlo*'n llonydd. Mae fy nghalon yn curo fel pe bawn i'n rhedeg ras. Mae'r siom yn cau dros fy mhen i fel blanced ddu. Mi ro'n i mor hapus hefyd. Mi ro'n i bron â chymodi efo Iestyn. Ro'n i isio i Defi fod yn falch ohona i. Dwi isio mynd i nôl fy mlwch cyfrin a sbio ar fy nhiwlip marsipan a'r gerdd gan Christina Rossetti, ond sut fedra i efo Jay yno?

Mae'n fwy na thebyg mai arni hi mae'r bai ei fod o wedi mynd. Mae'n rhaid ei bod hi wedi codi'r felan arno fo. Mae hi'n dal i'w ffansïo'i hun fel rhyw *femme fatale* dros-ben-llestri ac eto pa lwyddiant gafodd hi efo dynion erioed? Does dim un ohonyn nhw wedi aros yn hir iawn. Wela i ddim bai arnyn nhw, chwaith. Tydw inna ddim am aros chwaith. Arhoswch chi nes 'mod i yn y coleg celf. Mi ga i grant, mi ga i fy stafell fy hun, mi fydda i'n gwerthu fy stwff yn y farchnad o hyd, mi fydda i'n rhydd.

Diolch byth nad oes yna fabi wedi'r cyfan. Dyma fi'n rhoi fy nwylo ar fy stumog. Mae'r mis a aeth heibio i'w weld fel hunlla rŵan. Mi fedra i deimlo'r holl ofn ond mae'r ffeithiau i gyd yn niwlog ac yn gymysg yn ei gilydd. Dydw i ddim am orwedd ar y gwely hwn bellach. Dwi 'di cael llond bol ar freuddwydio.

Dyma fi'n codi, yn camu dros Jay ac yn agor y ffenest. Mae hi'n crychu ei llygaid ac yn crynu.

'Be wyt ti'n neud? Mae hi'n rhewi yma fel mae hi.'

'Mae angen awyr iach arnan ni. Gwisga siwmper,' meddaf yn swta. Dyma fi'n twrio yn y cwpwrdd er mwyn dod o hyd i 'mhethau gwnïo. Waeth i mi ddechrau ar siaced Defi'n syth. 'Ddaru o adael cyfeiriad?'

'Mi wn i ymhle fydd o yn Iwerddon. Ac mae gen i ei gyfeiriad o yn Amsterdam. Mi fydd o wastad yn cadw cysylltiad. Yn ei ffordd ei hun,' medd Jay. Dyma hi'n estyn am ei hen siaced ledr ac yn ei lapio o amgylch ei hysgwyddau. Mae hi wedi rhwygo yn y cefn ac mae'r steil yn hyll, yn perthyn i'r saithdegau, yn dynn ac yn fain efo coler bigfain. Mae'r siaced yna ganddi hi ers cyn cof a dwi 'di 'i chasáu hi erioed.

'Pam wyt ti'n sbio arna i fel'na?' hola gan gymryd jochiad arall.

'Paid! Mi rwyt ti 'di meddwi. Dim ond hanner awr 'di pedwar ydi hi a dyma ti yn slotian sieri.'

'Tydw i ddim wedi meddwi. Mi faswn i'n leicio petawn i, ond tydw i ddim,' medd Jay, ac yna mae hi'n gosod y botel ar y carped mor chwyrn, bron iddi droi. Dyma fi'n gafael yn y botel ac yn ei gosod hi ar ben y cwpwrdd.

'Nid y ni biau hi, hyd yn oed. Gordon biau hi.'

'Fydd dim bwys ganddo fo.'

'Mae ots gen i. Mae'n gas gen i'r ffordd rydan ni'n cymryd eu stwff nhw o hyd. Mi ddylsan ni fod yn fwy annibynnol. Ella nad wyt ti'n malio am fyw ar draul pobl eraill, ond mi rydw i.'

'Ydw mi rydw i.'

'Nac wyt.'

'Be wyddost ti am falio, Glesni?' medd Jay, a'i llais yn floesg gan hunandosturi. 'Ella y dylsat ti fod wedi cael babi wedi'r cyfan. Ella y basa fo wedi bod yn help i ti dyfu i fyny ryw gymaint.'

'Ddaru o ddim dy helpu di. Rwyt ti'n dal i fihafio fath â babi dy hun. Sbia arnat ti dy hun.'

'Plîs. Dwi ddim isio ffraeo,' medd hithau, gan fwytho'i thalcen.

'Ti ddechreuodd.'

'Ac mi roedd hi'n ddiwrnod mor braf, hefyd,' meddai hi, wrth iddi suo'n ôl a blaen. 'Mi aeth Defi a fi am dro hir efo'n gilydd a siarad am gymaint o betha. Y fo 'di'r unig berson y medra i wirioneddol siarad efo fo. Rydan ni mor agos. Mi wn i na fydda i'n ei weld o'n aml iawn, ond does dim bwys. Pan rydan ni efo'n gilydd 'dan ni 'run fath ag efeilliaid.'

Fedra i ddim dioddef gwrando ar y sothach hunandosturiol yma. Dyma fi'n hel fy mhethau gwnïo ac yn codi.

'I ble'r wyt ti'n mynd?'

'I lawr grisia. Allan. Mae 'na hogla fath â bragdy ar y stafall 'ma.'

Mae Jay yn chwerthin yn uchel. Mae'n gas gen i'r ffordd y bydd hi'n taflu ei phen yn ôl ac yn chwerthin fel yna, gan ddangos yr holl ffilins yn ei dannedd.

'Mae gen ti'r un llais â Mam yn union. Rwyt ti'n tyfu'n debyg iddi, Glesni. Mi ddihangais i rhag un fam ac rŵan dwi'n stŷc efo un arall.'

'Rhwydd hynt i ti ddianc oddi wrtha i hefyd,' meddaf. 'Gorau po gynta. Does arna i ddim o dy isio di.'

Mae hi'n dal i chwerthin, ond rŵan hen sŵn cras ydi o, 'run fath ag asyn yn nadu. Mae hi'n rhoi ei phen ar ei gliniau. Dydi hi ddim yn chwerthin rŵan. Crio mae hi.

'Rwyt ti wedi'i dal hi yn do?'

Mae hi'n dal i grio. Dwi isio cerdded allan a'i gadael hi ond dwi'n aros lle'r ydw i'n syllu ar glown trist o ddynes.

'Do'n i ddim o ddifrif. Dim ond jôc oedd o.'

'Dwi'n gwbod yn iawn nad oes arnat ti f'isio i.'

'Paid â chrio fel yna. Mi wnei di dy gur pen di'n waeth.'

'Does ar neb fy isio i,' dyma Jay yn beichio crio.

Mae hi'n chwarae'r un tric â Iestyn, sy'n hollol chwerthinllyd mewn dynes yn ei hoed a'i hamser. Ond dwi'n camu draw ati ac yn penlinio wrth ei hochr.

'Leiciet ti i mi wneud panad i ti?'

Dyma hi'n ysgwyd ei phen. 'Does ar neb f'isio i,' dywed drosodd a throsodd.

Mae'n rhaid i mi fynd trwy'r holl berfformans.

'Wrth gwrs eu bod nhw.'

'Pwy?'

'Y fi.'

'Mi ddeudodd Mam y basa hi'n well taswn i'n dy roi di i gael dy fabwysiadu. Dwi'n meddwl mai y hi oedd yn iawn. Dwyt ti'm 'di cael rhyw lawer o gyfle efo fi. A doeddwn i ddim yn credu bod petha fath ag eiddo a rhyw lol dosbarth canol felly'n bwysig. *All you need is love* ac yn y blaen. Ond doedd o ddim yn ddigon.'

'Oedd, mi roedd o.'

'Wn i'm be i'w wneud rŵan. Dydw i ddim 'di cyrraedd nunlla. Fedra i ddim credu 'mod i 'di mynd i edrych mor hen. A 'ngwallt i.' Mae hi'n dal ei phlethi hurt yn yr awyr. 'Wn i'm be i'w wneud efo fo erbyn hyn. Roedd 'na griw o blant heddiw ac mi roeddan nhw'n chwerthin am fy mhen i.'

'Paid â mwydro,' dywedaf. 'Y ti sy'n wirion rŵan, nid y fi. Rwyt ti'n paranoid. Does 'na ddim o'i le ar dy wallt di.'

'Mi allwn i ei wisgo fo mewn bynsan fach, fel ti.'

'Mi fedret ti drio. Fydda fo ddim yn ei siwtio hi. Mi fyddai o'n edrych yn uffernol. A beth bynnag, fy steil gwallt i ydi o.

'Mi fedrwn i wastad ei dorri fo a chael *perm* go iawn,' medd Jay yn llais Nain. Dyma hi'n sgubo'r dagrau oddi ar ei bochau efo cefn ei llaw. 'Ddaru hi ddim sôn dim amdana i pan welaist ti hi?'

'Ddaru hi gwyno amdanat ti rhyw fymryn. Mae hi 'di mynd yn eiddil ofnadwy. Mae hi'n simsanu bob yn hyn a hyn.'

'Simsanu sut? Ydi hi'n iawn? Tydi hi ddim yn mynd yn ddwlál na dim?'

'Nac 'di, dwi'm yn meddwl.'

'Wn i'm pa mor hen ydi hi hyd yn oed. Am wn i ei bod hi'n gyrru 'mlaen tipyn. O Dduw, be ddigwyddith os bydd hi'n methu â gofalu amdani hi'i hun?'

'Mi eiff hi i gartre hen bobl.'

'Ond pwy fydd yn trefnu'r cyfan? Wyt ti'n meddwl y dylswn i fynd i'w gweld hi? Mi wn i ei bod hi'n fy nghasáu i, yn bendant tydi hi ddim fy isio i, ond os ydi hi'n wirioneddol eiddil. . .'

'Mi fydd hi jest yn meddwl dy fod ti ar ôl ei fflat hi,' meddaf. 'O'r nefoedd, Jay, paid â chrio eto. Jôc arall oedd hi.'

'Mi wn i hynny. Dwi jest yn teimlo'n isel braidd, paid â chymryd dim sylw ohona i. Gwranda, dos di i'w gweld hi eto. Yn fuan.'

'Ocê. Ond dwi'm yn meddwl bod arni hi isio 'ngweld i chwaith.'

'Biti na fasa Dad yn dal yn fyw,' medd Jay, gan siglo'n ôl ac ymlaen eto. 'Glesni, wyt ti'n credu mai y fi lladdodd o go iawn?'

'Be?'

'Y sioc pan o'n i'n disgwyl, gadael cartre, hynna i gyd. Dwyt ti'm yn cofio i Mam ddeud mai arna i oedd y bai i gyd?'

'Paid â bod yn wirion. Roedd hynny'n syth wedi'r angladd, wyddai hi ddim be roedd hi'n ei ddeud.'

'Roeddan ni'n arfer bod yn agos ofnadwy, Dad a finna. Wel, mi ro'n i'n meddwl ein bod ni. Roedd o'n sioc ofnadwy pan ddaru o droi yn fy erbyn i. Fedrwn i ddim credu nad oedd arno fo fy isio i bellach.'

'Paid â dechra eto ar yr holl stwff yna bod ar neb dy isio di,' meddaf, gan dwrio yn fy mag gwnïo.

Dyma fi'n dod o hyd i'r goban ddu. Mi fedrwn i roi cynnig arall ar ei lliwio hi a'i defnyddio hi i wneud y leinin. Byddai rhaid i mi brynu'r cord du, wrth gwrs, ond mae gen i edau ddu a botymau mawr duon. Does gen i ddim patrwm ond pethau diflas 'di'r rheiny, beth bynnag.

'Ro'n i'n meddwl y bydda petha'n iawn efo Cai. Wel mi roeddan nhw nes iddo fo ddechra troi'n gas. Ac mi roedd petha'n iawn efo Tim hefyd, yn doeddan nhw?'

Pwy mae hi'n drio'i dwyllo?

'Ocê, mi wn i nad oedd gen ti fawr o feddwl ohono fo ond mi fedrai o fod yn wirioneddol addfwyn a thyner ar brydiau. Ond mi adawodd o, yn do? Yn y diwedd. Dyna maen nhw i gyd yn ei wneud. Dyna mae Defi 'di'i neud, hyd yn oed.'

Does arna i ddim isio iddi ddechrau sôn am Defi. Dwi'n tynnu braslun o gynllun siaced ar sgrepyn o bapur, gan ganolbwyntio'n benderfynol.

'Mi roedd arna i isio Defi erioed,' sibryda Jay. 'Mae 'na'r fath drydan rhyngon ni. Nid jest rhyw ydi o, ond. . .'

'Taw, wnei di, Jay. Paid â dal i swnian.' Dwi'n gwasgu mor galed nes bod fy mhensil yn torri reit drwy'r papur.

'Wyt ti'n meddwl ei fod o'n malio amdana i? Mi fydd o'n mynd i ffwrdd, dwi'n gwbod, mae angen bod yn rhydd arno fo, ond mi fydd o wastad yn dod yn ei ôl, yn bydd? Mae o'n dod pan mae ei angen o arna i.'

Dod i 'ngweld *i* mae o. Mi ddaeth o'r tro hwn am ei fod o'n meddwl bod arna i ei angen o. Mae arno fo fy isio i. Sut all hi fod yn gymaint o ffŵl? Mi welodd hi hynny y bore 'ma. Y *fi*.

'Sut wn i?'

Dyma'i hysgwydda hi'n disgyn. Mae hi'n ochneidio. Dwi'n aros, ond o leia dydi hi ddim yn crio eto. Mae hi'n sniffian yn lle hynny, ac yn chwythu ei thrwyn yn ddifeddwl ar damaid o ddefnydd o'm bag gwnïo.

'Wyt ti'n malio? Ro'n i'n mynd i ddefnyddio hwnna!'

'Mae'n ddrwg gen i.' Mae hi'n sbio ar fy mraslun. 'Mae'r llun yna'n edrych yn dda. Be ydi hi, siaced?'

'Mm.'

'Ei gwneud hi allan o'r goban yna fyddi di?'

'Naci, siŵr. Siaced go iawn fydd hon. Dwi'n mynd i brynu defnydd cord du cyn gynted ag y bydd gen i bres.'

Dyma hi'n nodio'i phen. 'Leicien i taswn i'n medru gwnïo. I bwy mae hi, y siaced 'ma?'

'Gei di weld.' Dyma fi'n meddwl am y peth. Does ganddon ni ddim gymaint â hynny o amser ar ôl efo'n gilydd, ac mi roddwn i ffortiwn am gael gweld cefn yr hen beth lledr yna. 'Ella mai i ti mae hi.'

Hefyd yn y gyfres:

Jabas Penri Jones (Dwyfor)
Cyffro Clöe Irma Chilton (Gomer)
Pen Tymor Meinir Pierce Jones (Gomer)
Hydref Gobeithion Mair Wynn Hughes (Tŷ ar y Graig)
'Tydi Bywyd yn Boen! Gwenno Hywyn (Gwynedd)
O'r Dirgel Storïau Ias ac Arswyd, gol. Irma Chilton (Gomer)
Dydi Pethau'n Gwella Dim! Gwenno Hywyn (Gwynedd)
Cicio Nyth Cacwn Elwyn Ashford Jones (Carreg Gwalch)
Tecs Mary Hughes (Gomer)
Liw Irma Chilton (Gomer)
Mwg yn y Coed Hugh D. Jones (Gomer/CBAC)
Iawn yn y Bôn Mari Williams (Gomer/CBAC)
Pwy sy'n Euog? addas. John Rowlands (Gomer)
Ciw o Fri! addas. Ieuan Griffith (Gomer)
Ses addas. Dylan Williams (Dwyfor)
Wela i Di! addas. Elin Dalis (Gomer)
Ar Agor fel Arfer addas. Huw Llwyd Rowlands (Gomer)
Gwarchod Pawb! addas. Hazel Charles Evans (Cyhoeddiadau Mei)
Mêl i Gyd? Mair Wynn Hughes (Gomer/CBAC)
Llygedyn o Heulwen! Mair Wynn Hughes (Gomer/CBAC)
Tipyn o Smonach! Mair Wynn Hughes (Gomer/CBAC)
Dwy Law Chwith Elfyn Pritchard (Gomer)
Codi Pac addas. Glenys Howells (Gomer)
Mochyn Gwydr Irma Chilton (Gomer)
Cari Wyn: Cyfaill Cariadon addas. Gwenno Hywyn (Gwynedd)
Un Nos Sadwrn . . . Marged Pritchard (Gomer)
Cymysgu Teulu addas. Meinir Pierce Jones (Gomer)
Gadael y Nyth addas. William Gwyn Jones (Gwynedd)
Gwsberan addas. Dyfed Rowlands (Gomer)
Coup d'État Siân Jones (Gomer)
'Tydi Cariad yn Greulon! Gwenno Hywyn (Gwynedd)
O Ddawns i Ddawns Gareth F. Williams (Y Lolfa)
Broc Môr Gwen Redvers Jones (Gomer)
Cari Wyn: 'Gendarme' o Fri! addas. Gwenno Hywyn (Gwynedd)
Adlais Shoned Wyn Jones (Y Lolfa)
O Na Byddai'n Haf o Hyd addas. Manon Rhys (Gomer)

Tipyn o Gamp addas. W. J. Jones (Gwynedd)
Oni Bai am Bedwyr addas. Elin Dalis (Gomer)
Jabas 2 Penri Jones (Dwyfor)
Nefoedd Wen! Dafydd Price Jones (Gee)
Prosiect Nofa Andras Millward (Y Lolfa)
Heb ei Fai . . . Elwyn Ashford Jones (Gomer)
Angharad Mair Wynn Hughes (Gomer)
Maggie addas. Rhian Pierce Jones (Gomer)
Y Sêr a Wêl Ross Davies (Gomer)
Dan Leuad Llŷn Penri Jones (Y Lolfa)
Samhain Andras Millward (Y Lolfa)
Llinynnau Rhyddid addas. Rhian Pierce Jones (Gomer)
Mac Rhian Ithel (Gomer)
Y Mabin-od-i Hilma Lloyd Edwards (Y Lolfa)
Charlie Gwen Redvers Jones (Gomer)
Coch yw Lliw Hunllef Mair Wynn Hughes (Gomer)
Byth Ffarwél Mair Wynn Hughes (Gomer)
Un Cythraul yn Ormod Andras Millward (Y Lolfa)
Babanod Blawd addas. Emily Huws (Gomer)
Dala'u Tir addas. Delyth George (CLC)
Cicio a Brathu addas. Esyllt Penri (Carreg Gwalch)
Pla 99 addas. Esyllt Penri (Carreg Gwalch)
Ffridd y Cythreuliaid addas. Gruff Roberts (Gwynedd)
Heia, Sbecs! Mair Wynn Hughes (Gomer/CBAC)
Joni a'r Meirwon addas. Aled Jones (Gwynedd)
Cicio a Brathu addas. Esyllt Penri (Carreg Gwalch)
Dyddiau Cŵn Gwen Redvers Jones (Gomer)